PIERRE CABANNE

EL SIGLO DE PICASSO

PICASSO

IV
(1955-1973)
Gloria y soledad

MINISTERIO DE CULTURA

Traducción: María Fortunata Prieto Barral.

I.S.B.N.: 84-7483-218-7 (obra completa)

I.S.B.N.: 84-7483-222-5 (tomo IV)   Depósito legal. M. 981.—1982

RAYCAR, S. A. Matilde Hernández, 27. Madrid-19

CAPITULO XXII

NO HAY MISTERIO PICASSO...
(1955-1957)

«¡Cámara!... ¡Acción!» La frase habitual suena docenas de veces al día en los estudios de la Victorine, en Niza. Es el momento en que los protagonistas inician en los platós la escena de amor, el episodio dramático o cómico que será necesario repetir una y otra vez. «¡Stop!, ¡Corten!» y la estrella se para en medio del largo beso encendido o el asesino baja el cuchillo, el cómico se traga las muecas, la vampiresa se pone las gafas negras y la bata de seda, la ingenua se tapa las desnudeces...

Pero aquel día del verano 1955, las consabidas órdenes no se dirigen a una estrella ordinaria ni a un actor veterano: en el plató no hay más que un hombre bajo y ancho con el torso desnudo, moreno, chorreando sudor, que deja de dibujar en la inmensa pantalla de papel blanco. Henri-Georges Clouzot está rodando *El Misterio Picasso.*

El ilustre cineasta no debería haber acometido jamás tamaña empresa. Ciertamente ni su talento ni su buena voluntad, y menos aún su admiración por el pintor, son cuestionables, pero al insistir en el aspecto del virtuosismo de Picasso descubre los secretos disfrazándolos sin querer, y los presenta como pases de prestidigitación o ejercicios de acrobacia gesticular. Al pretender describir el proceso creador del artista –lo que era prácticamente imposible– Clouzot no representó sino la apariencia y abundó en el sentido de la facilidad de ejecución que tantos adversarios habían tratado de ridiculizar. La cámara no podía, en unos pocos minutos, dar cuenta de la extraordinaria actividad creadora de Picasso; sólo podía mostrar algunas etapas, dar sucintos resúmenes.

Picasso puesto al desnudo por Clouzot no es ya un inventor, sino un actor, y lo que es peor, un ilusionista filmado durante sus números más logrados. Las vacilaciones, los conflictos, los escrúpulos, las vueltas atrás, los momentos de vacío, todo lo que constituye el drama de la creación queda al margen de la película. El pintor aparece demasiado seguro de sí mismo para un público que lo está mucho menos de que don Pablo no se esté burlando de todo el mundo. Cuando, parándose bruscamente de pintar, declara: «¡Bueno, pues así lo dejo!» evidentemente hay que creerle, pues sólo él es juez de sí mismo. Ahora bien, cuando Clouzot le hace decir: «Yo no me ocupo del público», el cineasta no es juez del pintor. Toda la película está llena de estos equívocos, de tales defectos.

El Misterio Picasso es la revancha inconsciente del pintor fracasado que fue Clouzot sobre el genio de don Pablo.

El cineasta venía acariciando el deseo de rodar una película sobre el artista y éste, aún si oponerse, se preguntaba si la cámara podía ser otra cosa que un aparato para captar sus movimientos, acompañarle durante su trabajo y revelar las fases sucesivas del mismo. Dora Maar había mostrado, a través de la fotografía, cómo fue el desarrollo del *Guernica,* etapa por etapa: la cámara tenía un poder más fascinante: restituir el movimiento, identificarse con el ojo y la mano del pintor. Se trataba, en suma, para Picasso, de que Clouzot revelase la forma de realizar una o varias obras, simultáneas o sucesivas; al querer captar la totalidad, falló por quedar falseada la verdad. Buena prueba de que, por ejemplo, *La Playa de la Garoupe,* que Picasso ejecutaba ante la cámara, no es una obra-suma, es que continuó trabajándola después.

No era ésta la primera vez que la obra de Picasso se llevaba a la pantalla. Alain Resnais había explorado inteligentemente el *Guernica,* aunque transformando, de manera recusable, la enorme pintura en un ejercicio de su propio estilo cinematográfico. Luciano Emmer había actuado con mayor respeto y más didáctica intención de situar cada período de Picasso en un contexto histórico. Por su parte, el crítico de arte belga Paul Haesaerts no fue tan ambicioso: su *Visita a Picasso* que mostraba por primera vez al pintor trabajando, tenía todas las calidades y los defectos de la realidad vivida. Georges Sadoul estimó que «el film no pasaba de ser un reportaje ancedótico y familiar». Tal vez porque Haesaerts no era un profesional de la cámara.

No era ése el caso de Clouzot, que sabrá utilizar a Picasso con excelente técnica pero también con un palmario sentido publicitario.

Los dos hombres se habían encontrado durante el verano de 1952 en la habitación del Hotel de Nimes donde Luis Miguel Dominguín se vestía y rezaba a la Virgen poco antes de salir a la plaza. Hacía al menos 15 años que no se veían. Dominguín apagó las velas que ardían delante de la imagen, besó las medallas, abrazó a Picasso y salió. La corte de admiradores le esperaba. En el vestíbulo del Hotel, Clouzot le dijo al pintor unas palabras sobre su proyecto, y Pablo asintió:

«Sí, es una buena idea, tendremos que volver a hablar de ello. Sí que me gustaría hacer algo con usted».

Tres años después, Clouzot se instaló en Saint-Paul-de-Vence. Y fue a ver a Picasso, varias veces hablaron del tema, Pablo parecía interesado, pero no acababa de decidirse.

Un buen día telefonea a Clouzot, pues acaba de recibir de Estados Unidos unas tintas nuevas que inmediatamente probó dibujando a pincel el perfil de una cabra y se dio cuenta de que al poner la hoja de papel a la luz, el dibujo quedaba tan nítido por una cara como por la otra. Clouzot escucha; por la tarde llega a *La Californie:* «Qué, entonces podemos empezar?»

Ese nuevo procedimiento hallado por Picasso permitía a la cámara trabajar libremente por el revés del dibujo mientras que el artista trabajaba por el derecho; era, en cierto modo, la misma técnica que había utilizado Haesaerts cuando hizo pintar a Picasso en grandes espejos con una pintura blanca para que la transpariencia dejase ver a la vez la ejecución de la obra.

Clouzot, tan entusiasmado como Picasso por este hallazgo, configuró enseguida el film de modo que mostrase al pintor en pleno ardor creativo. En *La Californie* tuvieron lugar numerosas sesiones preparatorias, con todo el equipo de Clouzot y del operador jefe, que era Claude Renoir, nieto del gran pintor. Pablo decía: «Cada vez que alguien le llama Renoir ime hace un efecto!». Por fin todo está listo a principios de verano de aquel año particularmente tórrido. La música se le encargó a Georges Auric, aunque éste no era en realidad, el compositor ideal para un tema picassiano, –y en efecto escribió una música sin gran carácter–. «Música figurativa para una película que no lo era», estimará Claude Mauriac.

«¡Cámara!... ¡Acción!» repite Clouzot por centésima vez. «¡Corten!»... Y Picasso extrañado: «No, no, un minuto aún».

Poco a poco se adapta a esta disciplina nueva para él que tiene sus imperativos.

Clouzot a Renoir: –¿Cuánto te queda en la máquina?

Renoir: –150 metros.

Clouzot a Picasso: –Tienes cinco minutos.

Picasso: –Es bastante.

Clouzot: –Bueno, entonces, ¿en negro o en color?

Picasso: –En color, es más divertido.

Clouzot: –Bien, ¿qué vas a hacer?

Picasso: –Cualquier cosa.

Clouzot: –Como de costumbre...

Picasso: –Si, pero te reservo una sorpresa...

Clouzot: ¡Motor!

¡Rodando! Y la cosa marcha. Pablo dibuja un pez con el vientre lleno de flores. O una gallina con el plumaje empenachado. O faunos y ninfas solazándose en compañía de una cabra, sobre un gran panel vertical que servirá de telón de fondo a la película. Trabaja con el torso desnudo, en pantalón corto, los ojos acechantes. Rasca el carboncillo sobre el lienzo blanco, el pincel traza ágiles arabescos en verde, rojo, amarillo o azul. Se para, recomienza...

Picasso empieza por arriba, por abajo, por en medio; por

un ojo, por una pata o por la cabeza. Va rápidamente dando vida a graciosas muchachas, a enanos barbudos resurgidos de la anterior «temporada en el infierno», a faunos tocando la flauta, a desnudos, a cabras, a peces... No, no hay misterio alguno en esa creación continua de tan evidente lisibilidad y tan total libertad. Picasso no es un mago, trabaja como un artista aplicado, respetando los minutos de filmación que le conceden, lo mismo que los horarios laborales de los estudios, de los maquinistas, de los operadores, de los ayudantes. Obrero entre obreros, bajo la mirada del jefe cuyos ojos son tan oscuros como los suyos bajo las pobladas cejas y que da grandes chupadas a la pipa apagada cuando algo no va bien.

Dentro de un momento, en la terraza de los estudios, a la sombra de los quitasoles, Picasso estrechará la mano de actores «de verdad» que ruedan en los platós contiguos: Raymond Pellegrin, Gisèle Pascal, Brigitte Bardot en toda la plenitud de su espléndida belleza, antes de ser «monstruo sagrado». Quien está de moda por el momento es un personaje con el rostro picado de viruelas, la dentadura resplandeciente y un acento de norteamericano nacido en Belleville: Eddie Constantine. Todas las miradas son para él, las «estrellas de segunda magnitud» como las damas maduras se precipitan a hacerle firmar autógrafos, sin poder sospechar que un sólo trazo del viejo calvo y tostado que almuerza a unos metros más allá, vale mucho más que el contrato del irresistible joven actor.

Clouzot no sale de su asombro, nunca hubiera podido pensar que este pintor de setenta y cuatro años tuviera tal capacidad de trabajo. Picasso puede pasarse horas y horas de pie pintando o dibujando bajo un calor sofocante, bien plantado en sus firmes piernas y no dejando la obra emprendida sino para empezar otra. Sus únicos momentos de descanso son los que imponen las necesidades del rodaje.

A medida que avanzan las secuencias, su rostro acusa el esfuerzo, tirante la piel curtida, los pómulos salientes, las arrugas de las mejillas ahondadas y alargadas por el gesto de los labios apretados. El ojo —«el ojo total», como dice Verdet– echa fuego, la espalda chorrea sudor, las piernas sólidas cual columnas están inmóviles mientras que el cuerpo evoluciona según la mano va rasgando o acariciando el espacio.

He aquí que un ramo de flores aparece en el lienzo. Allá salen dos patas. Una corola se convierte en ojo; un gallo, un pez se suceden en un solo grafismo; o bien el pez se hace gallo y sale volando para ceder el sitio a una lechuza.

El cámara Jacques Ripouroux se acerca, el ojo pegado al objetivo. Clouzot no deja de chupar su pipa. Maya, presente en algunas sesiones, tiende los pinceles. Mudos, subyugados, seguimos en el ronroneo de las cámaras la trayectoria del ojo y de la mano del pintor. El calor es intolerable. Todos se preguntan si va a poder resistir hasta el final. «¡Corten!». Se hace un silencio durante el cual cada uno recobra el aliento.

–¿Qué, Pablo estás contento? Pregunta Clouzot.

–Sí, pero todavía queda demasiado exterior, hay que arriesgarse aún más y allá penas si fracasamos... Hay que ir hasta el fondo.

Otra vez, Picasso precisa que es necesario «atrapar la verdad en el fondo del pozo», donde está escondida.

André Verdet toma notas para un diario de rodaje que se propone publicar con el título de *Picasso à son image* (Picasso a su imagen). Prévert, que también asiste alguna vez, opina: «Esta película podría durar horas, al cabo de unos minutos queda abolida toda noción de tiempo».

Picasso regresa en coche a *La Californie*. «Ya ha hecho hoy otra vez lo menos quince millones...» murmura un maquinista.

Un día, Picasso anuncia a Clouzot que va a pintar *La Garoupe*. La Garoupe es una playa de Cap d'Antibes donde suele ir a bañarse en medio de los veraneantes desnudos, los niños que juegan a la pelota o corretean, las lindas muchachas tendidas bajo las sombrillas multicolores. Hacer *La Garoupe* es, para Pablo, entonar un canto a la vida, a los placeres del estío, a la belleza de las nuevas ondinas, a las vacaciones, a la felicidad. Es el homenaje que rinde el hombre viejo a la juventud despreocupada y libre; es también un nuevo tributo que paga al lugar donde ha elegido vivir, el Mediterráneo.

«Hay que mostrar todos los cuadros que puede haber dentro de un cuadro», había decretado Picasso.

Para *La Garoupe,* Clouzot decide utilizar el «cinemascope». El pintor empieza por proyectar su composición en una sólida estructura geométrica, cuyos puntos de apoyo son la línea del horizonte. A la derecha, un círculo en el que se inscribe un personaje; a la izquierda, el tejado de una casa. Ahora está la cámara a su lado y, naturalmente, eso le molesta para trabajar, obligándole a frecuentes interrupciones para las tomas de vista, o para dejar secar los colores. El ritmo de trabajo no es el mismo.

Y como Picasso es incapaz de permanecer ocioso durante los intervalos, mientras que tiene que dejar *La Garoupe* coloca en varios caballetes, fuera del campo de la cámara, grandes pliegos de papel y en ellos sigue dibujando. Así, mantiene el espíritu alerta y la mano activa, mientras van preparando los focos, eligiendo los mejores ángulos y se ventila el lienzo para que los colores sequen cuanto antes.

«¡Cámara!... ¡Acción!». Pablo vuelve a la playa. Su resistencia física sorprende a todos pero es que la fatiga no hace presa en él cuando trabaja. La estructura del cuadro se va desarrollando, las figuras aparecen, la playa se anima, se puebla, las sombrillas se abren. Un quiosco de refrescos limita, en primer término, la composición.

Un esquiador náutico traza un largo surco en el mar.

Una bañista, a la que se une un muchacho, se apoya en el portante del aguaducho. Del agua emergen cabezas de nadadores, una de ellas desproporcionada.

Las bañistas crecen, se amplifican. Una silueta de mujer oscura, con cabeza redonda, destaca en el conjunto coloreado, sentada en el extremo derecho; a la izquierda la casa que había empezado por ser un tejado está momentáneamente rodeada de árboles, antes de desaparecer.

«¡Corten!» El maestro se separa, mira lo que ha hecho. Se continuará mañana.

Cada día, según sus propias palabras, «lo cambia todo» y la cámara va recogiendo todos esos cambios que el espectador presenciará. La geometría inicial se ha suavizado, aligerado, simplificado. Los dos bañistas se han convertido en construcciones geométricas azules y blancas recortadas en papel y pegadas sobre lo anterior. Una gran hoja de papel, también pegada en la parte derecha, permite hacer modificaciones de estructura sin destruir el precedente estado. Un segundo esquiador náutico cruza ahora por encima de tres nadadores esquemáticos. En torno a los dos bañistas, el espectáculo no cesa de modificarse. Colores, estilo, disposición de las figuras cambian constantemente. La armonía es en blancos, azur y azul noche, con un fragmento rojo y amarillo, arriba a la dereha, que es la lona del tenderete. «Picasso me hizo comprender que el blanco era el color de la oscuridad» dirá Clouzot.

No eran los bañistas muy estables que digamos. Pronto han sido reemplazados por una pareja mitológica desnuda, bailarines de bacanal pintados en una hoja de papel puesta encima del lienzo. Detrás de ellos, surge un ancho plano rectangular color violeta. Luego desaparece y el negro invade la tela, todo es diferente ahora en torno a los bailarines, cuyas siluetas claras destacan contra el negro de tinta de la noche.

Picasso arranca la hoja que cubre la parte derecha: el personaje sentado reaparece, como asimismo los bañistas. Pero es preciso reequilibrar la composición y para ello los personajes cambian de tamaño. La gama es entonces azul, azurada, azul-negro, azul-gris con amplios brochazos rojos y amarillos para la lona, la arena, una sombrilla, el «bikini» de la bañista. El cuadro ha alcanzado su máxima intensidad solar.

Largamente Picasso lo mira y, de pronto, moja un pincel grueso en aguarrás y borra casi toda la composición. Volviéndose hacia Clouzot, que se aterra, dice: «Esto va mal... muy mal. No estoy nada contento. Pero así la gente verá que no es tan fácil». Y tras una pausa: «Voy a empezar de nuevo».

Y recomienza. Dibuja otra vez la composición, simplificándola, esquematizando las figuras. El conjunto queda más fluido y más concentrado. Todos los elementos de las versiones anteriores aparecen revalorizadas según otro concepto. Picasso retrocede, deja los pinceles, se sienta y dice simplemente: «Bueno, por esta vez está terminado. Pero voy a hacer otra Garoupe».

«¡Cámara!... ¡Rodando!» Ahora toma Picasso un gran lienzo virgen del mismo formato que el precedente, y empieza por colocar la estructura lineal de la primera composición en anchos planos geométricos azules, amarillos, rojos anaranjados y morados, que representan las principales zonas compositivas en las que vendrán a inscribirse las figuras, las dos bacantes en el centro, la mujer sentada a la derecha, etc. Así, sobre elementos abstractos, restablece, por etapas, la realidad. Los elementos vienen a ser, a su vez, «naturales»: el mar, el cielo, la playa, las casetas al sol. Los bañistas reducidos a lo esencial, surgen dentro o fuera de esos planos coloreados.

Picasso trabaja muy deprisa: ha reanudado el tema donde lo había dejado en la primera versión, pero partiendo de su esquema interno ha omitido voluntariamente toda referencia anecdótica, el tinglado de vacaciones, lo sentimental, y lo que sale de su pincel, ya perentorio, seguro, después de todos los cambios de la anterior composición, es una playa de La Garoupe en clara síntesis, sin concesiones ni adornos. La espontaneidad del creador ha recobrado su vivacidad y su frescor.

En esta segunda versión de *Playa de La Garoupe*, realizada en un total de catorce horas, Picasso ha utilizado algo del lenguaje emblemático de *Las Señoritas de Avignon*, de *La Danza* y del *Guernica*. Son las dos de la madrugada, una tormenta ha estallado tras un día tórrido, y cae una lluvia fina y templada. El pintor se retira fuera del campo que abarcan las cámaras, enciende un cigarrillo y vemos a la luz de la llama del mechero su rostro demacrado por la fatiga.

Inesperadamente vacila. «Sostenedme, creo que me voy a caer», dice. Su esfuerzo prolongado durante el rodaje le provoca una alarmante subida de tensión que le obliga a un largo reposo. Sin embargo, aún volverá a los estudios de La Victorine para trazar su firma sobre un gran lienzo blanco: es la última imagen del film.

Picasso no sale de *La Californie* durante varias semanas, se levanta muy tarde, duerme largas siestas, no recibe a nadie, no trabaja siquiera. Lee los periódicos y un semanario que a fuerza de falsedades, errores de fecha y suposiciones inexactas, escribe sobre su obra repartiéndola en función de sus mujeres sucesivas... incluyendo a Sylvette David. La hora del correo es la más esperada del día: Pablo se precipita sobre el montón de cartas, revistas, y diarios. La primera misiva que abre es la casi cotidiana de Sabartés, desde París, desde Barcelona o de cualquier otro sitio. Las demás cartas llegan de todas partes: para ensalzar «al más grande pintor del mundo» o para insultar al «demonio», al «asesino de la pintura».

«Señor, el mal que usted hace es indiscutible», escribe un artista anónimo pero visiblemente sincero.

«¿Quién sabe? –murmura Picasso– A lo mejor tiene razón.»

Durante largo tiempo ha llevado consigo una carta recibida años atrás y firmada por «un grupo de pintores, ¡de verdaderos pintores!» que se pronunciaban violentamente contra esos «mamarrachos propios de un alienado», y afirmaban que «¡iban a actuar!». «Ponga usted sus *basuras* al lado de las obras de los grandes pintores: Rafael, Miguel Angel, Leonardo de Vinci y verá qué basura es usted!» «Y como es usted un *fracasado, un incapaz,* ha encontrado la "fórmula imbécil" sólo buena para los imbéciles».

También recibía Picasso cartas que le reprochaban su afiliación comunista, y a menudo en términos ofensivos. Le traía asimismo el correo cuestionarios de periodistas –sobre todo norteamericanos– peticiones de fotos, de autógrafos, de dinero, de socorro para tal o cual causa, etc. y también cuadros para autentificar (en general por fotos). «Tengo buena memoria, me acuerdo de todos mis cuadros» decía Pablo, lo que dicho sea de paso, no era del todo exacto.

Un día recibió una propuesta de un fabricante de muebles que había visto reproducida en una revista el interior de *La Californie* estilo «Belle Epoque» y le ofrecía transformárselo en moderno: líneas puras, volúmenes geométricos, butaca-bridge en aluminio con dobles mesas plegables combinadas para reemplazar la anacrónica mecedora... Y todo eso no le costará nada al «querido maestro», a cambio de que las fotografías de su nuevo mobiliario sean publicadas.

La inmensa villa, en vez de modelo modernísimo, de lo que sí daba ejemplo era de almacén heteróclito picassiano: el mismo desorden que en los pisos de La Boétie y Grands-Augustins más el «rastro» de Fournas, todo ello multiplicado por diez, dado el número de espaciosas habitaciones. Hay cuadros en los numerosos caballetes y por el suelo, montones de esculturas en cualquier sitio, y cantidad de cerámicas pintadas o crudas, y cestos, y embalajes de todas clases, y pilas de periódicos, y objetos diversos entre muebles sin estilo. Cajas abiertas revelan misteriosos tesoros. Máscaras africanas alternan en las paredes con carteles de toros pintados por el «aduanero» Rousseau. Ensamblajes de cartón se suceden en la chimenea del salón grande. En un rincón, toda una familia de bañistas hechos con madera de embalaje, bastidores de lienzos, patas de diván y palos de escoba se yergue, humorística y bárbara.

Los retratos pintados o dibujados de Jacqueline son otros tantos hitos reconocibles en esa especie de cueva de Alí-Babá chamarilero, fantasioso y poeta que inventa, con un simple juego de manos, pinta para sus hijos caretas de cartón, o construye curiosos totems pintarrajeados al pie de un cortinón tejido como el de *Las Señoritas de Avignon...*

La mirada se posa sobre una cabeza de Dora Maar, que se convertirá en monumento a Apollinaire o sobre un *Desnudo* de 1906 con los brazos plegados en la nuca, o sobre diversas Jacqueline, o sobre una cabeza de toro.

Junto a bodegones pintados hay instrumentos de música

reales. El perro boxer duerme no lejos de los vigilantes gatos de bronce. Aquí destaca una inmensa escultura de acero recortado: allí una nueva Jacqueline. Jarros, copas, botijas, azulejos de cerámica se apilan. Enormes composiciones de desnudos geométricos proliferan.

La compañera de Picasso no goza de buena salud. Su temperamento depresivo inquieta y exaspera a Pablo que, ya sabemos, no admite que una mujer pueda estar mala. Pero las enfermedades de Jacqueline suelen aparecer, como presentidas, en retratos angustiados, febriles. «Por el contrario, cuando está doliente, pinto unos retratos en los que tiene de nuevo aspecto de estar perfectamente –confía Picasso a John Richardson– Es curioso, parece que me adelanto siempre a los acontecimientos».

Durante el otoño y el principio de invierno de 1955 pinta más retratos de Jacqueline tras lo cual Picasso emprende el inventario de su casa. La serie de los Estudios y los Interiores de *La Californie* comienza el 23 de octubre y va hasta junio de 1956.

Un total de cincuenta cuadros en ocho meses, cincuenta escenas de interior. A lo largo de toda su vida, Picasso había tratado el tema del estudio, unido a veces al de el pintor y su modelo. En ésta como en todas sus anteriores series, las variaciones de decorado, de disposición de los objetos, de emplazamiento de las figuras, cuando las hay, se suceden tan rápidamente como en un teatro, aunque el escenario sea siempre el mismo. Es la claridad de la mañana, la luz violenta del mediodía, el crepúsculo o la noche, lo que provoca el cambio de luminosidad: no viene ésta del exterior, surge de dentro.

De la magnífica residencia para recreo de ociosos, con su espléndido jardín tropical y su entorno de palacios medievales, bizantinos o «modern-style» –cuando no la mezcla de los tres– de los vastos salones para recepciones mundanas, Picasso ha hecho un campamento para nómadas millonarios y es ese doble carácter lo que transpone en sus cuadros, pintados con factura fluida, con tonalidades delicadas en las que el blanco virgen del lienzo aparece a menudo. Son unos cuadros maravillosamente libres: son paisajes interiores.

La serie de *Ateliers* acusa numerosas reminiscencias de Matisse. Pese a la reconstrucción muy pensada, prevalece la tendencia ornamental porque Picasso ha dado toda su importancia a la atmósfera barroca de *La Californie* en cada uno de sus detalles. El estilo orientalista de la serie armoniza, al menos en las primeras versiones, con el hedonismo picassiano de aquellos meses plácidos. «Parecen una capilla mozárabe», exclama Antonia Vallentin cuando ve esas pinturas. Y Picasso aprueba: «Verdaderamente hay algo de eso». La escritura en grafismo ondulante de volutas y elipses, confirma la impresión. Pero progresivamente los *Ateliers* donde aparece, de vez en cuando, Jacqueline, van siendo menos luminosos y menos alegres; todo se vuelve negro, ocre y blanco, y el desorden de los cuadros del invierno deja lugar a un vacío trágico. John Richardson pretende que es porque llovía en Cannes durante aquel mes de abril de 1956 y que como Picasso no podía ir a las corridas, estaba de un humor mas bien triste.

El gran salón de *La Californie* semeja ahora al monasterio de Yuste tendido de negro para los futuros funerales del emperador Carlos V.

Un amigo de mi padre, pintor también, decía siempre: «Cuando no veas nada, pones negro», contaba Picasso, y recordaba también que según aseguraba Tiziano: «El que no sabe servirse del negro no será nunca un pintor.»

La serie de los Estudios acabada, o por lo menos interrumpida, *La Californie* le pertenece ya totalmente a Picasso.

Tres años más tarde, Charles Feld, director de las Ediciones *Cercle d'Art* –que han publicado los mejores libros de reproducciones de la obra picassiana– edita en facsímil, con texto de Georges Boudaille, el cuaderno de apuntes que abarca del 1º. de noviembre 1955 al 14 enero 1956, en su mayoría dibujos a pincel o a lápices de colores, sobre el tema del *Atelier*. A lo largo de todos esos apuntes podemos seguir, día tras día, la preparación o el comentario escrito de los cuadros que paralelamente iba realizando. Los retratos de Jacqueline aparecen también entre las escenas de interior, unos con el «traje turco» anteriormente utilizado, otros de un realismo notable, para pasar luego a las deformaciones resignadas de una víctima sometida para siempre a las torturas sin dolor de su inquisidor.

Al principio sombrío y atestado de cosas, el estudio se ha ido aclarando y despejando, enriquecido con gratos colores de fiesta que evocan la paleta de Matisse; verdadero deleite visual ese fuego artificial de lápices amarillos, azules, rojos, verdes, que encuadran al azar de los apuntes del cuaderno, dos dibujos a pluma inspirados en los retratos de Catherine de Mecklembourg por Lucas Cranach, y de Carlos de Morette, por Holbein. Un nuevo retrato al final del cuaderno, es el *Hombre con casco de oro,* de Rembrandt, en el que Picasso ha querido sobre todo plasmar los efectos de luz y sombra por medio de un juego de rayados prietos o entrecruzados. Al pie del retrato de Catherine de Mecklembourg un croquis a pluma y aguada muestra la cara inclinada de *Joven leyendo una carta,* de Vermeer, que pertenece, como los anteriores citados, al museo de Dresde.

En otra página, aparece Jacqueline con empaque y atavíos reales montada en un caballo que caracolea.

Curioso, como siempre, de todas las técnicas, Picasso estaba a la sazón interesado por la obra de un escultor noruego, Carl Nesjar, que practicaba el «betograve» y le invitó a *La Californie.*

El procedimiento consiste en fraguar en un encofrado una mezcla de gravilla, cemento y arena y tratar el resultado con un chorro de arena a presión. Con ello se consigue una materia de superficie granulada y se logra una escultura de contextura y colorido especiales. Esta técnica explotada en Oslo se debía al arquitecto Erling Viksjö y el ingeniero Sverre Jystad, que la utilizaron en muchas construcciones de su país.

Carl Nesjar fue a Cannes, y Picasso le dio carta blanca para trabajar, exigiendo solamente la aprobación previa de las obras que habían de reproducirse por el citado procedimiento. Empezó por confiarle tres dibujos, que el escultor reprodujo para el nuevo Palacio del Gobierno de Oslo, debido al arquitecto Viksjö; luego Nesjar realizó una primera «escultura-prueba» de tres metros de altura, según una maqueta de Picasso, en el pueblecito de Gon, cerca del puerto de Larvik (Noruega).

Siguieron varias realizaciones monumentales: para el colegio de Arquitectos de Barcelona (1960-61), para el Kristinehamm de Suecia, una inmensa *Figura recortada* de cinco metros de altura a orillas del lago Vänern, sobre un pilar redondo (1965); los *Almuerzos campestres* compuestos de grandes figuras en planos cortados, llamados «esculturas plegadas» de más de tres metros de altura, pertenecientes hoy al Moderna Museet de Estocolmo; y, en fin los *Perfiles* del Liceo de Marsella y un gran muro grabado en el castillo de Douglas Cooper.

Pero la obra más impresionante se alza desde 1962 en la propiedad de Kahnweiler, cerca de Etampes: un *Angel* realizado a partir de una maqueta en cartón de Picasso. El nombre se lo pusieron Nesjar y su amigo el arquitecto Johannessen, porque la figura, de más de cinco metros de altura, tiene los brazos abiertos en forma de alas y está montada cerca de una capilla románica en ruinas a la que parece estar protegiendo.

Para interpretar la maqueta de Picasso, Nesjar había utilizado gravilla negra pulida por el mar, procedente de una playa del Canal de la Mancha, que formaba grandes tachones oscuros en la blanca supeficie del cemento. La luz incide en esta oposición de materias y de matices, de tal manera que los distintos planos cobran aspectos cambiantes según la trayectoria del sol.

En 1966 la Galería Jeanne Bucher, de París, presentó una recopilación de fotografías y maquetas de las realizaciones de Nesjar y un ingenioso montaje proponía el proyecto de una escultura de Picasso en hormigón erigida al final de la Avenida Foch. Sugerencia vana: era no conocer a los ediles municipales, pues el proyecto ni siquiera fue tomado en consideración.

Un día del invierno 1955, el secretario de Helena Rubinstein, –la genial mujer de negocios tan admirada en América y en Europa como su magnífica colección de pintura moderna y de arte africano–, se quedó pasmado al entrar en la habitación de la dama por un extraordinario despliegue de trajes de noche de todos los colores, de abrigos, de mantones de Manila, de bellos y ricos tejidos de todas clases. El joven secretario, Patrick O'Higgins, no pudo por menos de mostrar su extrañeza, tanto más cuanto que «Madame» acababa de perder a su esposo, el príncipe Gourielli.

Helena Rubinstein le tranquilizó al punto: Picasso iba a hacer su retrato.

Hacía largo tiempo que la famosa «esthéticienne» aguardaba a que Picasso se decidiera. Al fin, María Cuttoli, amable intermediaria, acababa de recibir la conformidad con la sola exigencia de que Helena Rubinstein se pusiera algún vestido extravagante. Horas más tarde, «Madame» volaba con Patrick O'Higgins y aterrizaba en Cannes. (En agradecimiento, la dama había prometido a María Cuttoli el primer piso que quedara vacío en el inmueble que poseía en el Quai de Béthune, para un amigo suyo: se llamaba Georges Pompidou y, en efecto allí vivió y murió el Presidente de la República).

Desde su llegada a Cannes, Patrick llamaba todas las mañanas a *La Californie* y obtenía invariablemente esta respuesta: «El señor está durmiendo». Volvía a telefonear por la tarde y le decían: «El señor está en la playa». Por la noche: «El señor trabaja». No parecía que el nombre de Helena Rubinstein le dijera gran cosa al anónimo interlocutor y, lo que es peor, confundía a «Madame» con la bailarina Ida Rubinstein. Patrick se dio cuenta, más tarde, de que la voz era la de Picasso hábilmente disfrazada.

Molesta por tal proceder, Helena Rubinstein decide ir en coche con su secretario a *La Californie*. Lleva, debajo de un abrigo de noche color naranja y limón con grandes flores estilizadas, una túnica medieval de terciopelo verde agrio. Patrick va a llamar, cuando surge un guarda que dice en tono áspero que no hay nadie. Pero la aparición de aquella extraña visitante le deja estupefacto y exclama sin saber qué hacer con voz horrorizada: «¡Dios mío! ¡Voy a llamar a Madame Jacqueline», ha anotado Patrick O'Higgins en su libro sobre Helena Rubinstein (1).

Va, en efecto a avisar a Jacqueline y minutos después, los dos monstruos sagrados se abrazan con efusión.

–¡Pablo!

–¡Helena!

Los demás asisten a la escena apabullados. Están allí, además de Jacqueline, Paloma, Kahnweiler y Gary Cooper con su mujer y su hija.

Inmediatamente comienza el espectáculo. Helena es público y víctima para Pablo. Por de pronto, aparece inopinadamente el pintor disfrazado de cowboy y blandiendo las pistolas que le acaba de regalar Gary Cooper; éste se levanta, finge disparar, Picasso, responde y durante unos minutos improvisan una parodia de «western», tras la cual toman todos una copiosa merienda.

–Tiene usted el aspecto de un maravilloso travesti disfrazado para el baile de Quat'z'Arts... –dice amablemente Pablo a la americana al tenderle ceremoniosamente un canapé de salchichón.

–Me he vestido especialmente para usted ¿cuándo empezamos?

Pablo abre unos ojos asombrados:

–¿Empezar... qué?

–Pues... el retrato.

–¡Ah! Mañana. Mañana a las seis de la tarde. A esa hora la luz es la mejor. Por otra parte, yo nunca trabajo antes de las seis.

Al día siguiente y durante las dos tardes siguientes, Helena

---

(1)   Patrick O'Higgins: *Madame,* Nueva York, 1971-72.

Rubinstein posó en su extravagante atavío, mientras Picasso tomaba apuntes.

—¿Sabe que tiene usted unas buenas orejas?

—También usted, Pablo.

—¿No sabe lo que significa eso? Pues que vamos a vivir eternamente, como los elefantes...

Y a la mañana siguiente, le pregunta:

—¿Cuántos años tiene usted, Helena?

Tras un silencio:

—Más que usted, Pablo...

Patrick O'Higgins, entretanto, visitaba el jardín y la casa, guiado por Jacqueline y hablando con ella observó que cuando se refería al hombre, decía siempre Pablo o don Pablo, mientras que si se trataba del artista o de sus obras, entonces empleaba el apellido, decía Picasso.

A la tercera sesión, el pintor declaró:

—No hacen falta más sesiones, Helena. Ya tengo lo que quería.

Patrick notó que mientras pronunciaba esa frase, Pablo tenía «la expresión de un colegial cruel», y recordó que Jacqueline le había dicho la víspera, mientras paseaban por el jardín: Picasso no hará nunca el retrato de Mme. Rubinstein, está tomando apuntes para hacer litografías. Le gusta utilizar modelos al natural, y Mme. Rubinstein es de tamaño mayor que el natural».

¿Estaba en lo cierto?

«Madame» le preguntó a Picasso:

—¿Y el retrato?

—¡Quien sabe! A lo mejor va a ser una obra póstuma...

—¿Póstuma?

—Si. Puede que usted muera la primera, o bien seré yo el que muera. Puede que lo llegue a pintar, o puede que no. Es posible que tenga usted su retrato, o que no lo tenga...

«Madame» no sabía si Picasso se burlaba de ella, si quería bromear o si hablaba en serio, y, por no comprometer el resultado de las tres sesiones, no contestó nada. Pero aquella tarde, al contrario de las precedentes Pablo no la hizo acom-

pañar a Cannes en su coche, y tuvo que llama.· a un taxi.
Cuando arrancaba, rabiosa y vejada, en el fondo del asiento,
tendió el puño en dirección a *La Californie* y exclamó: «¡qué
diablo!».

En efecto, Pablo se comportó más diabólicamente que
nunca. Por más que «Madame» le escribía, le telefoneaba,
hacía intervenir a los amigos y utilizaba todos los recursos
de su extraordinaria tenacidad, el retrato no se llegó a realizar. Picasso se negó incluso a mostrarle a su modelo los dibujos que había hecho y, menos aún, a vendérselos. John
Richardson que los vio, asegura que eran cuarenta y que Pablo se había contentado con dibujar la boca, el cuello, la
barbilla o las manos cargadas de sortijas. No había ningún
dibujo del rostro completo. Pero todos esos estudios eran ad-
mirables.

Patrick O'Higgins ha confesado no haber comprendido
nunca por qué Pablo se había burlado así de su modelo y,
tras haber hecho todas las hipótesis posibles, creyó haber encontrado la razón más verosímil:

—¿Había usted fijado un precio? le preguntó a Helena Rubinstein uno de los días en que hablaba de aquel «maldito
retrato».

La dama respondió simplemente:

—Claro que no. ¿Para qué querría Picasso el dinero?

Helena Rubinstein murió en 1966, siete años antes que
Picasso. Tenía oficialmente los noventa y cuatro, aunque
hay quien le daba cinco más.

Un nuevo personaje ha entrado en el circo picassiano: Mi-
chele Sapone, un napolitano de pura cepa, establecido como
sastre en Niza desde 1948. Picasso se había fijado en una
chaqueta de tejido fantasía estilo tapicería que llevaba André
Verdet, y le preguntó a éste quién se la había hecho. Era Sapone. Convocado sin tardanza a *La Colifornie,* fue desde entonces «el sastre de Picasso».

Aquel hombre pequeño, astuto y hábil como un mono, se
dio cuenta enseguida de que Pablo era presumido, un dandy,
que gustaba de vestirse de modo rebuscado, y con sentido

poco común del detalle pintoresco o imprevisto. Su afición al disfraz orientaba, por lo general, sus iniciativas vestimentales, pero don Pablo no era hombre de cualquier «uniforme», al contrario, apreciaba los tejidos raros y originales así como las combinaciones insólitas que ya, en tiempos de Barcelona, admiraban sus amigos de bohemia. Recordemos que, por entonces, le hacía trajes de fantasía el sastre Soler a cambio de retratos familiares.

Sapone entró en el círculo Picasso y ya no salió hasta el posterior momento en que se hizo un vacío total en torno suyo. Para don Pablo se desplazaba a su provincia natal, Bellone concretamente y hasta las montañas griegas y yugoslavas a buscar las lanas tejidas por los aldeanos, luego las mantenía mojadas algún tiempo hasta que se ponían gruesas y rígidas como el fieltro. También descubrió Sapone unas extraordinarias panas de todos los colores por las que Picasso sentía particular predilección.

A cada visita que hacía al pintor, Sapone volvía con una litografía o un dibujo, a veces varios; o bien don Pablo dibujaba en los libros a él consagrados que el avispado sastre le llevaba al mismo tiempo que sus célebres álbumes familiares –el suyo, el de su mujer, los de sus hijas–. En efecto, el napolitano tenía por costumbre, cuando iba a casa de algún artista, llevar sus libros de oro al mismo tiempo que el muestrario de tejidos, y esas visitas le representaban un capital que cobraba creciente valor. Pues los clientes de Sapone eran: Magnelli, Clavé, Giacometti, Prévert, Cocteau, Hartung, Pignon, Villon, Arp, Borsi, César, etc. Tan sólo uno se negó a recibirle, fue Dubuffet, quien, al invocar el nombre de su más famoso cliente, le espetó: «¡Picasso! No lo conozco!». También en casa de Chagall, la esposa del pintor despidió al personajillo.

Aquel singular sastre no tomaba nunca medidas; los trajes no estaban siempre perfectamente adaptados a la estatura del cliente, pero el «sastre de Picasso» no podía entrar en esos detalles nimios –el pintor tampoco, por otra parte. En cambio, la originalidad y fantasía de los tejidos que le proponía, maravillaban a don Pablo, y su guardarropa iba tomando una amplitud que satisfacía los gustos del pintor y su contento infantil de disfrazarse. Sapone trajo de su país un soberbio traje de novia de pueblo para Jacqueline y Picasso se lo puso al momento. ¿Acaso no le gustó siempre llevar de una manera o de otra los trajes de otras personas? Cada día Sapone iba, sin telefonear siquiera antes, a casa de Picasso: entraba con un corte de tela, un abrigo o un traje, y salía con dibujos. ¿Era demasiado? «Sapone, tú trabajas para mí, yo trabajo para ti» le dijo un día el maestro, sellando así una «colaboración» que había de valer al sastre napolitano una colección de obras de su amigo el pintor tan nutrida, por lo menos, como la colección de prendas Sapone en los armarios de Picasso. Por las manos de Sapone han pasado muchas obras de Pablo, y ha conservado algunas, –un centenar, confiesa–, sin contar los libros de oro. Un capital con que poder dotar a sus hijas, comprar una galería en Niza y no preocuparse por el futuro.

¿También Sapone marchante? Suena divertido. Pero es que su hija Patricia casó con un primo hermano del mismo apellido, y el Sapone negociante de pintura no era el sastre, sino su yerno.

El cuadro titulado *La Primavera,* del 20 de marzo 1956, exalta con gran frescura de colorido, la renovación de la naturaleza. Aquel año cumple Picasso setenta y cinco años y con tal motivo se organizan en el mundo entero diversos festejos. Kahnweiler que preparaba para ese momento la inauguración de su nueva galería Louise Leiris, en la calle Monceau, tuvo que renunciar, porque el conjunto de cuadros de Picasso no estaba listo. La exposición inaugural no se celebraría hasta el año siguiente –cincuentenario de la primera galería en la calle Vignon– y representaría una especie de balance de la alegría de vivir en *La Californie:* series de *Ateliers,* retratos de Jacqueline, niños, jardines, que Kahnweiler presentó en su «saludo a Pablo» ensalzando su arte «naif», hecho de «espontaneidad instintiva».

La Mujer en una mecedora, del 25 de marzo, es evidente.

Jacqueline figura descompuesta en volúmenes separados unos de otros, como un rompecabezas en desorden, inscrito cual majestuoso Dios románico en el centro de líneas de la mecedora. Por otra parte, en unos monumentales desnudos, macizos y primarios, se mezclan reminiscencias cubistas y recuerdos del verano. Las *Dos Mujeres* pintadas de enero a abril, una de ellas acostada, la otra sentada peinándose, superponen sus formas erguidas de espesos contornos, sin excluir las modulaciones de luz y de materia. Más angulosas, otras *Dos mujeres en la playa,* presentan tonos ocre rojo como de carne marchita que atenúan la dureza de sus miembros rígidos; una de ellas, tiene un largo cuello y en vez de cabeza, una máscara negra,

Cuando hubo terminado la serie de los *Talleres,* Picasso sale a su jardín y como nuevo Jean Henri Fabre se dedica a dibujar minuciosamente libélulas, saltamontes, grillos, abejorros, mariposas, etc. en un cuaderno o en hojas sueltas. Y, como el humor no puede faltar, hace también un toro trepando por un tallo, bajo un sol radiante.

En el ambiente grato de *La Californie,* durante aquel verano se mezclan las escenas familiares que le dicta a Pablo la presencia de sus hijos y de sus amigos, así como inspiraciones mitológicas. *Mujer en un jardín, Puesta de sol, Hombre sentado en una silla,* podrían muy bien ser cuadros para el Salón de los Artistas Franceses, o para reproducirse en un calendario. Pero tratándose de Picasso, es muy diferente: una recreación de la naturaleza y del hombre en que la imaginación creadora está en pugna con la imagen y le impone su propia realidad. «Embrujar a la Verdad, darle la apariencia de la Locura», decía Degas.

Una tarde llegan a *La Californie* Prévert y su mujer; eso no tiene nada de raro pues viven en Antibes y van a menudo a ver a los amigos Picasso, pero aquel día Pablo «descubre» al poeta que conoce desde hace más de treinta años. En una hoja de su cuaderno dibuja el retrato del poeta y otras veinticinco versiones los días siguientes, con lápices de color.

Una vez más los cuadernos se suceden a un ritmo cada

vez más rápido: el cuaderno de los Talleres, los de apuntes para los retratos de Prévert y el fallido de Helena Rubinstein y luego el de la Tauromaquia, el de los Aparadores de Vauvenargues, el cuaderno de la Mujer desnuda sentada, el de Personajes voladores y pájaros, y varios otros de Jacqueline, lo que no impide que se intercalasen otros temas aislados. Luego de haber realizado veintiséis retratos de Prévert en veintiún días, Picasso dibuja once aguadas de toros en un solo día, el 7 de febrero de 1957, y todavía las justas lyonesas (2) que se celebran en Saint-Tropez el cinco de julio, le dan pretexto para hacer ese día ocho dibujos a tinta china. Además el 20 de mayo de 1958, completa trece estudios de hojas, flores y plantas. El 19 de julio, recibe la visita del célebre pianista Artur Rubinstein, a quien conocía desde la época de los ballets rusos y Picasso empieza un nuevo cuaderno; aquel mismo día dibuja veintiún retratos del músico, en el último de los cuales –unos simples garabatos a lápices de color y dos redondeles– anota al pie: «Retrato muy parecido de Artur Rubinstein».

Este virtuosismo ha hecho correr mucha tinta; de ella se han mofado los enemigos de Picasso; esto no tiene nada de extraordinario; lo que sorprende o puede hacerlo es que Pablo entregue a la curiosidad pública los productos de tal rapidez de ejecución que podría haberse reservado perfectamente. Pero el hecho de que indique cuidadosamente las fechas y número en los dibujos de un mismo día, prueba la importancia que tiene a sus ojos el factor tiempo.

Un joven fotógrafo de Arles, Lucien Clergue, que Cocteau había presentado a Picasso, se había hecho asíduo de *La Californie* y preparaba por entonces una exposición de las pinturas y dibujos recientes en su ciudad natal. Con tal fin, don Pablo acepta, por amistad con Clergue, recibir al conservador del museo Reattu, Jean-M. Rouquette, un personaje

----

(2) Justas lyonesas: juego típico, dos hombres de pie en sendas barcas tratan de tirarse uno al otro al agua empujándose con largas pértigas.

grandote y truculento que inmediatamente se gana las simpatías del español por su imaginación meridional, su sonoro acento y su personalidad. Picasso acepta prestar treinta y ocho dibujos, casi todos inéditos, conjunto que se añade a las obras prestadas por varios coleccionistas. Se inaugura la exposición en el verano 1957 y alcanza un considerable éxito.

A pesar de la resonancia de los éxitos picassianos, sus relaciones con el Estado seguían siendo deplorables: los medios oficiales que le tenían antaño por un vulgar pintamonas, fingen no haber oído hablar de él ahora que se ha declarado comunista.

«Napoleón nació en Ajaccio el 15 de agosto de 1769.

Picasso nació en Málaga el 25 de octubre de 1881.

Constant, que fue el fiel servidor del primero ha contado historias de pollo frío y de pantalones blancos sobre el Emperador. Yo he sacado brillo a los zapatos del segundo, cuando teníamos betún, hacia los años 1900, sin pensar que entraría en la Historia con un cepillo negro en la mano. Picasso ha cambiado la forma de las casas, la vestimenta, el teatro, los carteles y los escaparates de las tiendas, la escultura y los cuadros...»

Estas líneas, extraídas de la «Crónica de los tiempos heroicos», que Max Jacob escribió en 1936 y se publicó en octubre de 1956 para conmemorar los 75 años de Picasso, inician el homenaje que le rinde la revista comunista *Les Lettres Françaises,* en donde también Aragon evoca sus recuerdos y Pablo Neruda canta:

> *Yo desembarqué en Picasso a las seis*
> *de los días de otoño, el cielo*
> *de nuevo anunciaba su aventura rosa,*
> *yo miraba alrededor*
> *Picasso se desparramaba y se encendía*
> *como el fuego de la aurora.*

El día de su cumpleaños, 25 de octubre de 1956, Picasso acompañado de Jacqueline y de Cocteau, se desplaza a la fábrica Madoura. Allí le esperan los alfareros para felicitarle y hacen una pequeña fiesta. En tres soplidos apaga las setenta y cinco velas de una tarta de treinta kilos y corta personalmente los trozos que distribuye entre todos; sus compañeros de trabajo le regalan una «tournette», un torno de alfarero hecho de cobre y Georges Ramié pronuncia un pequeño discurso. Tras lo cual, Picasso vuelve a su casa y reanuda el trabajo interrumpido.

Por instigación de Ilya Ehrenbourg, los soviéticos también decidieron celebrar los 75 años de Picasso y, con tal fin, el escritor viaja a Cannes para preparar el homenaje, que ha de tener por marco el Museo de Arte Moderno de Moscú. Una exposición se inaugura, en efecto, presentando un centenar de cuadros seleccionados con prudente y hábil criterio. A la invitación oficial que le cursa la URSS, Picasso se limita a responder con un mensaje de agradecimiento a los organizadores, pero, naturalmente, no asiste al homenaje.

Es la primera exposición de Picasso en la URSS y no ha sido mencionada por sus biógrafos, ni siquiera por los comunistas, y tampoco figura en las listas de exposiciones celebradas en el extranjero. Curiosamente, cuando el citado semanario publica el texto de presentación escrito por Ehrenbourg para tal certamen, el día del cumpleaños que es asimismo el de inauguración de la exposición, no indica ni origen ni referencia alguna.

Sabemos por el propio escritor ruso el éxito considerable de dicha exposición. Los «oficiales» habían dejado a su cargo la organización de la exposición y su inauguración, en nombre de la Sociedad de Amigos de la Cultura Francesa, de la que era presidente. Ilya Ehrenbourg cortó, muy emocionado, la cinta que cerraba las salas y el público entró en tropel. La muchedumbre que esperaba presa de gran excitación, forzó las barreras e invadió el museo.

¡Por favor calmadles! ¡Se van a pisotear! clamaba despavorido el director.

Ehrenbourg tomó el micrófono y pidió al público enfebrecido: «¡Camaradas, habéis esperado esta exposición veinti-

cinco años, bien podéis aguardar aún veinticinco minutos!»
El pueblo moscovita es muy disciplinado, y el orden quedó
restablecido. El primer día, tres mil personas se apretujaron
ante los cuadros, y cada día hubo otros tantos visitantes, y
más aún los domingos, durante las tres semanas que duró la
exposición.

La ausencia de personalidades oficiales, las reservas o los
ataques de los artistas académicos y de ciertos críticos o historiadores de arte, no tuvieron la menor influencia sobre el
público, privado largo tiempo de todo contacto o mentaliza-
do en el desprecio de la pintura «capitalista». Compactos
grupos se agolpaban en torno a los guías y conferenciantes
que gravemente explicaban los cuadros expuestos y contesta-
ban a las preguntas. A veces se suscitaban porfías que llegaban a envenenarse y de las cuestiones estéticas se pasaba rápidamente a los antagonismos políticos, hasta que la policía
tenía que intervenir y hacer salir a los perturbadores que llegaban a las manos en la calle. Entonces, se los llevaban a la
comisaría, donde continuaban las controversias.

Es evidente que las «deformaciones» de Picasso turbaban
y ofuscaban mucho a los jóvenes. En cierto modo, los soviéticos reaccionaban como los buenos burgueses de 1874 ante
los cuadros impresionistas y, por otra parte, el respeto al
hombre, al artista comunista, al «camarada genial», aumentaba la confusión. ¿Se podía ser un miembro fiel y abnegado
del Partido y pintar de tal modo? ¿O, si pintaba así, cómo
podía ser comunista, puesto que el comunismo rechazaba
ese arte?

En París, como en Moscú, la «base» no comprendía.

Unos días antes de la apertura de la exposición, el 13 de
octubre, la revista *Izvestia* había publicado un artículo de un
eminente miembro de la Academia de Bellas Artes, Solo-
kovskalo, protestando violentamente contra aquellos que de-
fendían el arte occidental o que atacaban a la Asociación de
Artistas de la Rusia Revolucionaria, como el crítico Ka-
menski, quien había osado afirmar que las obras de los afi-
liados eran «aburridas, sin alma, muy semejantes al natura-

lismo fotográfico». La exposición Picasso no podía por menos de reavivar viejos antagonismos y la creciente afluencia aumentaba la inquietud de los ardientes defensores del realismo socialista, y el propio Molotov tomó la pluma para pedir a los artistas que no se apartaran de la doctrina oficial.

A la entrada de la exposición habían colocado un libro abierto para recoger las opiniones de los visitantes y las firmas de las personalidades del régimen. Uno solo puso su rúbrica, el poeta turco Hazim Hikmet, que había recibido el premio de la Paz en Varsovia, al mismo tiempo que Picasso, en 1950.

Ehrenbourg llevó ese libro a Picasso para mostrárselo: al contrario de lo que solía ocurrir, contenía muy pocos insultos, pero algunas observaciones reflejaban una decepción justificada casi siempre por falta de información o la insuficiencia del comentario. La mayoría pedían ver los cuadros de Picasso relegados en las reservas de los museos y reclamaban nuevas exposiciones de pintura contemporánea. A Picasso, le enterneció sobre todo esta frase:

«Aunque no he comprendido, me ha conmovido», estaba firmada por «Un hombre cualquiera».

Picasso se fijó que todas las opiniones formuladas en el libro, incluso las más insignificantes, eran anónimas. Y le extrañó que ningún miembro del Gobierno hubiera visitado la exposición. No hubo ninguna otra presentación de obras suyas en la URSS hasta diez años después, la organizada en 1966 para celebrar su ochenta y cinco aniversario.

La desestalinización estaba en marcha y el mundo comunista experimentaba múltiples sobresaltos. Los liberales del Partido aprovechaban para levantar la cabeza, en detrimento de los viejos líderes recalcitrantes cuya ascensión había favorecido Stalin. No todos los comunistas hicieron examen de conciencia, pero los que pasaron por ello se aprestaban a socavar los fundamentos de un sistema largo tiempo jerarquizado, petrificado y encerrado en sí mismo. En Hungría y en Polonia, graves acontecimientos sobrevinieron aquel verano de 1956 que habrían de saldarse, para los polacos, con una progresiva liberalización y para los desdichados húngaros en una de las más dolorosas tragedias de su historia.

Cuando la brutal represión soviética aplastó, en noviembre, el alzamiento nacional húngaro, muchos intelectuales y artistas del Partido no pudieron ocultar su sobresalto y su indignación. Picasso se encontraba hondamente impresionado. Recibía constantemente cartas, telegramas y llamadas telefónicas pidiéndole que diera a conocer públicamente su repulsa de «lo de Budapest», o conminaciones amenazadoras si no lo hacía. Como quiera que carecía de información objetiva no sabía qué partido tomar. De nuevo los dirigentes comunistas le abandonaban a su soledad, sólo que esta vez la de ellos era también inmensa. Pablo, como sus amigos, estaba desgarrado por la duda, y notorias dimisiones sacudían la «base» sin que *L'Humanité* lograra apaciguar la zozobra, y en no pocos casos, la repugnancia.

El 22 de noviembre, el diario *Le Monde* publicó una carta de diez intelectuales y artistas miembros del Partido dirigida al Comité Central: con Picasso firmaban, entre otros, Georges Besson, Marcel Cornu, Francis Jourdain, el doctor Harel, Pignon, Hélène Parmelin, Paul Tillard y los profesores Henri Wallon y René Zazzo.

«Los acontecimientos de Hungría plantean a los comunistas complicados problemas de conciencia que ni el Comité Central ni *L'Humanité* les ayuda a resolver» escribían los firmantes del documento, que deploraban al mismo tiempo la «cortina de silencio» y las «ambigüedades más o menos voluntarias». Aseguraban también que «las interpretaciones de los acontecimientos de Polonia y Hungría han culminado en una desilusión cuyas consecuencias no han tardado en hacerse sentir» y pedían que se convocara cuanto antes «un congreso extraordinario para que se debatieran, en toda su realidad y su verdad, los problemas innumerables que hoy se les plantean a los comunistas».

La publicación de esa carta, a causa de una «filtración» causó gran revuelo y el Comité Central, temiendo la dimisión de Picasso, que hubiera hecho un efecto deplorable, trató de minimizar el contenido. Maurice Thorez y Roger Garaudy condenaron la toma de posición de «ciertos intelectuales comunistas que han olvidado la idea de la lucha de clases»; *L'Humanité* afirmó que «los firmantes... pueden tener otra opinión. Pueden, incluso, obstinarse en contra de los hechos, pero no tienen derecho a imponer su punto de vista al Partido por medios ilícitos». Las respuestas dilatorias del Comité Central no calmaron las inquietudes y la angustia. Discretos emisarios fueron enviados a Picasso, y asimismo recibió sendas cartas de Thorez y de Casanova; pero éstos no tenían nada que temer: Pablo no había tenido nunca intención de darse de baja.

Las Lettres Françaises, órgano «cultural» del Partido, pasó en silencio la carta de los diez como la actitud adoptada por Picasso, lo mismo que había hecho con su exposición en Moscú. Sospechoso de «desviacionismo», incluso de «faccioso», el pintor sufría las consecuencias de su postura. La luna de miel con el Partido tocaba a su fin.

Unas semanas después de los trágicos acontecimientos de Budapest, cuando todavía persistía la impresión, almorzaban en *La Californie* Yves Montand, Simone Signoret y Georges Tabaraud, Redactor-Jefe de *Le Patriote* de Niza, «ojo de Moscú» local fijo en Picasso. Aunque comunistas, Montand y su mujer habían condenado la intervención soviética y como, naturalmente, la conversación versó sobre ese tema, el actor atacó violentamente a los soviéticos y denunció su agresión. Tabaraud contestó para justificarla y la conversación se hizo cada vez más enconada. Picasso escuchaba atentamente sin perder una palabra, escudriñando alternativamente con sus ojos negros a cada uno de los interlocutores, siguiendo sus reacciones, sus menores gestos. Pero no pronunció ni una palabra.

El periodista norteamericano Carlton Lake habló poco después con Picasso y le hizo saber hasta qué punto sería felizmente recibida en Estados Unidos una ruptura espectacular con el Partido. A lo que el pintor replicó: «Mire usted, yo no soy un político, pero el comunismo representa un cierto ideal en el que yo creo. Pienso que el comunismo trabaja en la realización de ese ideal», y añadió que en tanto que el Partido continuara expresando las aspiraciones de la mayoría de los trabajadores, él permanecería fiel a esa idea, pues estimaba que siendo comunista conservaba unos lazos, que le eran necesarios, con el pueblo.

Al pueblo, empero, le tiene sin cuidado Picasso. Son los intelectuales, los artistas célebres, las personalidades del cine o el teatro quienes franquean el umbral de *La Californie* mientras que es él, Picasso, quien va al pueblo en busca de un contacto con la masa, que le causa una pueril alegría. ¡Cuantas veces han mostrado los cronistas a Picasso en medio de una boda, bailando con la novia o haciendo un bonito dibujo para pagar la cuenta! O bien discutiendo de pintura con turistas que no le reconocen, o dando consejos a jóvenes artistas, evocando recuerdos o repartiendo algunas de sus intrascendentes máximas cuidadosamente recogidas como palabras de evangelio por sus aduladores.

No puede por menos de pensarse, no sin tristeza, en esas frases prefabricadas de los Jefes de Estado o los personajes en representación. Como ellos, Picasso está siempre rodeado de servidores y de aduladores, sin tener apenas contacto con la realidad y siempre, donde quiera que se halle y haga lo que haga, está vigilado, mientras que por su parte, él aterroriza a sus allegados, les impone sus caprichos y les obliga a ser comparsas del espectáculo en que actúa de protagonista. Todos y cada uno se sienten virtualmente halagados de vivir en el circuito de Picasso, de recibir sus confidencias o de sufrir sus furias, de ir a su lado en coche, de recoger sus dichos graciosos o de poder fotografiarle. Y como, además, es generoso, prodiga los autógrafos, los dibujos para carteles, las litografías para ventas benéficas, las cubiertas para libros, etc., ha hecho la fortuna de Vallauris y los obreros, la gente humilde y los niños son sus amigos.

Un día en Cannes, al entrar a almorzar a un restaurante vio un grupo de turistas soviéticos subiendo a un autocar, algunos de los cuales le reconocieron y le dirigieron un discreto saludo. Picasso, satisfecho, propuso a Jacqueline: «Hay que ir a saludarlos». Buscaron a un turista que hablara francés o español y, una vez hallado, se dirigió a los demás de parte del pintor, y entonces todos se precipitaron, le rodearon, le felicitaron, le abrazaron, tuvo que dejarse fotografiar no sólo con todo el grupo, sino –explica G. Tabaraud que ha relatado la escena– con cada uno de ellos separadamente y a cambio de un autógrafo el que más y el que menos le ofreció, en prueba de amistad, un objeto personal. El espectáculo duró más de una hora y atrajo a numerosos curiosos de los que abundan en el puerto de Cannes.

La soledad de Picasso en medio de su corte hacía de él un hombre cada vez más aislado del mundo exterior, de las preocupaciones de los demás. Ya no hay tragedia en su obra, de la que antaño se nutría y, sin embargo, no faltan las ocasiones de protestar, de rebelarse, de acusar o criticar; pero don Pablo no parece ya ser contemporáneo de una sociedad de cuyas crisis, sacudidas y mutaciones se siente ajeno. Lo de Budapest afectó sobre todo al comunista, pero ninguna de sus obras refleja los sentimientos que ese drama pudo inspirarle. Incluso las escenas de toros que pinta por entonces están decantadas de todo elemento trágico: las de 1957, dibujos y aguatintas destinados a ilustrar la *«Tauromaquia, Arte de torear»*, de José Delgado (Pepe Illo) muestran la lucha entre el hombre y el animal en forma puramente decorativa y con un estilo ágil pero bastante inconsistente, como de sombras chinescas.

En el invierno de 1956 un joven editor de Barcelona, Gustavo Gili, fue a ver a Picasso con el propósito de realizar el deseo de su padre, fundador de las Ediciones de la Cometa, que había pedido al pintor, tiempo atrás, la ilustración del libro citado, por iniciativa del periodista catalán Agustín Calvet. Un año después de esa visita, en sólo tres horas hizo Picasso los grabados que componen fielmente todas las fases de la corrida; aquí, el épico combate no es más que un puro juego de manchas y las faenas patéticas están tratadas con una cierta blandura de forma que no puede explicarse por la increíble rapidez de ejecución.

¿Es acaso porque Pepe Illo era contemporáneo de Goya por lo que Picasso dio a esta serie un estilo como de «capricho»?

Otra serie, realizada el 11 de julio de 1959 y el 26 de junio de 1960 y titulada *Romancero del picador* mantiene ese estilo «a manchas» a través de una concepción picaresca de los lances que se desarrollan en el ruedo. Nada de caballos desventrados ni matadores volteados, no hay toreros corneados o salvajes combates cuerpo a cuerpo: aquí la corrida es más humana y la destreza corre pareja con la gracia.

Además de *La Tauromaquia,* se publica en 1960 el libro *Toros,* de Pablo Neruda, ilustrado con quince litografías; en 1961, *Toros y Toreros,* de George Boudaille y Luis Miguel Domínguín, así como *A los toros con Picasso,* presentado por Sabartés. Todos esos grabados están hechos en el sótano de *La Californie,* laberinto de estancias vacías con la sola excepción de una de ellas convertida en taller de estampación, donde reinaba Jacques Frelaut y el tórculo venerable de Louis Fort. Picasso grababa las planchas, su colaborador las lavaba, las entintaba, tiraba las pruebas que el maestro escrutaba con lupa a cada fase. Las tiradas definitivas corrían luego a cargo de Lacourière, en cuyo taller era Frelaut el regente de imprenta.

Toros y Toreros se parece a la mayor parte de los dibujos, aguadas y croquis recientes sobre el tema de la corrida; el total ocupaba tres cuadernos a los que el editor añadió dieciséis dibujos en sepia, que habían sido ejecutados en hojas separadas en un mismo día, el 4 de octubre de 1959. En cada una de las imágenes es perceptible el don de reportero de Picasso: con seguridad y precisión plasma una actitud, cuenta una escena, expresa el movimiento, por medio de deformaciones de contorno y un alargamiento de formas que contrasta con el juego de arabescos utilizado otras veces.

En varias obras, que datan de marzo de 1959, aparece una Crucifixión: el Cristo en la cruz va montado en un caballo contra el que arremete un toro, con lo que de nuevo Picasso da rienda suelta a su vena dramática. Hay cabezas de caballos aullando que recuerdan a los del *Guernica* rodeando al Crucificado de rostro doloroso coronado de espinas.

Como prefacio de esa serie, Luis Miguel Dominguín escribe un texto en el que aborda un problema raramente citado: la nostalgia de España por Picasso: «España siente por Picasso esa nostalgia que todo español deja percibir en forma de *morriña* (3) por todo lo que es ausencia... Nadie es más profeta en su país que el español, pero nadie más que el español tiene necesidad del bautismo del extranjero...

España tiene terrible nostalgia de Picasso, una morriña análoga a la que él siente por España... y que se percibe en su obra».

Esa nostalgia de Picasso es evidente sobre todo en la extraordinaria serie de cuarenta y cuatro pinturas consagradas a *Las Meninas*, la obra maestra de Velázquez que realiza entre el 17 de agosto y el 30 de diciembre de 1957. Constituye uno de los conjuntos más picassianos, en que más ha puesto de sí mismo. Durante la ejecución sólo una vez se interrumpe, unos días en septiembre, que dedica a pintar la ventana del último piso de la villa, donde se instala para pintar, con palomas posadas y una vista del mar hasta las islas de Lérins al fondo y el cielo sobre los árboles del jardín.

Palomos y palomas zurean; se arrullan y se dan el pico contra el fondo azul del Mediterráneo, mientras se va desarrollando en la serie de lienzos emprendida el sorprendente espectáculo velazqueño. Esta obra única venía preocupando a Picasso desde hacía tiempo, ya en 1952 le había hablado de ello a Sabartés:

«Supongamos que alguien quiere copiar pura y simplemente *Las Meninas*, llegaría un momento en que si fuese yo quien lo hiciera, me diría: "¿que pasaría si pusiera este personaje un poco más a la derecha o a la izquierda?" Y trataría de hacerlo a mi manera, sin preocuparme de Velázquez.

_____

(3) En español en el original.

Esta tentativa me llevaría sin duda a modificar la luz o disponerla de otra forma, puesto que habría cambiado de sitio un elemento. Así, poco a poco, lograría hacer un cuadro, *Las Meninas,* que sería detestable para cualquier pintor especializado en copiar y no serían *Las Meninas* tal como aparecen en el cuadro de Velázquez: serían *Las Meninas* del que lo hiciera» (4).

Así fue, en efecto, como procedió Picasso.

Toda la casa está en silencio. Picasso trabaja. Las palomas se arrullan en el balcón del estudio donde está midiéndose con Velázquez. De vez en cuando, Lump, el teckel, lanza un breve ladrido porque el estudio de arriba le está prohibido desde que ha intentado acometer a los pichones que entran y salen con entera libertad del palomar; Jacqueline descansa, la cabra pace en el césped del jardín; una pareja de pájaros bengalíes revolotea en una jaula colocada encima de la chimenea del salón grande, junto a hojalatas recortadas, máscaras o juguetes de los niños. Yan, el bóxer, dormita en el suelo... Hace un día de verano pesado y caluroso.

Cuando Picasso trabaja, se les ruega a los amigos que siempre avisen su visita, que la confirmen por teléfono, pero quizá se hagan algunas excepciones: Kahnweiler, los Leiris, los Pignon, Penrose, David Douglas Duncan, Sabartés, que cada día que pasa parece más un Mr. Pickwick español, y así lo dibujará Picasso en la portada de su libro *Les Ménines et la vie,* y naturalmente, Sapone que no telefonea nunca.

Picasso comenta así sus *Meninas* con Penrose: «Velázquez está visible cuando en realidad no debería estarlo puesto que le vuelve la espalda a la infanta del primer término que tiene por modelo. Está delante de un gran lienzo en el que parece estar trabajando, pero como se ve solo el reverso del cuadro, no podemos ver lo que pinta. En realidad, está pintando al rey y a la reina de quienes vemos la imagen reflejada en el

---

(4) Sabartés: *Les Ménines et la vie,* París 1958.

espejo al fondo de la habitación. Sin embargo, el hecho de
que los veamos implica que ese rey y esa reina no miran a
Velázquez sino a nosotros. Y las meninas se han agrupado
en torno al pintor no para posar, sino para mirar el retrato
del rey y la reina, y como éstos, nosotros, espectadores, estamos detrás de ellas» (5).

Las *Meninas* son una trampa pictórica y eso era lo que le
interesaba a Picasso. Las complejas relaciones entre los distintos personajes del cuadro, el observador, los observados y
el que observa al uno y a los otros, suponen nuevos nexos
entre la realidad de la obra y la del mundo exterior. Don Pablo entró, como Velázquez, en los aposentos cerrados y severos del rey de España donde nada era igual que en otros
lugares pues por algo era España, el palacio del rey y el estudio de Velázquez.

Desde que emprendió tal empresa, se le veía con la cara
cansada y una expresión sombría como cada vez que se dis-
ponía a librar combate consigo mismo. Se acababan las visitas, se hacía el silencio en la casa, y cualquier imprevisto,
por mínimo que fuese, aparecía como espantosa tragedia.
Jacqueline, que acababa de sufrir una intervención quirúrgi-
ca, soportaba mal aquel clima tenso, agravado por un dolor
en una pierna que hizo padecer a Picasso parte del verano.
Por fortuna, las imprevistas visitas de Duncan, procedente
del otro extremo del mundo, aportaban buen humor, exqui-
sito caviar, salmón ahumado y whisky. A cada viaje, Duncan hacía centenares de fotografías.

Felizmente, seguía habiendo corridas, con su cortejo de
comparsas y su rito tradicional.

De *Las Meninas* a las corridas, y de los toros a *Las Meninas;* era una pesadilla. «Algo espantoso –decía Picasso–. Se
ha creído siempre que hacer un cuadro se reduce a pintar.
Pero es peor que la suerte de matar; es también la hora de la
verdad.»

«*Las Meninas* son Furias que te siguen camino de las co-

---

(5) Roland Penrose: *La vie et l'oeuvre de Picasso,* 1947.

rridas y hasta las mesas colmadas de los almuerzos en Nimes, hasta las paellas en la Camarga, hasta la misma Marsella...» (6)

Picasso comenzó la serie de *Las Meninas* por un gran lienzo de 1,94 m. × 2,40 m. que constituye como una toma de posesión del cuadro de Velázquez. Todos sus elementos están ahí en un colorido monocromo gris acero azulado y con una desarticulación que, a su modo, remodela la estancia donde la luz entra a raudales. El pintor, a la izquierda, es una especie de totem barbudo y bigotudo; al fondo, la silueta de un cortesano con capa que sale por la puerta entreabierta; a la derecha, en primer plano, una especie de ectoplasma cotorneado y el perro de Picasso –el teckel Lump–. Lo esencial del famoso cuadro está respetado, y sólo los valores plásticos están modificados por el formato, apaisado el de Picasso mientras que el de Velázquez es vertical; de ahí que los vacíos del techo aparezcan aplastados y cambiada la escala en la figura del pintor, que con empaque monumental ocupa toda la parte izquierda.

Una vez colocados en su sitio, los personajes, las cosas y su entorno, Picasso pintó aparte el grupo de la infanta y sus meninas, el perro y el hombre de la capa, luego la infanta sola. Pero el 6 de septiembre, echa un vistazo por la ventana y deja las *Meninas* por las palomas, su palomar y la vidriera del balcón abierta, las frondas del jardín, al mar y el cielo. Hace así varios paisajes llenos de frescura y de brillante colorido vibrante de luz, hasta el día 14 en que vuelve a la infanta.

Desde entonces hace 19 estudios sucesivos, luego trabaja otra vez el conjunto, antes de tratar por separado algunos detalles. Como si, después de haber pasado revista al total, penetrara dentro de cada cosa para hacer el inventario. Comienza por pintar las damas de la infanta; luego, el bufoncillo, ese que en el cuadro de Velázquez aparece dando una patada al perro sentado apaciblemente delante de la enana.

---

(6) H. Parmelin: *Picasso sur la place.*

Por su actitud, el movimiento de las manos y de la pierna Picasso deducía que estaba tocando un invisible piano, así es que lo representó ante el teclado, iluminado por dos velas, en curioso traje rojo. Su cabeza es una gran mancha sin el menor trazo, prolongada por una trenza igualmente blanca en la espalda. Picasso le explicaba a su amigo Penrose:

«He visto al niño con un piano... El piano se me venía a las mientes y no tenía más remedio que ponerlo en alguna parte... Muchas veces me ocurre eso cuando pinto, y esas imágenes forman parte de la realidad del tema. En ese sentido los surrealistas tenían razón, la realidad rebasa al objeto mismo. Yo busco siempre la suprarrealidad... Un pintor que copia un árbol se ciega y ya no ve el árbol verdadero. Yo veo las cosas de otra manera, para mí una palmera puede ser un caballo. Don Quijote puede» unirse a las *Meninas*...» Todavía pinta varias veces a las damas de la infantita, acompañándola o ellas solas, con humor, con jugoso ingenio y múltiples variaciones de forma, de expresión y de color. El 2 de diciembre, Picasso deja el tema por completo para pintar pequeños paisajes inspirados en los árboles de su parque, cuyo verde follaje armoniza, a pesar de ser invierno, con el cielo azul. Y aquel mismo día hace un retrato de Jacqueline.

Transcurre diciembre. Se acaban las *Meninas*. Picasso ha comenzado el día 6 los estudios preliminares para la gran decoración que le ha encargado la Unesco, y prosigue con ello todo el mes simultaneando con otros dos retratos al óleo de Jacqueline y dos grabados en linoleum, donde también ella aparece. El día 16 emprende una serie de planchas de zinc que durará hasta marzo: son bustos de perfil, Jacqueline leyendo, mujeres con moño, etc. Cada plancha necesita varias pruebas de estado, trabajadas a conciencia y con extraordinaria maestría. «Las planchas de zinc viajaban entre París y Cannes para satisfacer las exigencias del artista», explica Mourlot, quien juzga esa serie como una de las mejores que haya realizado Picasso, e impregnada de una gran ternura hacia la modelo, que no es otra que Jacqueline.

He aquí que la infanta reaparece el 30 de diciembre. Esta

vez sola. Con infinita gracia y en una armonía gris verdoso realzada por toques rosa, la princesita hace una reverencia a la serie *Las Meninas* y al año que termina.

Picasso ha manejado con suprema habilidad las partes «pintadas» y las partes «dibujadas» con un grafismo curiosamente pueril. No aparece aquí la intención «sacrílega» de desmitificar las obras maestras, como se le ha achacado tantas veces; no maltrata a Velázquez como no maltrató a Delacroix, ni a Manet ni a David, y sería dar pruebas de incomprensión si viéramos en esos empeños analíticos de otras pinturas, un «dadaísmo latente» si es que dadaísmo quiere decir negación del arte.

Si a través de *Les Femmes d'Alger* Picasso exaltó a la Mujer, con *Las Meninas* ensalza al Pintor desmesuradamente ampliado, como lo era la mujer del narguilé en su versión del cuadro de Delacroix. La Mujer y el Pintor se encontrarán frente a frente en los *Almuerzos* de 1960-1961, según Manet, últimas interpretaciones del doble tema del Pintor y su Modelo y de los Estudios, que habían preocupado a Picasso durante casi toda su vida.

Para él, analizar las obras maestras consistía esencialmente, como hemos visto, en desmontar el mecanismo de la creación y revelar los medios empleados. «Abre un reloj y pone las piezas encima de la mesa», observa Jean Cau, como quien saca los múltiples significados que pueden contener. Una vez desmontado el reloj –el cuadro– el interior le sirve de laboratorio experimental para ejercer su curiosidad de analista, atribuyendo a cada ruedecita, cada engranaje, su función propia, aislando cada elemento y reestructurando el montaje a partir de los datos obtenidos. Balance e inventario se suceden y se completan, humor e ironía entran a menudo en el juego, mientras que la imaginación de Picasso teje sin cesar, en torno a los diferentes personajes de esa comedia española, nuevas relaciones y nuevos ritmos. Multiplicadas por cuarenta y cuatro nuevas interpretaciones, *Las Meninas* devienen un vasto y fascinante juego de espejos alrededor de una infanta niña en traje harto pesado para ella, de gestos

vacilantes, de rasgos cansados y pequeños ojos redondos de
los que se puede suponer que están mirando hacia la ventana o las palomas de Picasso que simbolizan eso que ella no
conocerá jamás: la libertad.

Durante todo aquel verano se habló en *La Californie* de
Las Meninas sin que nadie las viera. ¿Cuándo se va a decidir el señor a abrir su feudo del segundo piso? Cuando le
venga en gana. Hélène Parmelin ha relatado esa espera es-
pectante y la manera como Pablo ha jugado con sus amigos
impacientes. Es un episodio de comedia (7).

Un día, Jacqueline telefonea a los Pignon a Sanary, para
saber si tenían intención de asistir a la corrida del domingo 6
de octubre, en Cannes. ¿Una corrida en Cannes? ¿Y en el
mes de octubre? El pintor y su mujer se extrañan, y Jacqueline aclara: «No, claro que no, me refiero a la sola corrida de
Cannes, la única, la nuestra...».

Los Pignon comprenden, o creen comprender, y el domingo salen en coche hacia *La Californie*. Llegan casi al mismo
tiempo que los Leiris, que también han oído hablar mucho
de *Las Meninas*. «Todo el mundo pensaba en *Las Meninas*
al hablar de unas y otras cosas, cosas que todos sabíamos,
incluso Picasso, que eran *Las Meninas* y sin olvidar que Picasso tenía y no tenía ganas de enseñarlas», ha escrito H.
Parmelin.

El «monarca» hace esperar a sus súbditos. ¿Merecen ver
sus *Meninas* esos cortesanos solícitos, sumisos de antemano
a los caprichos del señor? Pablo empieza por invitarlos al
restaurante. Primer episodio: siempre acaban por ir al mismo establecimiento después de haber pensado largo rato
adonde sería grato ir. Luego comen, la sobremesa se prolon-
ga. Hay quien se impacienta, pero, por supuesto, nadie protesta. El señor decide, que para eso tiene derecho de vida y
de muerte, es decir, de *Meninas* o no *Meninas,* sobre sus va-
sallos. Emprenden el regreso, con paradas para contemplar

---

(7) H. Parmelin: *Picasso sur la place.*

el mar o para tomar una copa. Vuelven a *La Californie* pero todavía no sucede nada...

Despiadado y cínico, Pablo se regocija con la impaciencia de los otros. Impenetrable, como siempre, Jacqueline cuida discretamente de que funcione bien el espectáculo del que conoce todas las tramoyas y trucos. Los invitados están esperando *Las Meninas,* «pues venga ¡vamos a enseñarles unos cuadros!» decide Picasso. Y, ayudado por Pignon, pone ante las narices de sus amigos, pasmados y mudos de sorpresa, una serie de obras que habían sido expuestas en Estados Unidos hace años y que acaba de recuperar.

Por descontado que nadie se atreve a reclamar las *Meninas.* Siguen esperando, miran los cuadros, charlan, hasta que nadie sabe ya qué decir ni qué hacer. «Yo tenía miedo de las *Meninas,* me daban náuseas. Había llegado a desear no verlas todavía, a esas *Meninas* preparadas en nuestras mentes por una incesante reflexión de más de dos meses –escribe H. Parmelin–. Esperarlo todo de Picasso, ¿esperar qué?»

«Es ahora cuando yo debería enseñaros las *Meninas* si es que os las enseño», se regodea todavía Picasso.

Y no las saca. Por otra parte, está cayendo la noche. En el jardín hace fresco, hay que meterse dentro. Prosigue la charla, hablando de todo y de nada, comen un poco sin gran apetito. Todo el mundo está cansado, pero cada uno se pregunta si, a fin de cuentas, Picasso no va a terminar por enseñar esas dichosas *Meninas* que ya empiezan a detestar.

Es medianoche y van a acostarse. Y entonces comienza el desconcertante número, montado por el diablo en persona, que podría titularse: «De la manera como el más grande pintor del siglo se guasea de sus amigos sin fatigarse».

Los Picasso, los Leiris, los Pignon, éstos rendidos de cansancio, se han retirado cada uno a su habitación. Pablo entra en la que ocupan los Pignon y dice a Hélène que Jacqueline querría abrazarla antes de irse a dormir. Hélène va y Picasso se queda charlando aún con Pignon. Así pasa media hora. Cuando la mujer del pintor vuelve a su habitación, los dos artistas están tumbados cada uno en una cama.

–Bueno pues... así que te los enseñaré mañana ¿eh? esta noche ya es un poco tarde...

Pignon, que conoce bien a Pablo, sabe lo que quiere decir eso y contesta:

–No, no es demasiado tarde, en todo caso para mí... Si quieres vamos ahora...

–Entonces vamos, pero abrígate un poco, allá arriba hace frío. Me parecía que iba a ser demasiado tarde. Pero, bueno, vamos...

Claro que van ellos dos solos. Hélène que arde en deseos de ver las *Meninas* pero que no ha sido convidada, vuelve junto a Jacqueline con el alma en vilo.

Dan las dos. Las tres. Allá arriba, en el estudio, los dos pintores hablan. Se oye rodar el caballete que, sin duda, cambian de sitio. Por fin bajan. Completamente agotada, Hélène no tiene ni fuerzas para pedir a su marido que le describa esas famosas *Meninas* tan esperadas que sólo él ha visto.

«En la habitación, medio dormida ya, las *Meninas* que yo me había fabricado se precisan y se destruyen. Mi marido me dice que es una composición inmensa, pero que hay además otras veinte a treinta... y más aún, que han nacido de palomas, con colores alegres, cálidas, y una especie de suntuosidad, de felicidad...»

Y así, las *Meninas* llegan a ser, entre Pignon y su mujer, una especie de fantástica pesadilla picassiana que les mantiene despiertos durante horas; él las ha visto y las describe; ella no las ha visto y las imagina, las sueña.

Por la mañana, Pignon «cuenta» las *Meninas* a los Leiris que no han asistido al espectáculo de la noche anterior. Vuelve a describírselas a Hélène, ésta se las transmite a Jacqueline, que sí las conoce. «Cuanto más hablamos de ello, menos puedo imaginarlas», dice decepcionada.

Todavía habrá que esperar todo el día hasta las cinco de la tarde. Picasso saborea, como buen conocedor, ese juego diabólicamente perverso, refinado, minucioso, a la vez soberbio y mezquino. «Ya no me preparaba a esperar nada, estaba harta, sólo tenía ganas de volverme a mi casa a trabajar y me veía escribiendo en el Esterel, en libertad, lejos de las *Meninas*.»

Pero entonces, es Pignon el que dice «con toda naturalidad» a Picasso: «¿Qué, vamos?»

Y van.

¡Por fin!

Todo de golpe queda olvidado. Es de delirio.

«Picasso va de un cuadro a otro, pequeños y grandes, los coge, los pone en el caballete, los quita, los vuelve, pone otro, y otro. Y nadie dice nada. Así durante horas, no se sabe cuántas horas.

Las piernas nos flojean a todos, ya no sabemos cómo tenernos de pie, estamos aturdidos por las palomas. Pero son las *Meninas*. Hemos ganado. Eso es lo que yo pensaba: que habíamos ganado nosotros, no él.»

Anegados de dicha, los súbditos defraudados durante casi dos días enteros no encuentran palabras para expresar su entusiasmo. Don Pablo, con sus ojos implacables fijos en ellos piensa que si es difícil, a veces, dominar la pintura, es mucho más fácil y divertido dominar a los hombres. De ellos se puede hacer lo que se quiera.

Después de haber sido expuestas varias veces –particularmente en la Galería Louise Leiris (1959), en la Tate Gallery de Londres (1960), en el Japón (1964)– la serie de las *Meninas,* así como los cuadros hechos también durante aquel ciclo, es decir, las *Palomas,* los tres paisajes y el retrato de Jacqueline del 3 de diciembre, fueron donadas por Picasso al museo de Barcelona que lleva su nombre, en homenaje a su amigo Sabartés, muerto el 13 de febrero de 1968. En 1957, la galería L. Leiris vendió setenta cuadros de Picasso al precio de unos cuatrocientos millones de francos cada uno. «Con Kahnweiler es como si todos los días ganáramos a la lotería», se congratula Picasso.

CAPITULO XXIII

ICARO, EL PICADOR Y LOS ALMUERZOS
CAMPESTRES
(1958-1960)

«¿Cree usted que yo estoy muerto?»
«¿Cree usted que yo soy ministro?»
Este corto diálogo telegráfico que data de 1965, entre Pablo Picasso y André Malraux, ministro de Asuntos Culturales del Gobierno De Gaulle, ilustra el carácter ambiguo de las relaciones existentes que mantenían los dos hombres. No se habían visto prácticamente desde hacía veinte años.

Sus actitudes respectivas, la intransigencia del gaullista apasionado que era Malraux, muy imbuido, además, de sus altas funciones ministeriales por las que tenía conciencia de representar al general y de encarnar el Estado –para él ambos eran la misma cosa– y, por su parte, la afiliación de Picasso al comunismo y la índole de sus amistades; todo eso y otras muchas cosas, habían separado al escritor y al pintor.

Extraña fue la manera en que Malraux trabó por primera vez amistad con un artista, el grabador de origen griego Galanis, que había ilustrado obras de Nerval y de James y tocaba música de Bach al armonium. Tenía por entonces Malraux veinte años y admiraba el talento «ante todo mediterráneo» del griego, joven romántico, corredor de libros pero soñador de glorias y aventuras, seguro de su poder de seducción, de su cultura y de su brillante personalidad. Gracias a Kahnweiler pudo Galanis conocer a los pintores más importantes de la época, entre ellos Picasso. Le atraían particularmente Braque, Juan Gris y F. Léger, es decir el rigor, la inteligencia, la claridad. Más tarde intimaría con Masson, Beaudin, Fautrier y por Max Jacob se acercaría más a Picas-

so, a quien vio varias veces antes de la guerra; pero le sedujo
más su inteligencia de la pintura que su pintura misma. Es
cierto que los gustos del griego son difíciles de identificar,
pues en un momento dado se entusiasmó también por Derain que llegó a ser, con Braque, su pintor favorito. Su primer libro, sin embargo, fue *Lunes en papier,* publicado por
Kahnweiler en 1921, e ilustrado por Fernand Léger. Al año
siguiente, Malraux consagra a Galanis su primer ensayo sobre arte y presenta sus obras en la galería *La Licorne,* exal-
tando «el genio griego».

Lo que cuenta sobre todo para Malraux, es la historia. Su
cultura es puramente libresca, y la creación del presente le
interesa menos que el «vasto pasado» que «nos revela dos
constantes del hombre: los instintos y la interrogación sobre
el mundo»; esa cuestión indagadora nunca dejó de obsesio-
narle y el arte de hoy no lo consideró sino como un legado:
sólo consintió en afrontarlo con esa óptica. Para él, Picasso,
Chagall, Rouault, Braque, Matisse son una continuación de
la historia del arte y si los interrogó fue a la luz que sobre
ellos arrojan las grandes obras del pasado, sobre el cual también esos pintores aclaran algo, pues la historia del arte es,
en definitiva, el arte más la historia.

Según eso, el proceso está claro. En opinión de Malraux
«Braque no es de ninguna manera el traductor de la gran escultura khmère o siamesa, o sumeria, mas el pintor nos permite verla», y aún añade: «Todo cuanto vemos, lo miramos
a través de nuestra memoria. La obra de arte contiene su
propio reflejo que también es el de todas las obras del pasado, que asume y permite comprenderla mejor». ¿No es el
vidente aquél que sabe cerrar los ojos para reconstruir mejor
en la noche lúcida de la memoria, el camino que asciende
hacia las grandes obras, hacia la historia, a través de los siglos? Vivir dentro del arte es, para Malraux una vivencia
novelada. El escritor recorrió el mundo, pero raramente cru-
zó la calle para ver la escultura o la pintura de un desconocido.

Si Malraux esperó cerca de treinta años para escribir el

«reportaje» de su visita a Picasso, unos meses después de muerto éste, es porque a sus ojos el tiempo destruye la mísera banalidad cotidiana y trasciende la acción en epopeya. Y porque Jacqueline Picasso le telefoneó en septiembre de 1973 para pedirle, en unos términos que él mismo hubiera empleado, que la ayudara a hacer aceptar al Estado la donación del pintor de su propia colección: «Se trata de Francia...» dijo, e inmediatamente Malraux partió para Mougins. Picasso tornábase héroe del arte y del Museo Imaginario y era importante que él, Malraux, confidente privilegiado de hombres egregios, le confiriese una voz, es decir la suya. Las visitas a Mougins y a Vauvenargues sirvieron de resorte disparador. ¿Acaso no había entrado él en la historia por vocación? ¿Quién hubiera pensado nunca en comprobar la veracidad de sus entrevistas con Trotsky, Mao o De Gaulle? ¿Y para qué? Cuando recibió, tras la conversación sostenida con Mao, la copia taquigráfica oficial, el autor de las *Antimémoires* se limitó a decir: «Yo lo completaré». Siempre completó, puesto que para él no existe el arte moderno sino en función del pasado, de la historia. Picasso nos enseñaba a ver de nuevo las máscaras africanas, las monedas galas y la estatuaria sumeria; Chagall viene como consecuencia de los iconos rusos; Masson resucita las diáfanas tintas chinas y los ideogramas orientales; Fautrier hace pensar en los aguafuertes de Goya; Mathieu hace revivir la caligrafía japonesa. En sentido inverso, Malraux se reconoce sensible a la *Pourvoyeuse* de Chardin porque en ese cuadro descubre «un Braque Vestido...»

En 1936, cuando estalló la guerra de España que había de marcar un hito en la vida de Malraux, Picasso tenía cincuenta y cinco años y su obra había entrado ya en la historia del arte, el personaje era a la vez una institución y un símbolo: fue lo que él encarnaba a quien los republicanos españoles encargaron el *Guernica*. Las relaciones de ambos hombres, en aquella época, habían sido cordiales pero distantes dadas la frecuentes ausencias de Malraux. Luego, los acontecimientos transformarían esas relaciones a partir de dos factores fundamentales: Picasso pintor pertenece a la historia del arte, pasa a la historia con *Guernica* y, por otra parte, está en el mismo campo pasional que el escritor; lo que era del dominio del análisis psicológico y estético, se desplaza y aborda lo puramente sentimental. Aunque no se ven mucho más que antes («Yo no formaba parte de su corte», dirá Malraux) uno y otro se saben más unidos por estrechos lazos, por la ayuda al pueblo español y el combate en pro de la libertad. El escritor, que fue voluntario de las Brigadas Internacionales, ve a Picasso *también* del pueblo, y el pintor acepta ilustrar *L'Espoir,* el libro escrito por el jefe de la escuadrilla «España». Sin embargo, ese libro ilustrado no llegó a publicarse.

No se producirá nunca entre ambos una total compenetración: Malraux admiraba al pintor, pero no escribió, en vida de aquél, ningún texto fundamental, por el contrario publicó textos sobre artistas que Picasso no estimaba. Cierto que ensalzó el *Guernica,* pero fue a propósito de los *Otages* de Fautrier...

Como ministro de Asuntos Culturales, Malraux tuvo ambiciosos proyectos. De Gaulle convocó a las fuerzas vivas de la nación, a las que se afincan en las bases de la historia; el hombre de cultura invocó las obras maestras del pasado y las mostró en amplias restrospectivas que trajeron de Sumer y Persia, de la India y el Africa negra, de Méjico y de Japón «la sugerencia de las posibilidades inmensas desde el pasado, la revelación de fragmentos perdidos de la obsesiva plenitud humana». En cuanto a la creación moderna, presente, ni siquiera la aborda puesto que no es –todavía– destino. Malraux dialoga con las obras cumbres del arte, no con los hombres, salvo cuando resucitan, a sus ojos, el pasado. Sabemos quienes son esos hombres: Chagall, a quien encarga el techo (un fracaso) de la Opera de París; André Masson, a quien confía el del Odéon (éste logrado). Braque, encargado de hacer los mosaicos monumentales para la torre de la Falcultad de Ciencias y que no pudo realizar por haber muerto antes; Balthus, nombrado director de la Villa Médicis, Academia francesa en Roma... Quedan aún, de sus preferencias, Fautrier y Dubuffet, por los que curiosamente, no hace nada. A un amigo que se sorprendía por ello, Malraux le respondió picado: «Francia tiene otros problemas...»

A Braque le rindió solemnes honras fúnebres delante de la Columnata del Louvre, a Le Corbusier, en la Cour Carrée. (patio cuadrado) del mismo museo. El diálogo con los muertos disculpa mal, sobre todo por lo que respecta al segundo, los fallos con los vivos. Por el que fue el más célebre arquitecto del mundo, Malraux hubiera podido hacerlo todo, por ejemplo confiarle en París un monumento a su medida, algunos de los grandes proyectos urbanísticos. Pero no hizo nada.

En cuanto a Picasso, Malraux no ocultó su hostilidad: al hacerse comunista, el pintor quedaba para él borrado de la historia y no entraba ya en el destino. «Lo tremendo es que los dos se consideraban iguales ante la eternidad», comentó un amigo de ambos. Ninguno de ellos podía, pues, dar un paso hacia el otro, pero es fácil imaginar lo que el ministro hubiera dicho de Picasso si éste hubiera fallecido durante su ministerio, pues entonces sí que hubiera entrado en la historia y en el destino. Leyendo las oraciones fúnebres de Braque y de Le Corbusier podemos hacernos una idea de lo que hubiera sido esa «recuperación».

Aquello de «¿Creen ustedes que yo soy ministro?» era una de las salidas de tono preferidas del hombre que, al evocar su propia situación en el Gobierno, se complacía en contar la historia del gato «que hacía de gato en casa de Mallarmé»; pero aún así nos explicamos mal la increíble actitud de Malraux ante tres cuestiones relativas a Picasso, que se negó a abordar para no tener que resolverlas: el proyecto de donación de Picasso al Estado, las dos grandes retrospectivas en el Grand y en el Petit Palais, la conservación del estudio en la calle Grands-Augustins. Francia tenía entonces «otros problemas»...

Ni Malraux ni la V República pasaron ningún encargo a Picasso. El ministro pensó, por un momento, hacer del

Segador un monumento a Baudelaire, o mejor dicho a *Les Fleurs du mal,* erigido en la punta de la Isla de Saint Luis que corta el Sena como una quilla. En lugar de eso, Chagall hizo el desastroso techo de la Opera, precisamente el pintor que Picasso detestaba más, sentimiento recíproco, por otra parte.

Por el contrario, la UNESCO le encargó a Picasso la decoración de un mural de cien metros cuadrados para el gran vestíbulo, llamado «Foyer des Délégués.» Obra considerable, compuesta de múltiples paneles de dos metros cuadrados, titulada por Georges Salles, el director honorario de los museos de Francia, que tanto hizo por «normalizar» las relaciones de Picasso y el Estado: *La caída de Icaro.* El artista se había contentado con denominarla «pintura de la UNESCO.»

Picasso empezó por rechazar el encargo. «Ya no tengo veinte años, es imposible», oponía. Pero el Secretario General de la UNESCO insistió, poniendo hábilmente de relieve la gloria que el pintor daría así al palacio del organismo internacional y, con menos habilidad, la presencia de varios grandes artistas contemporáneos: Miró, Henry Moore, Arp, Calder. Gracias a un viaje que hizo a *La Californie,* Georges Salles obtuvo al fin su aprobación. Picasso pidió simplemente ver la maqueta del edificio y, aunque a regañadientes, aceptó. (Parece ser que la suma propuesta exonerada de impuestos, además, no dejó de influir en la decisión favorable). Picasso recordó a su visitante que el Templo de la Paz de Vallauris seguía cerrado, probablemente porque las malas relaciones entre el Municipio comunista y el Gobierno aplazaban indefinidamente la inauguración. Georges Salles prometió intervenir.

El enorme vestíbulo de la UNESCO se prestaba mal a una decoración de gran envergadura. La compleja arquitectura, con columnas y una pasarela cruzando toda su longitud, no desanimaron a Picasso que ni siquiera fue a conocer el lugar. Tampoco llegaría nunca a ver su obra colocada en el muro designado (recordemos que el pintor no volvió a París desde

1955, salvo un viaje mantenido muy en secreto, en noviembre de 1966, para operarse de una úlcera de estómago).

Para la UNESCO hizo Picasso, como de costumbre, numerosos dibujos de conjunto y de detalle, con mina de plomo, con lápiz graso, con tinta china y con lápices de colores. El primer estudio, en guache, data del 6 de diciembre de 1957, y la última versión de la maqueta lleva varias fechas, del 18 al 29 de enero de 1958: tenemos así, día a día, y casi hora a hora, la génesis de la obra de más considerables dimensiones y la más desconcertante también, que Picasso haya hecho. Tenía entonces setenta y siete años.

Desde el guache inicial, en verde gris apagado, a la maqueta definitiva en colores, no pocas modificaciones transformaron la intención original de la obra, y no existe realmente la menor relación aparente entre el principio y el fin de los estudios preparatorios. El guache de diciembre muestra el interior de un estudio de artista iluminado por una cristalera y en donde se ve un gran cuadro vertical representando varios bañistas al borde de una piscina y en un trampolín (según un cuadro que pintó durante el verano de 1956 en *La Californie* y que llevaba por título, justamente, *El Trampolín)*, personajes parecidos a esculturas de la misma época realizadas con trozos de madera. A la izquierda, en un caballete, un cuadro horizontal con una mujer recostada, compuesta en estilo cubista, desbordando del marco que no la «contiene» más que mentalmente. En el extremo de la derecha, se perfila la silueta gris-sepia del pintor con la paleta y los pinceles en la mano, reminiscencia alusiva al Velázquez de las *Meninas.*

Todos esos motivos procedían de obras antiguas. Existe un notable estudio debido a la pluma de Gäetan Picon, sobre la génesis de *La Caída de Icaro,* en donde dice que «cada elemento pertenece, a la vez como causa y como efecto, al juego de autorreferencias que posee en sí mismo su principio de regeneración». Eso de «el cuadro en el cuadro» no era, tampoco, nada nuevo en la obra de Picasso. El citado escritor ha descubierto la idea inicial de la primera versión para la UNESCO en una serie de dibujos muy esquemáticos de 18 de abril de 1956, en los que están reunidos el cuadro horizontal con un personaje acostado, y el cuadro vertical conteniendo acaso la imagen del pintor.

Picasso comenzó el 15 de diciembre de 1957 los dibujos preparatorios, en un cuaderno de gran formato que acabó el 4 de enero; hallamos en él distintas variantes del guache del 6 de diciembre y numerosos estudios de detalle, en particular de la mujer acostada, que pasa por una serie de transformaciones partiendo del esquema geométrico, para llegar, a fuerza de simplificaciones –según un proceso que le es habitual– al signo. Luego, vuelve a tratar el tema del estudio, para trabajar otra vez en la bañista que, de geométrica, pasa a ser matissiana, mientras que en la parte derecha de la composición, la silueta del pintor cobra mayor importancia.

Terminado ese primer cuaderno, Picasso empieza otro: como cada vez que una obra le preocupa, está entregado de lleno a su trabajo. La maqueta del vestíbulo que debe decorar ocupa una de las grandes mesas en la planta baja de *La Californie*. Por otra parte, uno de los arquitectos de la UNESCO, Bernard Zehrfuss, va de vez en cuando a ver cómo sigue el proyecto del pintor; pero éste continúa dibujando sin saber aún lo que será la obra definitiva. El arquitecto tenía prisa, naturalmente –Picasso no– llegaba siempre deseoso de conocer las intenciones del artista, y cada vez se volvía chasqueado sin averiguar nada.

«Quiero vivir esta obra como vivo todas las demás cosas que hago. De lo contrario, no sería más que pura decoració», explica Picasso.

Un representante del Secretario General de la UNESCO creyendo útil desplazarse a verlo, va a Cannes, pero Picasso apenas lo recibe y con pocos miramientos le dice:

«¡Hasta la vista, Monsieur! hay una solución, y debo encontrarla yo solo.»

En el segundo cuaderno de apuntes abundan nuevos estudios sobre el tema del taller de artista, pero ya la mujer desnuda no ocupa el cuadro del caballete, ahora está voluptuosamente tendida en un sofá mientras el pintor, muy alargado, parece querer borrarse. A menos que sea el vacío que le absorbe. El cuadro vertical de los bañistas se ha transformado en cuadrado. En torno a esta nueva composición giran dos estudios a tinta china, pluma, lápiz y aguada, del 6 de enero de 1958; pero en la segunda estructuración vuelve a aparecer vigorosamente el pintor con pinceles y paleta en mano.

Pasa luego Picasso a estudiar el color; el día 7, el pintor queda reemplazado por una planta vertical en una maceta y en la misma jornada de aquí la composición bruscamente simplificada por anchas zonas de color plano, amarillos azules y rojos vivos, y las formas dejan lugar a sus propias siluetas, como proyecciones de una realidad que, poco a poco, se hacen más fantomáticas. Al cuadro sucede ahora una imagen en la que se superponen un dibujo infantil y el estilo matissiano, el rigor geométrico y el arabesco.

El bañista del trampolín que se había quedado solo, con los brazos cruzados, va a ser sustituido en la versión del 7 de enero, por un busto silueteado, sombra del pintor que, en la cuarta versión del mismo día, crece desmesuradamente e interroga la tela virgen mientras que la mujer desnuda, odalisca contorneada de verde-agua, se estira lánguidamente. El día 8, vuelven los bañistas y la odalisca no es más que un magma informe.

Visiblemente Picasso, se pregunta a sí mismo dónde le va a llevar su tema, que sigue en los recovecos de una invención de la que ya no se siente dueño nada más que en la medida en que la pintura, como él dice, le obliga a hacer lo que ella quiere. Cuántas vueltas y revueltas, qué de cambios de estilo y de técnica, cuántas variaciones de forma en esa escenografía de algo que se le escapa sin cesar hasta que, bruscamente, lo cambia todo.

¿Qué es lo que esperan los dirigentes de la UNESCO? Lo que el pintor desea obtener del combate que está librando es un acto de pintura. Aquéllos y Picasso están inquietos, pero por razones opuestas, que no se comunican entre sí, naturalmente.

Hay un factor que va a tener decisiva importancia en el proyecto. Desde las primeras experiencias de vuelos interplanetarios, Picasso se apasiona por la conquista del espacio, los *sputniks* le fascinan, sigue sus evoluciones en el periódico y en la televisión, han entrado a formar parte de su vida y habla de ellos como algo que le es familiar... Encontrándose un día en el aeropuerto de Niza, alguien se puso a gritar: «¡Deprisa deprisa!, el *sputnik*», Picasso como todo el mundo, se precipita a la calle. Con la cabeza levantada, todos escrutan el cielo y los brazos apuntan: «¡Allí, allí está!» Cada uno ve el *sputnik,* sigue su trayectoria, escucha el «bip bip» característico. Pablo está y durante las horas que siguen no habla de ellos como algo que le es familiar... Encontrándose que abren las naves espaciales, evocando la posible vida en la luna, interrogándose si hay hombres allí y cómo viven, si tal vez hay pintores entre ellos... Y de ahí pasa a imaginar los cuadros que podrían pintar, las galerías y museos que expondrían sus obras, los marchantes que las venderían, los aficionados que las comprarían.

Su «pintura de la UNESCO» está abordando un cambio. El tema del estudio del pintor con la mujer desnuda acostada, el bañista y el pintor queda relegado. Las variaciones que siguen le tienen ocupado a Picasso durante cuarenta y tres días. El 18 de enero, empieza todo de nuevo: ha encontrado su tema y, al mismo tiempo, experimenta otra técnica. Ahora pinta o dibuja cada uno de los elementos de la composición en pequeños rectángulos de papel y los prende sobre el esquema de conjunto, cambiándolos de sitio diversificando el colorido.

El tema se lo han sugerido aquellos vuelos interplanetarios que lo apasionan: sobre el azul plano del mar, un esqueleto calcinado, inscrito en su propia sombra, cae del cielo. A la derecha dos bañistas metafóricas se tuestan al sol, a su lado otro bañista, única figura humana que subsiste de la primera versión, está mirando ante sí, con las manos cruzadas sobre el vientre, indiferente a esa caída que tal vez no ve. A la izquierda, una extraña evocación femenina surge del agua.

Cuando Picasso terminó la maqueta definitiva con los lápices de colores, estudiada del 18 al 29 de enero según el principio del rompecabezas, buscó en Cannes un local suficientemente espacioso para realizar la obra definitiva, pero no encontró nada que le conviniera, así es que decidió proceder como con los proyectos sucesivos, por paneles de contrachapado que serían luego ensamblados en su sitio.

Fue aquél un trabajo agotador para Picasso, obligado a pintar panel por panel en el suelo, y desplazar trozo por trozo el gigantesco puzzle, que no podía ver en su totalidad. Jacqueline y el secretario Miguel le ayudaron en la tarea y al final le tomó el gusto al arduo juego, nuevo para él. «He hecho lo mejor que he podido», dijo como conclusión. Lo cierto es que la famosa «pintura de la UNESCO» tenía no poco inquietos a los directivos que no habían obtenido del pintor la menor noticia y que en sus tentativas de requerir información, únicamente recibieron desplantes, pues Picasso se había negado todo el tiempo a trasladarles el menor apunte.

Algunos artículos de prensa vinieron a complicar una situación ya tensa; en París podían leerse cosas como ésta: «¿No es inverosímil que Picasso ejecute cada panel separadamente sin preocuparse del conjunto?» ¿No es sorprendente que no haya mostrado a nadie sus proyectos y que no deje ver su trabajo mientras lo realiza? Al principio, Pablo no concedía importancia a esos ataques, pero llegó a inquietarse también: ya no era, como antaño, indiferente o totalmente despreciativo a las críticas, y le molestaba mucho leer en un periódico que él se burlaba de todo el mundo, que no trabajaba seriamente, y que se divertía haciendo solitarios con las piezas del inmenso puzzle. Entonces, decidió presentar la obra en el patio de la escuela pública de Vallauris, a donde se desplazó una delegación del organismo internacional, para hacerse cargo de la pintura de manos del artista.

Eso fue para el pueblo, el 29 de marzo de 1958, motivo de

una gran fiesta como no se había celebrado en honor de Picasso hacía mucho tiempo, pero los enviados de la UNESCO se quedaron desorientados al ver la maqueta. Es verdad que la composición no ganaba nada al ser mostrada al aire libre y a la luz cruda del Mediodía. Nadie sabía qué decir, aunque los amigos de Picasso se esforzaron por convencer a los reacios de que tenían ante ellos una auténtica obra maestra. Pero no lo hacían de corazón y, por otra parte, la delegación no apreciaba tampoco la ruidosa propaganda de los comunistas quienes no ocultaban su embarazo ante la enigmática pintura que sería preciso, ahora, explicar a la «base» del Partido.

Cuando Georges Salles, en su discurso inaugural, bautizó la obra *La Caída de Icaro,* todos suspiraron aliviados, así las cosas quedaban claras. El banquete tocaba a su fin, hacía calor y estaba previsto ir a la exposición de alfarería.

Por la noche, cuando todo el mundo se hubo marchado, Picasso quiso volver a Vallauris para ver su pintura. Pignon contó luego que fue un gran momento. No había allí nadie más que los guardas y el joven alfarero que se encargó de los proyectores. Pero había también un símbolo: un pequeño olivo en una maceta. «Encendimos los focos y, de pronto, aparecieron todos los verdaderos colores en el silencio más completo, incluso un cierto verde en la parte de abajo que nadie, antes, había podido percibir...»

La noche era suave y maravillosamente estrellada. Picasso, Jacqueline y algunos amigos contemplaban el Icaro caer en el mar y los bañistas impasibles al sol. ¿Qué diferencia puede haber entre una obra maestra y el pintarrajeo elemental de un viejo gran pintor fatigado? ¿Quién podría aportar respuesta? Nadie...

Sin duda por primera vez en su vida, en aquel patio de recreo de un colegio, y delante de una docena de personas de las que no tiene por qué esperar la más ínfima verdad, Picasso se sintió solo, terrible y trágicamente solo. Y su soledad irá aumentando. Hasta la desesperación. Evidentemente que cuando se leen los libros o los artículos de prensa de los

«cortesanos», cuando se escucha a los aduladores del dueño
y señor y cuando se miran las innumerables fotografías sacadas en *La Californie* o en Mougins por David Douglas,
Duncan, Edward Quinn o Lucien Clergue, cuando por la
propia Jacqueline, nos vemos contagiados de entusiasmo.
Una gloria sin parangón, una mujer amante, dulce y solícita,
hijos, amigos, homenajes, felicidad sin fallo y el genio infali-
ble. Pero no es nada de eso. Las confidencias hechas a través
de los dibujos de su «saison en enfer» del invierno de
1953-1954 son otros tantos arañazos en su propia carne. Es
sólo de él mismo, de su obra, –luego de su mirada y de sus
manos– de donde vendrá la verdad; no de los admiradores
incondicionales que le miman y le halagan.

De él solo. Contra el tiempo, es decir contra la vejez,
sus miserias y sus maleficios. Contra la muerte. Pues sólo
él «cada mañana comienza», según una frase suya que le
gusta traer a cuento, cuyo verdadero sentido está claro:
cada dibujo, cada grabado, cada cuadro es un nuevo nacimiento.

Ninguna obra de ningún creador es un adiós. No hay pintor que haya escrito su testamento en sus cuadros. No hay
ningún lienzo de Picasso que no tenga todo el tiempo ante
él; jamás expresará la desesperación que le roe, la soledad
que siente, la duda y el pánico que constantemente le asal-
tan; pero lo que nuestra mirada descubre, espantada, es la
vehemencia de aquél que se verá un día desposeído de todo.
Y cuando le está vedado ya el placer de amar –muy tarde–,
qué tremenda rabia contra la mujer, contra la pareja, contra
el amor... Y qué burla sardónica también en los postreros
diálogos con la vida. La desesperación decimos. Por supuesto que los allegados lo niegan, aunque también lo confiesen
involuntariamente. Por ejemplo, Hélène Parmelin hace el
relato particularmente ingrato de dos veladas en *La Californie* durante las cuales don Pablo ejerce un terror lamentable
sobre los suyos de hombre solo, incomprendido, torturado.
Hay en ello algo patético: el comediante viejo que ya no se
divierte con su actuación, hace recaer sobre los demás su

amargura y su rabia. Ese comportamiento explica los dramas ocultos de los últimos años.

Tenemos también el relato de una cena, a la que asisten los Pignon, Duncan y el peluquero Arias. «Picasso está de un humor sombrío, sus ojos se posan con lentitud en nosotros y en la cocina; sólo le apetece comer de lo que no hay en la mesa, y lo hace saber». Eso provoca risas forzadas, luego todos quedan en silencio y Picasso grita furioso: «¡Venga reíros!»

El ambiente se pone tenso. Cada cual dice o hace cualquier cosa, o espera, callado, lo peor, que Jacqueline teme más que nadie. Para disipar la tensión Hélène se echa a reír. En mala hora fuera. «Cada vez que me atrevía a reír, Picasso me señalaba con el dedo diciendo que yo era divertida, muy divertida, que todos mis amigos me adoraban...» Lo que provocaba nuevas risas que no servían sino para agravar las cosas.

Otra vez, según ha contado la escritora, ella se hallaba sola con Jacqueline y Pablo; éste, que «estaba de pésimo humor y preocupado por no sé qué trabajo, comenzó a reírse diciendo que iba a ser divertido, "rigolo". Y era de un siniestro... Jacqueline le suplicaba que cesara pero Pablo repetía "me llamo Rigoletto..." Yo me tapaba los oídos. Bruscamente el ambiente se puso denso, de lo más raro y Picasso hacía gestos y gracias repitiendo que yo también era "Rigoletto" y que mis amigos me adoraban» (1).

Nadie parece darse cuenta de que Picasso tuvo la extraña obsesión de la risa, de la comedia. A toda costa pretendía ser cómico y que los demás a su lado también lo fueran. No es la primera vez que exigió a Sabartés, a Braque, a Cocteau, que le hicieran reír, y eso es lo que muy a menudo reclamaba de su corte. Con ellos hacía el gracioso, o con sus hijos, sus visitantes, sus invitados, y se hacía fotografiar en las actitudes y con los disfraces más grotescos. Picasso tenía horror de las gentes tristes o enfermizas como de los rostros severos y las

---

(1) Hélène Parmelin. *Picasso sur la Place*, p. 18.

opiniones mesuradas, las depresiones y frecuentes malestares de Jacqueline le sacaban de quicio y a Dora Maar la odió porque ella fue –aunque por su culpa– «la mujer que llora». Bastantes tragedias hay ya en el mundo para que no se divierta uno con sus amigos.

Aquella noche Picasso-Rigoletto estaba particularmente desatado con Jacqueline y Hélène; «para terminar, acabó por infundirnos verdadero miedo y sólo entonces se echó a reír de verdad, y se quedó tan satisfecho de su hazaña que lo de Rigoletto aún salió a relucir alguna otra vez durante la velada». Según contó a sus interlocutoras, lamentaba no haber conocido a Alfred Jarry, otro gracioso desesperado, a quien había ido a visitar con Apollinaire un día que no estaba en casa, y luego ya no volvió a intentarlo.

Prosigue relatando Hélène Parmelin: «Poco a poco, Rigoletto caía de nuevo en su sombría tristeza. Subimos a acostarnos, lentamente, escalón a escalón, apesadumbrados sin saber por qué, el corazón y el alma encogidos, y entregados a divagaciones sobre lo que podría ser y que no había sido. Estábamos pensativos, fatigados... Nos sentíamos desgraciados y de vuelta de todo. ¡Vaya nochecita!»

En el gran restaurante de los Campos Elíseos, donde los directivos de la UNESCO invitaron a los arquitectos y artistas para agradecerles su colaboración, nadie hablaba de otra cosa más que de *La Caída de Icaro*. No siempre para bien, por cierto, por más que la inmensa pintura tenga gran empaque en el vestíbulo donde ha hallado perfectamente su lugar. Picasso había resuelto, sin verlos de cerca, los escollos de una arquitectura discutible y de un espacio muy difícil de animar.

Por supuesto que Picasso no asistió a esa cena. A los postres, el doctor Evens presidente de la UNESCO, se levantó para brindar, pero un tanto alegre por el vino, se limitó a dar un puñetazo en la mesa y, con gran asombro de los comensales, gritó: «¡Ya está! ¡Por fin existe! ¡Y somos nosotros quienes lo hemos realizado!»

El doctor Evens que no era de los que aprobaban con entusiasmo *La Caída de Icaro,* se levantó hacia Georges Salles y animado por su salida de tono le invitó: «¡Ahora, nuestro amigo va a explicarnos con toda sinceridad la obra maestra de su admirado Picasso!». El ex director de los Museos de Francia palideció: estaba cogido en una trampa un poco burda, pero ¿cómo salir airoso? En ese momento, Le Corbusier se levantó y dijo:

«Quiero simplemente declarar esto –y creo que pueden fiarse de mi experiencia y de mi criterio– el mural de Picasso es una obra maestra y, como todas las obras maestras, no se explica. Poco importa lo que pensemos de ella hoy, su belleza será evidente dentro de diez años.»

Y a renglón seguido propuso enviar un telegrama colectivo felicitando al pintor; lo que, en efecto, hicieron.

La vida sigue su ritmo en *La Californie.* Los niños crecen, el pequeño parque zoológico prolifera y se transforma, nuevas esculturas se yerguen en el jardín: son ampliaciones en cerámica de las siluetas de faunos y de bañistas de cartón recortado, y algunos bronces. Picasso había dejado de hacer escultura después de *La Mona y su cría,* pero continuaba montando ensamblajes de objetos, mostrando en esos juegos de infinitas variantes, tanta frescura de invención como ironía. Así, por ejemplo, una Cabeza compuesta por una caja de limpiabotas y sus accesorios, una serie de Bañistas hechos de rodajas y tablitas de madera con los brazos pintados como señales telegráficas; otras Caras de hojalata recortada y pintada y asimismo, la *Bañista jugando, El Hombre de la jabalina* y *El Hombre corriendo,* enlazan con su peculiar humor destructivo y creador a la vez.

Pero sea cual sea el contenido de ese humor de doble faz, Picasso no se aleja nunca del realismo y permanece fiel al objeto, a su esencia, a su significado, aunque transforme a veces su aplicación. Es evidente la influencia de los recortables, monigotes, muñecas de cartón y máscaras que confeccionaba para sus hijos, en las obras de los años 1956-1960, marcadas algunas por cierto espíritu infantil. Pero esas hojalatas pintadas, plegadas y decoradas que se titulan *Gavilán,*

La Española, La Silla, Pequeño Mono, La lechuza, Mujer con los brazos separados, Mujer y niño, etc. son un prodigio de fantasía, de ironía, de jubilosa malicia. El «pastiche» del *Hombre del Cordero* aparece más monumental que la estatua original; en cuanto a los *Futbolistas* producen verdaderas ganas de chutar con un balón.

También en hojalata pintada, habrá todavía Cabezas de mujer y de hombres barbudos o bigotudos, músicos y numerosas efigies de Jacqueline, durante la época de Cannes y luego ya en Mougins. No era nuevo, para Picasso, recortar en papel cualquier cosa que se le ocurriera. ¡Cuántas veces había maravillado a sus hijos con los monigotes coloreados, las escenas de circo o guiñol de variada e inagotable fantasía! Marie-Thérèse Walter conservó aquellos testimonios humorísticos y pimpantes de la facundia de Pablo y de su ternura de padre.

También antaño, en Málaga, sus pequeñas manos de niño recortaban para sus primitas, con las tijeras de bordar de tía Eladia, animales, personajes, flores, guirnaldas, que combinaba en extraordinarios montajes. Unas veces, siguiendo su capricho; otras, según los deseos de Conchita o de María. «¿Y ahora, qué hago? ¿Por dónde queréis que empiece?»

¿Cómo no habría de recordar Picasso, para quien el pasado estaba constantemente presente en su memoria, sus juegos de otro tiempo al jugar con sus propios hijos? A un amigo le explicó a propósito de ese aspecto de su obra: «Realizo así un deseo que me preocupaba desde hace tiempo: poner en formas durables todos esos papelitos que quedan rodando olvidados...»

Durante días enteros, «dibuja» con las tijeras, dobla las formas recortadas, luego marca ondulaciones y plegaduras y, cuando el personaje está terminado, lo pasa a un taller especializado que lo reproduce en una chapa más o menos gruesa. Si brilla demasiado, Picasso decide pintarla, con una capa de blanco uniforme o bien de varios colores vivos, cuando no subrayando tal o cual detalle con lápiz graso.

En la primavera de 1958 florecen los desnudos opulentos

y desarticulados, los bodegones en los que reaparece la cabeza de toro, y los paisajes. Un personaje cornudo data del 26 de abril, y lo repite varias veces hasta que lo transforma, el día siguiente, en *Cabeza cornuda y vaso.* De ahí a las cabezas de toro no había más que un paso y durante varios días se suceden los dibujos de trazo ágil en las páginas de un cuaderno que también contiene otros apuntes diversos, de técnicas y estilos diferentes, entre ellos un curioso proyecto de billete de diez mil francos para el Banco de Francia; proyecto que, por supuesto, no tenía la menor posibilidad de ser tomado en consideración.

Mayo se presentaba preñado de amenazas. La crisis de Argel, la opinión europea soliviantada, la constitución de un Comité de Salud Pública decidido a salvar la «Argelia Francesa», desencadenan el proceso de pánico que había de culminar en el acceso al Poder del general De Gaulle. En aquel histórico 13 de mayo, Picasso evocaba ante algunos amigos los acontecimientos de Argel comparándolos a los que precedieron el levantamiento militar en España. Felizmente, De Gaulle logrará sus fines sin efusión de sangre, evitando, no como Franco, una guerra civil, cuando los republicanos van a buscarle para presidir el Gobierno. El golpe de Estado del 13 de mayo era producto de la habilidad, el cálculo y la astucia: se diría que el falso eremita de Colombey tenía algo de gallego y, por otra parte, Franco no ocultó nunca su admiración por De Gaulle.

Se impone la apertura oficial del Templo de la Paz, como respuesta de los hombres libres a la colisión de los militares y de los facciosos de derechas. El 13 de junio, Picasso dibuja el boceto del panel de fondo, que había dejado vacío: las cuatro razas, simbolizadas por siluetas esquemáticas, portadoras del globo terrestre en el que se inscribe la Paloma de la Paz.

El 28 de mayo había emprendido una *Naturaleza muerta con cabeza de toro,* en la que trabajó, como indican las fechas anotadas al dorso, hasta el 31 y luego los 7 y 9 de junio. Ese tema reaparece siempre en los períodos de angustia o de duelo, pero aquí está tratado con vehemencia y brusquedad, «con palabrotas» como él decía. La cabeza cornuda con amenazadoras mandíbulas destaca, acompañada de un ramillete de flores, ante una ventana abierta, sobre un cielo en el que resplandece un sol cegador.

Vuelve la calma. El 9 de junio termina un lienzo comenzado el 19 de abril e interrumpido por los acontecimientos: *La Bahía de Cannes,* brillante de color, suerte de homenaje al Mediterráneo, a su luz, a su alegría de vivir, y que será también el adiós a ese lugar de elección. Pues corren voces amenazadoras sobre operaciones inmobiliarias en la colina de Super-Cannes y Picasso está decidido a cambiar de panorama, y aislarse. Las llegadas de amigos y gentes curiosas se han ido convirtiendo en verdaderas peregrinaciones, poco faltaría para que las agencias organizaran «visitas con guía» a *La Californie.*

Por el contrario, se mostró encantado al enterarse de que un periódico anunciaba que había adquirido una propiedad cerca de Roma, y dio instrucciones a los guardas de *La Californie* para que dijeran a los periodistas que vinieran a llamar a su puerta: «Monsieur Picasso no está aquí. Si leyeran ustedes la prensa, sabrían que se encuentra en Italia».

Septiembre de 1958. Después de la corrida de la vendimia, en Arles, Picasso, Jacqueline y los amigos habituales están invitados por Douglas Cooper a su magnífico castillo. Hay mucha gente y las conversaciones son animadas. Alguien habla del castillo de Vauvenargues cerca de Aix -en-Provence, imponente construcción un poco austera, flanqueada por enormes torres, en un paisaje espléndido. «Está en venta y el sitio es maravilloso. Debería usted ir a verlo» aconseja a Picasso Douglas Cooper.

Al día siguiente, los Picasso y los Pignon van a Aix y visitan en el pabellón Vendôme la colección Cuttoli, donde figuran algunas de las más hermosas telas de Picasso, que éste vuelve a ver con placer, «¿Y si fuéramos a Vauvenargues?» –propone Pablo– ¿os acordáis de lo que dijo Douglas?».

Saliendo de Aix, la carretera serpentea al pie de la montaña Sainte-Victorie a través de los hermosos paisajes que pintó Cézanne y que, en efecto le parecen maravillosos. Al cabo de una serie de revueltas, aparece de pronto el castillo.

«¡Es magnífico!»

Es, en efecto, un castillo que se yergue, imponente y severo, en una cresta rocosa entre pinos, cipreses y encinas y cercado de fortificaciones del siglo XIV. En 1644 la fachada principal fue ornada con una escalera y una puerta con frontispicio tallado, que le dan mayor majestuosidad. A sus pies se extiende una terraza.

Antiguo feudo de una vieja familia provenzal, el castillo debe su nombre a Luc de Clapiers, marqués de Vauvenargues, autor de unas célebres *Reflexiones y Máximas,* que no vivió allí más que un año, y a disgusto, pues detestaba a los provenzales. A Picasso le gustó aquel aspecto majestuoso y recio de carácter español y, por descontado, el paisaje cezannesco, a la vez sobrio y armonioso. El entusiasmo fue inmediato y Picasso encargó sin dilación a su notario que se pusiera enseguida al habla con el propietario, un tal Monsieur Touche.

Una visita más detallada confirmó la entusiasta impresión del primer día: las numerosas estancias eran altas de techo y espaciosas, muy a propósito para convertirlas en estudio y taller, y podrían contener con amplitud todos los enseres y obras de París y de Cannes, además de los cajones llenos de cuadros que seguían en los guardamuebles y la colección de pintura de Picasso que iba en constante aumento.

Jacqueline tiritaba de frío sólo de pensar en tener que vivir en aquella antigua construcción hosca y triste sin la menor comodidad, si es que Picasso se decidía a comprarla. Pero, ¿no era ya su propietario con la imaginación?

No había nada que oponer a los caprichos del señor, feliz como un crío que acabara de recibir el regalo con el que simpre soñara. A una observación que Jacqueline se atrevió a hacer, Pablo replicó:

«Se te olvida que soy español, me gusta la tristeza. En

cuanto a pretender que este castillo es demasiado grande iyo espero llenarlo!»

Jacqueline consiguió, sin embargo, que conservase *La Californie* de la que, por otra parte, nunca había pensado deshacerse.

Desde ese momento, Picasso no hablaba más que de Vauvenargues y pintaba Vauvenargues durante todo el día. Se sabía ya la historia del castillo, se aprendió los nombres de todos sus propietarios sucesivos, desde Dama Beatriz, en 1247, a Monsieur Touche, que lo había adquirido en 1954. La torre norte tenía una capilla, bajo cuyo altar de piedra estaba enterrado San Severino, por donación del Papa Pío VII al cardenal d'Isoard arzobispo de Aix. Esa sepultura seguía perteneciendo a sus sucesores eclesiásticos. Todo eso regocijaba a Picasso y sirvió de acicate a algunos cronistas faltos de tema: los sagrados despojos de un santo en la mansión de un señor feudal comunista español imenudo tema para un reportaje! Algunos pretendían que al entrar en posesión del castillo, el pintor heredaba el derecho de llevar el título de marqués de Vauvenargues: era falso, por supuesto, pero más de un biógrafo de Picasso lo dio por bueno.

Un día, Pablo telefoneó a Kahnweiler para anunciarle:

—Acabo de comprar la montaña Sainte-Victoire.

El marchante, que sabía la admiración de Picasso por Cézanne y conocía los cuadros que poseía del maestro de Aix, le preguntó, pensando en una nueva adquisición de pintura:

—iEnhorabuena! ¿Y cuál de las versiones?

A lo que Picasso contestó, radiante de satisfacción:

—iLa verdadera!

Pues era, efectivamente, en un paisaje de Cézanne, al pie de la célebre montaña que tanto pintara, donde se alzaba Vauvenargues. La operación de compra acababa de concluirse ante el notario Louis David, de Arles, por una suma de unos sesenta millones (2) de francos y se preveían veinti-

---

(2) Millones de francos antiguos que se cifrarían después de la devaluación de 1959 en seiscientos mil francos. *N. del T.*

cinco millones para su restauración, de los cuales un tercio sería destinado a la calefacción.

Las obras y el acondicionamiento duraron casi un año. Pronto fueron almacenados en el castillo innumerables cajones, que nunca se abrieron, pero en cambio sí que fueron colgados en las distintas habitaciones los cuadros de su colección, que Picasso se complacía en contemplar y mostrar a la curiosidad de sus visitantes: los Cézanne, por supuesto, y los Matisse, los Modigliani, los Coubert, los Corot, los Derain, los Renoir, los Braque acumulados a lo largo de tantos años. En mayo 1958, enterado por Douglas Cooper de la exposición de monotipos de Degas que hacía en Londres la Lefèvre Gallery, adquirió seis ejemplares de los que estaba muy orgulloso y que le sirvieron de motivo de inspiración para una serie de grabados.

Por primera vez en su vida, pudo Picasso tener colgados en las paredes ciertos lienzos que apreciaba particularmente, pero los cambiaba con frecuencia de lugar. Los amigos que iban a Vauvenargues tenían acceso a ese prestigioso conjunto de pinturas que les presentaba comentándolas.

«Esta es la hija de Matisse, me lo dio su padre en 1908... Aquí tenéis el mejor Modigliani que existe, lo compré en 1914. Venid, vais a ver mis Cézanne...»

Salía a la terraza con alguno de los cuadros anunciados en la mano y lo comparaba a ese otro Cézanne que era el paisaje del entorno.

Cuando decía: «¿No conocéis el comedor del coleccionista? preparaba con fruición el efecto de sorpresa: conducía a sus visitantes al vasto comedor y los deslumbraba con siete magníficos Matisse que lucían allí poniendo una nota espléndida de luz y color.

Los adversarios de Picasso han pretendido presentarlo como un «asesino de la pintura», pero nada demuestra mejor su apego a la buena pintura de tradición clásica que su colección, reunida pieza a pieza por elección propia, con la cual se deleitaba.

El crítico inglés John Richardson ha contado que, en ocasión de una de sus visitas a Vauvenargues, Picasso le llevó a una salita recatada para enseñarle algunos de los cuadros que acababan de llegar de una de sus reservas: dos o tres pequeños Coubert, un paisaje de Gauguin, *La Berceuse,* de Vuillard, un Chardin, varios Corot y un magnífico Le Nain, el titulado *Halte de cavaliers,* una de las mejores piezas. Richard que había cambiado un monotipo de Degas por un dibujo de Picasso, le pidió que le mostrara la serie que poseía del citado pintor, una «suite» consagrada a las casas de lenocinio, en la técnica del monotipo.

«Degas no ha hecho nunca nada mejor».

También sacó aquel día sus grabados de Bresdin, de quien fue uno de los primeros «amateurs» y al hojearlos salieron traspapelados unos dibujos de Fernande Olivier, su primera compañera de París.

—Son muy buenos, se parecen a los de Marie Laurencin, pero es más sólido, menos bonito... Vamos a ver qué hay en esta otra carpeta.

Desfilaron así ante los ojos del crítico inglés medio centenar de grabados inéditos de Picasso, y éste comentó: «Tengo todavía un montón de planchas que nunca me he preocupado de tirar...»

También hicieron su entrada en Vauvenargues los animales de bronce de *La Californie.* Como en todos los domicilios anteriores, el acondicionamiento general no pasó de ser somero, salvo un soberbio cuarto de baño que Picasso decoró con libres y fantaseadas escenas de faunos músicos y ninfas retozando entre un lujuriante follaje.

Lo que más le gustaba era instalar sus cuadros, en particular los más recientes, en las vastas estancias del castillo y contemplarlos largamente, en silencio, sentado en un sillón y fumando cigarrillo tras cigarrillo. Apreciaba Picasso como ningún otro el gran salón ornado con un espejo y una monumental chimenea esculpida. La luz que se filtraba por los ventanales remodelaba tan pronto las figuras de estuco, el busto del marqués de Vauvenargues y su blasón, como los cuadros del pintor, y proyectaba en el suelo la sombra de la geometría coloreada que componía las vidrieras, como un inmenso esquema cubista.

Jacqueline, por el contrario, detestaba Vauvenargues y se sentía tan incómoda en la áspera región provenzal, calcinada por el sol, como en el interior del castillo. Haciendo de tripas corazón, fue comprando en los anticuarios de Aix muebles de estilo provenzal para las inmensas habitaciones desnudas que la aterraban, pero el aparador negro estilo Henri II, fue Pablo quien lo compró. Durante algunos meses, aquel mueble le tuvo fascinado y sirvió de motivo para varios lienzos, el primero fechado el 18 de febrero de 1959, luego fue dibujando uno a uno todos los detalles de las molduras, de las columnitas, de la talla. El cuadro más importante, doblemente titulado *El aparador de Vauvenargues* o *El Comedor,* lo comenzó el 23 de marzo de 1959, pero no sería terminado, en *La Californie,* hasta diez meses más tarde, el 23 de enero de 1960, tras haberlo trabajado una y otra vez. El dálmata Perro, también presente en otras versiones anteriores, aparece en esa composición con una niña encaramada en una silla, a la izquierda del mueble, y un busto de mujer en un zócalo, a la derecha.

El que podemos llamar período de Vauvenargues comienza, pues, en febrero de 1959 y va hasta abril de 1961, fecha en que Picasso dejó de trabajar en el castillo. Durante aquellos dos años, pasaron largas temporadas en Vauvenargues, pero sin habitar permanentemente. Pablo exigía allí la presencia de Jacqueline que, al principio, pidió tímidamente quedarse en *La Californie,* sin conseguirlo.

Esta temporada de Vauvenargues se distingue por un cierto retorno, si no a España, como se ha dicho, ciertamente al hispanismo. No era sólo la austeridad, la gravedad y la nobleza de la mansión y el entorno lo que influyó sino también el sentimiento de nostalgia y de soledad que desde hacía algún tiempo sufría Picasso. Se acercaba a los ochenta años y nada, aparentemente, había disminuido su prodigiosa vitalidad de hombre y de pintor. Sólo aparentemente... ¿No sentiría nacer dentro de sí algo sombrío que ganara la superficie del ser, como venía ya el color oscuro de los viejos maestros de su país a devorar los tonos claros? ¿No iba la sombra a entorpecer sus miembros, a entenebrecer su mirada? ¿No tendría que verse obligado a hacer trampas con el destino para apartar las tinieblas y retrasar lo más posible el plazo ineluctable de la inacción fatal, preludio de la muerte?

Sus amigos habían notado cambios en el comportamiento y en la manera de vivir de Picasso: ya no iba a la playa (aunque sí volvería después de cumplir los ochenta años) más de una vez había renunciado a la corrida y rehusado, incluso a asistir a la de Vallauris y a la fiesta de los alfareros. Con frecuencia era presa de cóleras bruscas, y profería juicios brutales entrecortados de desplantes irónicos. La obsesión erótica, antaño rabelesiana, jocunda y sana, iba cobrando un cariz triste, y se complacía ahora en las historias escabrosas de pesada vulgaridad. Es cierto, sin embargo, que las mujeres, jóvenes y deseables, no dejaban de asediarle y hasta se permitió algunas fugas que, según se murmuraba, provocaron dolorosos conflictos conyugales. Los cuadernos secretos de Picasso, sean escritos o dibujados, no son menos explícitos que los de Víctor Hugo. ¿Llegarán a conocerse algún día?

Los primeros tiempos en Vauvenargues Picasso se sentía desorientado, tascando el freno, pues aunque le gustaba mucho no se habituaba a ese castillo, a ese paisaje, ni tal vez tampoco a la presencia de Cézanne. Alguna vez confió su zozobra a Cocteau, a su sobrino Vilató, a David Duncan, y a modo de justificación, después de haber hecho algunos cuadros, confesaba.

«Es para irme acostumbrando, todavía no he hecho nada...»

Pero en cuanto se encontraba en *La Californie,* no tenía más deseo que volver a Vauvenargues. A propósito de esa inestabilidad, le dijo una vez a Hélène Parmelin: «Tú sabes dónde vives, sabes que habitas en París, tienes una casa, sabes dónde estás. Yo no estoy en ninguna parte, no sé dónde habito, y no puedes figurarte lo horrible que es esto».

La verdadera toma de posesión de Vauvenargues se opera,

por fin, a final de abril de 1959 y dura una veintena de días señalados por una serie de naturalezas muertas en torno a un tema que había desaparecido de la obra picassiana desde hacía cerca de veinte años: *Mandolina, jarro y vaso en una mesa.* Son al principio composiciones austeras, en gamas de verdes y rojos apagados o bien ocres contorneados de negro, con la mancha de color desbordando a veces el objeto, como queriendo liberarse de la limitación de la forma.

«Yo pongo en mi pintura todo lo que amo, –había dicho Picasso– que los objetos se arreglen luego entre ellos.»

Y se arreglan, en efecto, con gran libertad. Basta comparar la *Mandolina, jarra y vaso,* del 16 de abril-5 de mayo con la del día 11, para comprender todo lo que ha ocurrido en esos días. En un fondo surcado de ondas concéntricas que amplifican en el espacio ciertas partes de los objetos –asa del jarro, clavijas y mástil de la mandolina–, éstos destacan en colores planos de vivas tonalidades reforzados por gruesos trazos negros como los plomos de un vitral. ¿Es el espacio el que sumerge al objeto o, al contrario, éste invade el vacío? Probablemente se da una recíproca penetración, pero la relación entre ambos factores, espacio y objetos, fue siempre una de las preocupaciones de Picasso.

También hizo durante ese período varios retratos de su compañera, uno de ellos que lleva por título *Jacqueline de Vauvenargues,* expresa con humor el escaso apego que le tiene a su residencia la nueva dueña del castillo. Pinta asimismo por entonces el pueblo cercano en un día de lluvia, el 29 de abril, que añade melancolía al motivo.

El hispanismo de la «época Vauvenargues» se revela, además, en el hecho de que Picasso escribió, según dice, varios poemas en catalán y en castellano. De hispánico puede tacharse el sentido de severidad y rigor que confiere a los bodegones, a los retratos y paisajes, lo que no excluye la deformación barroca de cuadros como *La Mujer con las manos juntas,* en la que reaparece la interpretación de frente y de perfil de las figuras pintadas antes de la guerra. Hay, por ejemplo, un cuadro inspirado en *El Bobo* de Murillo, que se singulariza por un humor caricaturesco, reacción tal vez contra la tristeza del lugar. ¿Por qué Picasso eligió tal cuadro? Ese grotesco exponente de una España popular va a convivir, bajo los altos techos estucados de Vauvenargues, con ese otro símbolo de una España no menos real y viva que es Luis Miguel Domingín: el 8 de junio, dibuja Pablo el traje de luces de su amigo colocado en una silla del castillo.

Unos meses antes, la serie de dibujos a lápices de color de «Jacqueline reina» a caballo, había culminado en un retrato que la representa ataviada como una dama real española semejante a las que pintara Velázquez.

Otro elemento marca asimismo el período de Vauvenargues: la utilización de la pintura Ripolin con la que anticipó un retorno al color que, tras la austeridad de los primeros meses provenzales, irá cobrando importancia. El Ripolin, fluido y graso a la vez, le permite tonos más brillantes y satinados, pero también practica Picasso una factura de grandes tachones de color y que deja tal cual en el lienzo, sin tocarlos. Eso desconcierta a los admiradores que llegan, incluso, a juzgar con severidad lo que les parece reprochable ligereza.

El 21 de abril, Fernand Mourlot y su mujer llegan a Vauvenargues. El maestro litógrafo lleva a Picasso las cuatro litografías del libro *A los toros con Picasso* (texto de Sabartés) y le transmite tímidamente el deseo del editor, André Sauret, de que les ponga color. Picasso clava en Mourlot sus ojos negros y exclama: «Ah, con que queréis color...!» y tras un silencio añade: «Jacqueline, enséñales la casa...»

Jacqueline guía a los visitantes a través de las numerosas habitaciones llenas de cuadros; luego, subiendo la escalera monumental, visitan los dormitorios y el inmenso cuarto de baño, donde los Mourlot ven un gran banco de jardín pintado de verde, una mesa y algunas sillas de hierro. Todo eso dura un buen rato, pues la mansión es enorme; al cabo de la visita vuelven al taller y Pablo les anuncia: «Queríais color ¿no? ¡pues ahí lo tenéis...!»

Y les muestra una de las litografías, *El Picador,* transformada en un extraordinario jardín florido en el que lucen,

cual primaverales corolas abiertas, numerosas manchas multicolores. Para ello ha gastado una caja completa de lápices
de cera.

¿Es consciente Picasso de que es prácticamente imposible
traducir en litografía ese estallido de color luminoso? Claro
que lo sabe y es por eso por lo que la cosa tiene gracia. Pero
Mourlot acepta el reto gallardamente: en el taller será necesario sacar un calco de cada una de las manchas de color y
calcular bien el tono exacto antes de pasar el dibujo a la piedra. Por si fuera poco, la utilización de los lápices de cera
en lugar de los habituales lápices litográficos complica singularmente las dificultades. Pero al fin, se hará la tirada
nada menos que con sus veinticuatro colores, más el negro.
«Me parece que esta vez es Picasso el que se ha quedado un
poco asombrado», dice Mourlot.

Siguen proliferando los cuadernos de apuntes, ya se acumulan rimeros en el estudio, pues hay ocasiones en que Picasso llena uno totalmente en el día. ¿Lo llena de qué? De
estudios para el traje de luces de Dominguín (dieciséis sólo
en la jornada del 5 de agosto del 1959 y aún continúa los
días siguientes), escenas de tauromaquia que poco a poco se
convierten en combate entre un hombre y un centauro, luego en lucha de dos centauros, o nuevos estudios de mujeres
lavándose los pies, de las cuales hará en febrero una serie de
desnudos plenos, sólidos y angulosos; siguen otras escenas de
corridas, y desnudos, y cabezas de mujer, y todo lo que pasa
por la cabeza y por la mano de Picasso.

Las Mujeres lavándose los pies, de las que hace varias versiones entre el 10 y el 12 de febrero de 1960, se completan
con una *Mujer a la orilla de un arroyo,* que deriva de los *Almuerzos campestres* que por entonces tiene a medio hacer
en el caballete. Luego, deja esos motivos para tratar la corrida en aguada, y al óleo varios paisajes y cabezas de mujer.
Un *Paisaje de Arles en el crepúsculo* precede de cerca a *La
Plaza de toros delante del Ródano* y *Arles la corrida.* Hay
que aclarar que en esa ciudad, la plaza de toros no está, ni
mucho menos, a orillas del Ródano, pero Picasso, con su

inimitable poder de síntesis, pone el vasto espacio elíptico donde se dan las corridas al lado de la gran arteria fluvial por donde llegaban antaño los hombres y las mercancías. En los cuadros de Picasso, la plaza y el río completan y se complementan.

Como un juego del pim pam pum, una sucesión de cabezas siguen atentas, fervientes y graves el espectáculo que hemos visto en los cuadros precedentes: son los *Espectadores en la barrera,* esos que Picasso conoce bien.

Todo el mes de abril de 1960 estará dedicado a dibujar desnudos, hasta una cincuentena hace sólo en unos días, con una increíble variedad de técnicas y estilos. El 12, se interrumpe para pintar una sorprendente *Mujer a la luz de la lámpara,* leyendo un libro en el cono luminoso que se proyecta de la bombilla, mientras que el resto del espacio está compartido en anchos planos de sombras grises o rojo oscuro, tema que volverá a tratar en 1962, grabado en linóleo, con el título de *Bodegón bajo la lámpara.*

Los primeros dibujos inspirados en el *Almuerzo campestre* de Manet datan de los días 10 y 11 de agosto de 1959 en Vauvenargues. Al otoño siguiente, es cuando Picasso vuelve a la técnica del grabado en linóleo que había utilizado años atrás. Siempre había estado buscando una técnica que sin dejar de ser artesanal, le permitiera expresarse sin limitaciones de procedimiento, de ahí su interés por la litografía, el aguafuerte o el aguatinta, la cerámica, etc., pero deploraba la limitación forzosa de las tiradas y su costo elevado. Cuando descubrió la técnica del lino en casa de un joven artesano de Vallauris, un tal Arnera, inmediatamente se entusiasmará. Arnera debía a su padre el dominio de un oficio seguro, aplicado especialmente a la realización de carteles, y fue justamente para hacer un cartel por lo que Picasso entró en relaciones con él.

Evidentemente, la realización de litografías «a larga distancia» que Picasso venía practicando con Mourlot presentaba no pocas dificultades y tener que esperar a que las pruebas llegaran de París exasperaba a Pablo que no podía trabajar a gusto si no era deprisa y teniendo a mano todos los materiales que podía necesitar para experimentar tal o cual procedimiento. La facilidad de tener cerca a Arnera le vino de perlas para responder a ese deseo de instantaneidad. Ya a principios de siglo Picasso había probado la estampación en relieve y realizado grabados en madera; más tarde, en 1939, haría su primer lino, un *Pichoncillo* que figuró, pasado el tiempo, en la célebre edición de *Cuarenta dibujos de Picasso al margen de Buffon*.

El año 1954 Picasso había aceptado hacer el cartel de la tradicional corrida de toros, organizada como de costumbre por su amigo Paco Muñoz, pero en vez de un dibujo para imprimir mecánicamente, lo que hizo fue grabar en linóleo, materia pobre y despreciada por los impresores, cuya preparación, a decir verdad era bastante delicada, puesto que para obtener un color óptimo el entintado resultaba dificultoso: bajo la presión del cilindro la mancha se engrasaba, se desparramaba y, cuando se querían sacar varias pruebas, llegaba a deformarse.

Claro que tales dificultades no eran como para que Pablo se echara atrás, y fue al taller de Arnera con pleno conocimiento de causa. El resultado obtenido no le desagradó, aunque no se metió de lleno en esa tarea hasta dos años más tarde.

Picasso sabía que, como ocurría con la estampa y la cerámica, los artesanos herederos de una expresión y un oficio tradicionales, se limitaban a repetir indefinidamente y suelen ser incapaces de salir de la rutina a la que inconscientemente se someten. Pero él, con su formidable y constante capacidad de invención, hacía lo contrario: desinteresarse por lo que ya se había plenamente realizado y probar, apasionadamente, todas las nuevas posibilidades del procedimiento, de la materia, de la forma, del color. Del color muy particularmente, que quería privilegiar en el lino donde, en general, no se utilizaba. Sus primeros ensayos de estampación en color sobre lino se consiguieron con una plancha para cada color. Se trataba de dos carteles, uno a cinco colores, para la exposición de los alfareros de Vallauris, la otra para la corrida del verano de 1956, en cuatro colores.

Es cierto que si los ajustes se revelaron relativamente fáciles, la tirada supuso para el artista y el artesano serios problemas, y eso es lo que estimulaba sobre todo a Picasso: la necesidad de tener que eliminar, el obstáculo que es preciso vencer y que, una vez vencido, produce la íntima satisfacción que ponía en sus ojos negros un brillo especial de júbilo. En el taller de Arnera hizo numerosas planchas, entre ellas el sorprendente *Busto de mujer según Cranach el joven* de un extraordinario virtuosismo, y varios estudios de mujeres, de grupos, de tauromaquia, etc. El dibujo ligero y ágil cuanto pleno, contornea los planos de color enérgicos, subrayados a veces por estrías o motivos decorativos de ondulante barroquismo.

El lino según Cranach exigió seis planchas de colores diferentes y el ajuste no podía por menos de ser imperfecto, pero Picasso, que contaba con ello, juzgó que el resultdo quedaba original. Por otra parte, no podía procederse de otra forma, como Arnera le confiaba un día a André Verdet (3): «Me parece sinceramente que no vamos a tener más remedio que contentarnos con las últimas enseñanzas adquiridas variando al máximo, pero dentro de las fronteras técnicas, que tendrán que ser definitivas». Sólo que Picasso no era del mismo parecer. Un día hizo llamar a Arnera a *La Californie* para mostrarle cómo había logrado una nueva técnica que sería capaz de modificar completmente la tradicional ejecución del grabado sobre linóleo: a partir de ahí, ya sólo sería necesaria una plancha única.

El procedimiento consistía en trabajar el lino con gubia, imprimiéndolo luego en el color designado, un ocre, por ejemplo, en tantos ejemplares como se necesitaran según la tirada, con lo cual se obtenía un fondo que pasaría a ser un dibujo en negativo cuando se imprimiese encima un color

---

(3) André Verdet. Les linoléums de Vallauris, en XXème siècle, número especial homenaje a Picasso, 1971.

más oscuro, sepia pongamos por caso, con la plancha grabada. Después de una primera prueba, de estado, el color dominante sería el oscuro, sobre el cual destacarían en ocre los
motivos rehundidos por la gubia. El grabador no tenía luego
sino retrabajar el lino para quitar las partes que debían quedar en sepia, tras lo cual, otra estampación en negro daba un
tercer estado definitivo con el dibujo netamente precisado.
Utilizando esta técnica, Picasso variaría luego los colores,
poniendo blancos, verdes y azules.

Es evidente que el nuevo procedimiento requería una gran
seguridad de la mano al mismo tiempo que una visión muy
neta de la composición que se pretendía hacer, el artista debía saber a dónde quería ir desde el principio de la operación. Ese era exactamente el caso de Pablo, que conseguía
así realizar una de sus más caras ambiciones: la consonancia
entre materia, forma y color. Como siempre, también aquí
obligaba a la técnica elegida a que expresase el máximo.

Desnudos, corridas de toros, retratos de Jacqueline, bacanales, variaciones sobre el *Almuerzo campestre,* hombre tocando la guitarra, escenas de interior, bodegones, etc. componen un repertorio paralelo a los que don Pablo va desarrollando en los lienzos y sobre el papel de dibujo. La materia impone en el lino unos ritmos más profundamente modelados o más netamente quebrados que contrastan con el
juego de las formas y volúmenes con los que han de equili-
brarse.

En la serie de las *Bacanales,* realizada hacia finales del
año 1959, se mezclan, como en las composiciones del museo
de Antibes, faunos músicos, saltarinas ninfas, bañistas, bailarinas, cabras, toros y zarabandas dionisíacas a orillas del
mar o delante de colinas suavemente onduladas. Los colores
son vivos, brillantes: azules, verdes, puntuados de blanco,
negro y ocre; y están logrados, al mismo tiempo, la máxima
decantación y la riqueza, el movimiento y la armonía. Algunas de las figuras se limitan al arabesco de la línea y alcanzan en su admirable estilización y desdeñando el recurso del
color, la síntesis del signo.

Por supuesto que Picasso no había de contentarse con repetir durante meses la misma técnica. Llegó un momento en que imaginó que podía cambiar el orden de la estampación de los distintos colores, empezando por los oscuros, y para ello le pidió a Arnera, al tirar el *Almuerzo campestre* de 1962, que hiciera una prueba en morado oscuro, luego sucesivamente en negro, verde, rojo y azul.

Picasso abandonó el grabado en lino hacia fines de 1967. El nuevo procedimiento le había forzado a pensar sus temas de otra manera y a cambiar su escritura y, lo que era habitual en él, el pasar a una técnica por explorar trajo como consecuencia pasar asimismo a otra expresión, otro concepto, otro estilo.

El Almuerzo campestre es una suerte de *Pintor y su modelo* al aire libre, tema que, como revelan los dibujos de 1954, le venía preocupando hacía tiempo. Picasso admiraba profundamente a Manet y le complacía en particular el célebre cuadro del *La Déjeuner sur l'herbe* que produjo gran escándalo en el Salón de 1863 (hoy joya del Museo del «Jeu de Paume»), por el doble reto que entrañaba en lo puramente pictórico y en lo moral: aquellas damas, una en camisa y otra totalmente desnuda, retozando en el riachuelo entre unos señores vestidos, era un tremendo bofetón para el buen parecer y la decencia.

El *Almuerzo campestre,* en sus variadas versiones ocupa a Picasso más de dos años, de agosto de 1959 a diciembre de 1961, en total veintisiete pinturas y ciento treinta y ocho dibujos, comenzados en Vauvenargues y concluidos en Mougins. El diálogo con Manet, interrumpido de vez en cuando y jalonado por numerosas variantes, coincidió con los ochenta años de Picasso.

Es un Manet a su manera, un *Almuerzo campestre* muy suyo, el que emprende el vivaz octogenario, con una perceptible influencia del paisaje cezannesco de Vauvenargues en los grandes árboles de espeso follaje, en los claros despejados de verde fresco y húmedo, en la frondosa sombra que se percibe en lo profundo del bosque. Una terrena sensualidad, no desprovista de humor, impregna, en ese agreste entorno, la historia en varios episodios de las relaciones íntimas del Pintor, el que está en el lienzo y el que mira el cuadro, con las mujeres desnudas tumbadas en la hierba, ofrecida a los ojos de todos la plenitud de su desnudez, o bañándose en el río, o conversando entre ellos, o simplemente inmóviles entre las frondas.

Que Picasso permanezca en contacto con Manet dos años y medio es, por lo menos, sorprendente, cuando en los casos de Velázquez y Delacroix no había pasado de tres o cuatro meses. ¿Qué podían tener en común el pintor de la célebre *Olympia* y el de *Las Señoritas de Avignon*? El siglo XIX. Picasso partió de ahí y se fue nutriendo de sus sucesivas experiencias. Comenzó a pintar en un momento en que Manet era el maestro adorado de la juventud, más que Cézanne o Van Gogh, cuya influencia no comenzaría sino más tarde. Manet era el heredero de Velázquez y de los españoles del siglo de oro, pero también es el primero de los modernos, el primero de los grandes escandalosos del arte vivo, era el liberador, que retó a toda la tradición, es decir a otros tantos puntos en común con Picasso. Ni uno ni otro se presentan como revolucionarios y si lo fueron es porque los demás, encerrados en sus limitaciones, en su sistematismo, en su ceguera, les calificaron de tales, con reprobación y espanto, claro está.

Al pintar su *Déjeuner sur l'herbe,* Manet había pensado mucho en Giorgione y, de hecho, lo actualizó. El tema del *Concierto campestre,* del italiano queda reestructurado y avivado por el carácter deliberadamente «moderno» que da Manet a su composición en 1863. No es ya una escena alegórica, sino una especie de estudio costumbrista: las dos mujeres desnudas del maestro veneciano no dejan de ser, a pesar de su morbidez, unas ninfas de museo, en tanto que las de Manet son unas muchachas ligeras que se han quitado la ropa y no se han desnudado precisamente para tocar la flauta o departir indolentes con los caballeros que las acompañan...

Sería grave equivocación afirmar que «Picasso quiso medirse con Manet» como se ha dicho, o que pretendió «penetrar en sus secretos», como aquél había hecho, al parecer, con Giorgione. Eso no son más que falsos problemas. ¿Por qué Picasso, que nunca dejó de interrogar al ser humano, de sorprenderle en todos los momentos, en los más íntimos actos y ocupaciones, que se apasionó siempre por la confrontación del hombre y la mujer, del pintor y su modelo, de la desnudez y la vestidura, por qué no había de reanimar ese interés sirviéndose de lo que Manet vio? Pues no hay, en sus inmediatos predecesores, un pintor más pintor, más «artista», que el autor del *Déjeuner sur l'herbe* y, por otra parte Picasso tuvo toda su vida la obsesión del «decir», del «contar».

«*Contar* el desnudo, *contar* un seno, *contar* pie, mano, vientre. Hallar el medio de *decir*, y eso basta», confía Pablo a Hélène Parmelin y al marido de la escritora, el pintor Pignon: «Hay que encontrar la forma de hacer el desnudo tal como es». Eso es lo que Manet logró, y es por ello por lo que provocó tal escándalo con el *Déjeuner sur l'herbe* dos años después de la *Olympia.*

Durante todo el tiempo que Picasso sostuvo el diálogo con el pintor francés, se esforzó por *contar* las multiples peripecias del *Déjeuner sur l'herbe.*

Empieza por integrar a los personajes, uno tras otro, los trata por separado y les da una existencia propia, fuera del contexto general, separándolos, acercándolos, variando sus valores y sus calidades plásticas, hasta que progresivamente se alejan del modelo inicial, es decir del cuadro de Manet, y adquieren una personalidad propia, con otros ropajes y otras actitudes. Algunos detalles aparecen y reaparecen, al tiempo que nuevos temas vienen a añadirse al motivo principal.

Las figuras, aisladas al principio, se integran a la naturaleza. En los cuadros del 27 y 28 de febrero de 1960, los volúmenes se afirman y están ya en su sitio. Los personajes del cuadro de Manet –la mujer desnuda que mira hacia el espectador, el hombre que se dirige a ella, ése que Douglas Cooper llamaba «el Gran Hablador», su compañero y la otra mujer que se dispone a mojarse en el riachuelo– se relacionan entre sí. Una de las figuras que más le interesaron a Picasso fue la bañista del fondo, inclinada hacia delante; tan pronto lavándose los pies como atándose el zapato, había aparecido en numerosos dibujos y pinturas, entre 1943 y 1944, y será objeto de toda una serie de estudios en febrero de 1960. Asimismo, durante el otoño y el invierno 1959-1960, los *Almuerzos campestres* son el motivo de varios grabados en linóleo.

El 3 de marzo, los protagonistas de la escena, el Gran Hablador con aire de artista, las dos mujeres desnudas y un fumador medio oculto por un árbol, están situados en una abundante fronda silvestre entre la que se entrevé el cielo azul, y el conjunto tiene alguna reminiscencia de las tapicerías orientales. Parece que se han creado lazos de creciente intimidad entre el Hablador y las mujeres desnudas, cuyas deformaciones son particularmente osadas.

Ese cuadro lleva una segunda fecha, la de su terminación, el 20 de agosto de 1960: cinco meses seguidos Picasso trabajó y retrabajó el tema en distintas variaciones; hizo la síntesis del *Déjeuner,* de las ninfas opulentas de Renoir y de las odaliscas de Matisse, las relaciones de volumen del naturalismo y los juegos de luz de los impresionistas. La mujer que se mete en el agua y se lava, procede de Degas. Los temas del baño, del reposo al aire libre, de la desnudez en un paisaje son una de las conquistas del siglo XIX. Y ya sabemos que don Pablo tomaba su acervo allí donde lo encontraba. «Quien nada imita, nada inventa», decía el filósofo racionalista Alain.

Viene el 4 de marzo otra versión de la composición del día anterior ambas nuevamente trabajadas meses después, el 30 de julio. A partir de esos dos cuadros se suceden ya las variaciones que va dictando la insaciable imaginación del pintor.

Los días 20 y 21 de agosto pinta dos cuadros no relacionados con los Almuerzos: *Mujer y niñas,* y el 30 una *Mujer sentada y su sombra,* luego toda una serie de cabezas, de mujeres sentadas, de mujeres con sombrero y de desnudos acostados con variaciones anatómicas desaforadas y ridículas. Más cabezas vuelven a ocupar una parte del mes de noviembre y el día 12 se añaden aún once aguadas con el mismo tema.

Paralelamente a las pinturas, los dibujos de los *Almuerzos* en trazos finos y movidos, desarrollan también, con distintos estilos y técnicas los motivos arriba citados. El Hablador será el lazo de unión entre esas variantes que se suceden con la habitual inventiva y libertad pero sin perder, pese a la inspiración imaginativa de Picasso, el tema inicial. La intención de explorar todas las posibilidades de actitud y de agrupamiento de las cuatro figuras, es clara: en esos dibujos el espacio entorno está sólo sugerido.

Entre el comienzo y la terminación de los *Almuerzos* se sitúan tres curiosas pinturas, escenas al aire libre en las que se ve a tres ectoplasmas en el centro jugando a los bolos, un guitarrista y una mujer con un niño; y, por otra parte, siete dibujos de línea sobre el motivo de la bañista del fondo mirándose o rascándose un pie.

Tras una interrupción de nueve meses, el 19 de abril pinta dos composiciones, una de ellas con un cierto «flou artístico» de asunto curiosamente *naif,* la otra más elaborada. La mujer del primer término se ha convertido en una gran mancha de carne rosa con la anatomía apenas sugerida, mientras que el Hablador aparece revestido con un sorprendente traje rojo y se diría que está preocupado únicamente por el discurso que está pronunciando, como Picasso se preocupa sólo de los valores plásticos que establece. También el pintor es a su modo un narrador, deseoso siempre de «decir». Picasso fue, por otra parte, un notable narrador en la vida corriente. Cuando contaba cualquier acontecimiento del que hubiera sido testigo o protagonista, lo transformaba en una historia llena de efectos imprevistos, de sorpresa, de consecuencias en donde su imaginación corría a rienda suelta. Todos cuantos convivieron con él o tuvieron ocasión de escucharle siguieron con apasionado interés sus narraciones que se inscriben en la tradición mediterránea (es de lamentar que nadie pensara en grabarlos sin que él se diera cuenta).

Del 3 al 8 de junio, nueva serie de dibujos de línea, pero el *Almuerzo* ha sido reemplazado por el motivo de la conversación, con distintas posturas de las mujeres desnudas: una de ellas está reclinada, la otra de pie, entre ellas juega un niño con un barquito en un balde de agua, o con una tortuga, un tren, un pájaro. La mujer de la izquierda, que en los primeros dibujos fue objeto de innumerables combinaciones anatómicas, se ha puesto a tocar la guitarra, pero pronto renuncia para poder rascarse los pies o atarse un zapato, en tanto que la mujer de la derecha duerme voluptuosamente con los brazos doblados bajo la cabeza. El niño ha desaparecido y en su lugar hay un perro, luego un sombrero de paja. En el último de esos dibujos, aparece por una ventana la parte superior de un rostro de hombre con los ojos muy abiertos. El «Voyeur» (espectador) ha sustituido al «Causeur» (hablador).

El día 16 del mismo mes, Picasso hace un dibujo muy elaborado del sombrero de paja y anota: «Para Jacqueline, primer dibujo hecho en N. D. V.» (iniciales de *Nôtre-Dame-de-Vie,* la residencia de Mougins), y el día siguiente reanuda el diálogo con Manet.

Pinta ahora un cuadro de tonalidades azules y verdes, que expresa el gusto por el paisaje amplio, fresco y frondoso y por el color, desarrollado sin duda por su contacto con el campo provenzal.

El Hablador discursea, el fumador avanza para tomar parte en la conversación, la mujer desnuda escucha, con la barbilla apoyada en la mano, la bañista del fondo prosigue sus solitarias abluciones.

Luego el 28, nueva versión a rápidas pinceladas circulares o en «macarrones» subrayando las grandes masas verdes del follaje. El Hablador se anima, la mujer desnuda sigue escuchando pero su cuerpo se alarga y su cabeza disminuye hasta no ser más que un perfil achatado, el fumador y la bañista todavía están allí.

El 20 de junio, Pablo realiza uno tras otro ocho dibujos en su primer cuaderno en los que hace el reparto de los personajes, dos días después, caen sobre esas figuras confetis multicolores. Siguen numerosos dibujos más, de línea o a lápices de color, de las dos mujeres en diversas actitudes. Un segundo cuaderno, en julio, apenas basta para contener todos los estudios de los días 8 y 9 de julio un tercero cubre los días 10, 11 y 24 del mismo mes.

En esos dibujos de junio y principios de julio, Picasso se ha propuesto variar todo lo posible el aspecto físico y las posturas de las figuras así como el conjunto de la composición. Ahora el Hablador se ha desnudado y una tercera mujer, igualmente desnuda, se ha unido al grupo, primero escuchando el discurso y luego, indiferente sin duda, se tumba de bruces sobre la hierba y se pone a leer. Luego un hombre barbudo y con largo pelo, la reemplaza. Pero de nuevo ella aparece. En otro momento se ve una comida frugal esparcida por el suelo. Aquí, el Hablador se ha metamorfoseado, tan pronto barbudo como imberbe, sigue discurseando gravemente con los ojos muy abiertos.

Cuatro pinturas datan de, respectivamente los días 10, 12, 13 y 16, también en armonías verdes y azules, donde todos los personajes están desnudos, si bien el Hablador continúa perorando incansable. Una de las mujeres le escucha, otra lee, la tercera es la bañista que sigue lavándose. En la última de esas composiciones, la mujer que estaba leyendo y se había retirado al fondo para estar más tranquila, ha terminado por desaparecer, en tanto que aquella que escucha cobra desmesuradas proporciones, verdadero monstruo antropomorfo cuya cabeza de inmensos ojos se inclina amenazadora sobre el Hablador que, ante el peligro, se empequeñece y se sumerge prudentemente en la penumbra.

Una nueva distribución de las figuras, someramente ejecutadas con lápices de colores, ocupa ocho dibujos del 26 de julio. Picasso haciendo malabarismos con las líneas y los colores vivos, se divierte manifiestamente, con increíble destreza, cambiando el tema, hasta transformarlo en pastoral antigua al día siguiente. Aquí, el Hablador ha pasado a ser una especie de adivino o de filósofo barbudo ataviado con un peplo amarillo que contrasta con la armonía de verdes, azules y grises oscuros que componen las anchas masas de sombra y luz en un espacio plano.

Luego, entre el 30 de julio y el 10 de agosto, pinta seis grandes lienzos verticales de expresión fantasmagórica.

El Hablador se dirige a la mujer en medio de un admirable decorado nocturno en negro y verde-gris con reflejos azules y verde pálido, mientras la bañista sigue haciendo su «toilette». Es una confrontación henchida de misterio, en la cual la mujer que escucha cobra aspectos fantásticos de prodigiosa invención poética y plástica, y al mismo tiempo de una impresionante intensidad dramática. Así como en las otras versiones la misma escena no parece tener otro significado, se diría que en ésta haya ocurrido algo: a la anécdota ha sucedido el acontecimiento.

Los días 10 y 19 de agosto, vuelve Picasso a pintar dos composiciones horizontales de más modestas dimensiones y de expresión más sosegada, en armonías de verde y azul, un azul-negro en la primera, y con blancos lechosos y colores más atenuados en la segunda. Son éstos los últimos cuadros de la serie, si bien continúa con lo dibujos que llenarán aún otros dos cuadernos, cuarto y quinto del tema. La pastoral ha ganado un equilibrio y una claridad clásica que recuerdan las vasijas y los frescos etruscos. El Hablador es un joven dios desnudo que habla a una hermosa mujer acostada, igualmente desnuda, en la postura de la *Gran Odalisca* de Ingres. Un barbudo escucha y la bañista, terminadas al fin sus abluciones está cogiendo delicadamente una flor. De un dibujo a otro los personajes cambian de actitud y de aspecto, por ejemplo las metamorfosis del joven dios en viejo feo con barba aburren a la mujer que escucha hasta que al fin termina por acostarse, bosteza y se duerme.

El último cuaderno contiene ocho dibujos fechados el 29

de diciembre. La mujer ha vuelto a sentarse, pero como el Hablador sigue aburriéndola está mirando distraídamente a otra parte. Ahora surge curiosamente de la hierba un caballete con un lienzo que representa una naturaleza muerta, pero enseguida desaparece.

Un nuevo tema se perfila que Picasso no continúa, si bien hace todavía, en enero de 1962 varios linos sobre el motivo de los *Déjeuners.*

Durante todo ese tiempo Picasso no se consagró sólo a los *Almuerzos.* El 30 de enero, se inspira de la Betsabé de Rembrandt para «decir el desnudo» a su manera, una manera que transforma a la esposa de David en una especie de odre rosa del cual algunas partes parecen irse desinflando progresivamente. Betsabé está reclinada en un sillón verde agua y a sus pies hay una sirviente con una amplia capa negra.

También por entonces trabajó en hojalatas y en la cerámica de nuevo, mientras dibujaba innumerables escenas de toros en negros aterciopelados con manchas agrisadas de nocturnidad, que danzan el mismo ballet que el hombre y la bestia. Luego, a partir del 5 de junio de 1960 deja el combate para mirar cómo vive el picador.

Comienza ese motivo el 11 de julio de 1959 y la serie llevará por título, cuando la galería Louise Leiris la presenta en noviembre de 1960, *El Romancero del picador.* Ese hombre un poco torpón es el personaje ingrato de la corrida. Con su ancho castoreño (4) sujeto por el barboquejo, sus gruesas polainas y su pica, es el comparsa sin gracia alguna, el plebeyo con relación al aristócrata que es el torero. Cuando se comete una falta, de quien quiera que sea la culpa, mala faena o amaño, los silbidos y los insultos son para el picador. Tieso en el caballo, manejando con más o menos habilidad la garrocha (5) no está en condiciones de defenderse y sufre que siempre se le acuse de culpable.

Incluso en sus placeres, el picador es torpe y envarado. En

(4) En español en el original.
(5) En español en el original.

el prostíbulo, no se muestra demasiado engolosinado cuando la dueña le presenta sus mejores pupilas. Se limita a mirar. Estas le ofrecen sus pechos opulentos, menean la grupa, bailan desnudas acompañándose con castañuelas, el picador aplaude pero se mantiene indiferente. ¿Será impotente? ¿Y por qué lleva aún el sombrero, las polainas y hasta la puya? Algunas veces tiene en la mano un cigarrillo o fuma tranquilamente.

Picasso se ensaña entonces desplegando en torno suyo una orgía de miradas asesinas, de pechos redondos con oscuros pezones, de sobacos velludos, de vientres redondos, de caderas incitantes, de volantes, de mantillas, de gestos obscenos... Parece verse el sudor que corre a lo largo del pelo de las chicas y percibirse el olor acre de sus cuerpos al bailar. Repiquetean las castañuelas, la guitarra puntea el ritmo frenético de las mujeres coreado por las palmas y el zapateado. El picador impasible, mira; lo mismo que haría con el toro, atento e inquieto. Y mientras, en un rincón, la horrible Celestina ríe con sorna.

El 11 de junio descarriado otra vez en el burdel, el picador asiste a la danza de la prostituta, enteramente desnuda. El ritmo se acelera, llega al frenesí, a las contorsiones, y la dueña, esta vez, se ríe regocijada y bate las palmas. El picador empieza a excitarse. ¿Va por fin a perder la cabeza? No. Y sin embargo, la chica baila ahora para él solo, chorreando de sudor, la mirada enloquecida, ofreciéndole lasciva sus grandes pechos y el tachón oscuro de su sexo. El picador aprieta la puya un poco más fuerte. Once años después todavía trató Picasso el tema del «voyeur» impasible en la serie consagrada a «Monsieur Degas chez les filles», serie de aguafuertes que no dejan de tener relación con las desventuras del triste desencantado picador.

La muchacha del burdel, decepcionada por la indiferencia del extraño cliente, se ha vestido y la Celestina expresa sus lamentaciones con suspiros. Sin duda el picador prefiere antes que los placeres manidos, la conversación cortés debajo de un árbol con dos muchachas vestidas con falda de faralaes, corpiño y mantilla; grato pasatiempo en una de esas noches de verano en que sabe muy bien deambular al sereno con un buen puro. Esta imagen en aguada, de un innegable encanto romántico, pone término, los días 22 y 23 de junio de 1960, al *Romancero del picador.* Tal vez Picasso nos haya contado con ello una aventura personal y la metáfora plástica no sea más que una pantalla. O una coartada.

Gracias a los catalanes que van a visitarle a *La Californie,* se han estrechado los lazos entre Picasso y Barcelona. Son el editor Gustavo Gili y su mujer, Juan Vidal Ventosa. Juan Gaspar, cuya esposa había sido la secretaria de Malraux durante la guerra civil, su primo y asociado Miguel, el Dr. Jacinto Reventós, conocido por Cinto Reventós II, hijo del primer Jacinto y sobrino de Ramón, que fueron grandes amigos de Pablo en sus años mozos. También suele ir a Cannes Josep Palau, cuyos libros sobre Picasso, sobre Cataluña y sus amigos catalanes contienen una documentación extraordinariamente rica. Fenosa, quien después de tantos años de penalidades, ha llegado a ser un escultor apreciado y cotizado, hacia el cual Pablo sigue teniendo una solícita atención. Clavé, que se afincaría en Cap Saint Pierre hacia 1965, es uno de los asiduos visitantes. Y el fidelísimo Pallarés, que conserva viva la llama picassiana en su piso-santuario de la vía Layetana, a cuyo tesón se debe que una calle de Horta lleve, desde 1969, el nombre de don Pablo.

Poco a poco se van extendiendo las visitas. Va también a *La Californie* Alexandre Cerici-Pellicer, autor de *Picasso antes de Picasso,* Juan Ainaud, el escritor Jaime Gil de Biedma, el poeta Rafael Alberti, el pintor Cuixart, Ferran Canyameres que, poco después de la guerra, había pedido a Picasso cuatro grabados a punta seca para ilustrar *Dos Cuentos* de Ramón Reventós. (El libro se publicó en 1947 y Picasso contaba que, para mejor penetrar en el clima de esas narraciones, las había copiado íntegramente de su mano. Luego para la edición francesa grabó otras cuatro planchas distintas).

Hay que contar también a Tapies, nutrido de Surrealismo,

que había frecuentado mucho los círculos de intelectuales
catalanes y mantenía amistad con Fin y Javier Vilató, los sobrinos pintores de Picasso, pero fue Cinto Reventós quien le
introdujo cerca de él. Tapies había copiado en tiempos algunos de sus cuadros; después, su evolución hacia una pintura
matérica y telúrica de una sobriedad elemental que respondía a un contenido simbólico, contestatario o acusador de la
situación represiva en España, le alejaría de Picasso, aunque
aún le visitó varias veces. Pues si Picasso era, en pintura, el
héroe de una revolución acabada, seguiría siendo para Tapies y para todos los pintores jóvenes de su país, el primer
español célebre que se declaró enemigo del régimen fascista
y que afirmó su profunda adhesión a las libertades democráticas.

Se daba frecuentemente el caso de que Picasso acogiera
amablemente a jóvenes artistas, pero era más en atención al
origen español del visitante o a la recomendación de un amigo que a causa de su talento que, si lo tenían, le traía sin cuidado. La única pintura que verdaderamente le interesaba era
la suya. Curiosamente se prestaba a perder una parte de su
precioso tiempo en recibir a alguno de esos efebos de atlética
plástica que se decían pintores, de los que regularmente le
enviaban Cocteau (por cierto, que el poeta se vanagloriaba
de no haberle recomendado nunca a nadie), y en los últimos
años de su vida mostró, incluso, interés por uno de aquellos
protegidos de Cocteau con más sentido publicitario que real
talento. Picasso no parecía conceder a eso la menor importancia, el muchacho le divertía y, como una vez que se hubo
marchado de Cannes, don Pablo se burlaba cruelmente de
él, es lícito pensar que si le recibía era solamente por ali-
mentar su imaginación o excitar al otro.

Todo esto explica que proliferasen, en algunos períodos, los
advenedizos y los|pelmas cerca de Picasso; le servían de vál-
vula de escape y podía deshacerse de ellos en cuanto se har-
taba. Con los amigos le era imposible actuar así, por eso prefería a aquéllos muchas veces, lo que no dejaba de sorprender y vejar a los otros que no comprendían tal conducta.

Hombre teatral era y lo siguió siendo hasta el final. El viejo «cabot» fue un actor consumado. Sabía atraer a los fuertes, pero concedía más a los débiles, tenía a su disposición los mejores historiadores de arte, pero prefería a los fabricantes de anécdotas o los aduladores, y se rodeaba de aprovechados o de cortesanos en detrimento de viejos amigos que le profesaban un cariño sincero. Era capaz de pasar horas enteras con tal o cual marchante, con la sola finalidad de poner furioso a Kahnweiler, y jugaba a los unos contra los otros, incluso dentro su propia familia. De alguna manera tenía que distraerse, ahora que ya no salía apenas, del enorme trabajo producido cada día.

Visitas de amigos, donaciones, cortesías mutuas no eran más que el preámbulo de un retorno de don Pablo a la ciudad de su primera juventud, si no en persona –lo que parecía imposible por más que algunos abrigasen tal esperanza– al menos a través de dos realizaciones de capital importancia: la decoración del Colegio de Arquitectos y el museo Picasso.

La decoración del Colegio de Arquitectos de Cataluña y Baleares se levantaba, todo acero y cristaleras de un modernismo agresivo, frente a la catedral, lo que había provocado vivas protestas de los paseantes impenitentes. Pero en cuanto se supo que el autor del edificio, Xavier Busquets, había encargado a Picasso la decoración, se armó un verdadero escándalo.

El Ayuntamiento hizo la vista gorda, igual que el arzobispo de Barcelona que ya había bendecido aquellos muros. Y se realizó el proyecto, llevado a cabo por Carl Nesjar con la técnica del «betograve», tanto en el interior como en el exterior, plasmando en duro escenas del folklore catalán dibujadas por Picasso con esa gracia etérea y ese esquematismo expresivo que suele tomarse por desenfado. La sardana, los gigantes, los «Xiquets del Valls» y la corrida se mezclan a gozosas zarabandas de faunos danzarines y músicos cuyos ballets animados se despliegan en grafitis monumentales.

Para recordar mejor las tradiciones catalanas, Picasso había previamente pedido a Busquets que le proyectara en *La Californie* un filme de 16 mm. que el arquitecto había rodado recientemente sobre el tema de las fiestas populares en Cataluña.

Trabajar en aquella decoración sirvió para despertarle a Picasso su gusto por la danza, como lo prueban las litografías, linograbados y dibujos contemporáneos, con el tema de la bacanal.

En 1962 se publica el primer libro en catalán sobre Picasso, obra de Josep Palau, con el título *Vides de Picasso*. Aquel año, las inundaciones en el Vallés causaron terribles daños y Picasso mandó enseguida un cuadro para que se vendiera a beneficio de los damnificados. Por desgracia el precio que él mismo fijó, 250.000 francos (unos tres millones de pesetas en aquel entonces) no encontró postor y, como el Consejo Municipal no tuvo el gesto de comprarlo, Picasso recobró su cuadro y envió un generoso donativo al Comité de ayuda a los siniestrados.

Este incidente, sin embargo, no afectó a las buenas relaciones entre el pintor y Barcelona, pero no deja de ser sintomática la actitud de un cierto número de catalanes, sobre todo la alta burguesía, pues para ellos Picasso era un refugiado político, un comunista y un adversario del régimen, y los medios oficiales compartían tal opinión, combatida por quienes consideraban que se trataba de un «valor» demasiado considerable en el mercado internacional para permitirse desaprovecharlo. No dejaban éstos de insistir en el hecho de que Picasso no sólo nunca renunció a su nacionalidad española, sino que al fin y al cabo, su liberalidad más generosa la ejercía con su país natal.

Las exposiciones que organizaban ya casi anualmente los Gaspar, contribuían enormemente a dar a conocer al gran público la obra de su ilustre compatriota. Cada inauguración era un acontecimiento y las obras expuestas se vendían a precios muy elevados.

Como de costumbre, Pablo pidió que le enviaran abundantes fotos de la decoración del Colegio de Arquitectos y los amigos catalanes iban a *La Californie* para tenerle al corriente de la acogida del público, de las reacciones del hombre de la calle. A Barcelona le tuvo siempre mucho cariño.

Sabartés, Clavé, los Gaspar, Ainaud de Lasarte eran, en general, a quienes más escuchaba. Gracias a la iniciativa que había tenido Xavier Busquets, Picasso estaba ahora presente en el centro mismo de la ciudad de su juventud, a dos pasos de *Els Quatre Gats* (cerrado desde hacía tiempo), en el barrio de la catedral, el más vivo y animado de Barcelona. Miles de personas pasaban todos los días delante de los grafitis monumentales, lo miraban y lo juzgaban. No se trataba, ciertamente de lo mejor de Picasso, pero curiosamente, aquella signografía coreográfica del Colegio evocaba las siluetas rupestres de la prehistoria ibérica: el pintor hundía sus raíces en lo más profundo del arte de su país.

Alguna vez, examinando una por una las fotografías de sus obras expuestas por todas partes en el mundo entero, murmuraba pensativo: «si una máquina fuera grabando todo lo que me pasa por las mentes cuando estoy pintando...».

Cuatrocientas mil personas visitaron la exposición organizada por Penrose en la Tate Gallery de Londres, durante el verano de 1960: más del doble que en París cinco años antes. Pero Pablo se encogía de hombros: «Las exposiciones para mí ya no tienen sentido». ¿Qué es lo que para él tiene sentido ahora? El trabajo. «¿Lo comprendéis? Es necesario que eso salga...» explicaba un día a algunos amigos, porque a causa de un trayecto entre Vauvenargues y Cannes no había trabajado desde la víspera. Pues cada día parecía más obsesionado por la acuciante necesidad de crear, y furioso de tener que abandonar la tarea, impaciente por reanudarla. Ahora recibe a los visitantes de cualquier manera, sin miramientos, vestido por lo general con un jersey «lobo de mar» azul desteñido, cuando no, orgulloso de lucir el torso desnudo, sólo con alguno de los extravagantes pantalones a cuadros que le hace Sapone. Mucho más expeditivo que antes, siempre con prisas, deseando acabar, salvo cuando se trata de trabajo, por ejemplo las tiradas de aguafuertes con los Crommelynck, o de litografías con Mourlot, de un libro a ilustrar para las ediciones Cercle d'Art o para Gustavo Gili, o de las pruebas del monumental catálogo crítico que le trae Dora Vallier de parte de Zervos.

La empresa laboriosa emprendida por Zervos le apasiona, con todo cuidado corrige las pruebas y las acompaña de comentarios, de recuerdos. A veces descubre en el repertorio obras olvidadas y entonces se pone a gritar de júbilo, explica, relata y para mejor ilustrar sus comentarios, dibuja en los márgenes pequeños croquis. Cuando, años más tarde, trabajó con Pierre Daix en el catálogo de las épocas azul y rosa, descubrió así el retrato de «la Madeleine», una chica con la que tuvo amores antes de Fernande Olivier. También le llevó Daix un retrato de Casagemas muerto, realizado en 1901, nunca expuesto y que nadie conocía. (Jacqueline fue la encargada, en ese momento, de fotografiarlo).

De vez en cuando, un dibujo revelaba una anécdota sabrosa. Al citado Pierre Daix le enseñó un croquis representándose a sí mismo, en 1915, junto a su perro y el pintor mejicano Diego Rivera, en actitud de ir a ofrecer bombones a la dama de su corazón, Madame L. que vivía en la calle Campagne Première esquina al Bl. Raspail. De la dama en cuestión hizo aquel mismo año varios retratos.

Mientras que París lo desdeña, en Londres se exponen dieciséis cuadros extraordinarios de la época azul, algunas magníficas obras cubistas y «clasicistas», bodegones y retratos expresionistas de mujeres realizados entre las dos guerras, varios estudios del *Guernica,* el telón de *Parade* (prestado por Jean Cassou que lo compró para el Museo de Arte Moderno a un marqués italiano) los retratos clásicos de Olga, los de Marie-Thérèse en curvas ondulantes, los de Dora Maar gritando y chorreando lágrimas, los de Françoise sosegados y los de Jacqueline majestuosos, así como *Las Meninas.* Todo eso abarcaba sesenta y dos años; años de desafíos, de confidencias, o de furias, de carne y de espíritu, de invención y de reflexión. Penrose había elegido los aspectos más surrealistas de la obra Picassiana, evitando las pinturas «comprometidas», con la sola excepción de *El osario*. El conjunto daba una imagen serena, «humanista», en comparación con la muestra de 1955 en París, que insistía en su carácter expresionista.

—«¿Mi exposición? ¡Pues claro que la he visto! La he visto en la... ¿cómo lo llamáis?»— y don Pablo dibuja con el dedo, en el espacio, una pantalla de televisión, por entonces todavía no tenía televisor, pero desde que lo compró se hizo un fanático aficionado. «Unos amigos me invitaron a ver la emisión. Así que la he visto. Sí que ví a Penrose pronunciando un discurso, pero no ví mis cuadros...»

Poco importa, por otra parte, de sobra los conoce. Tiene una memoria extraordinaria y, además, se dio no poco trabajo escogiendo personalmente los cuadros, sobre todo los recientes. «Mis pinturas antiguas no me interesan ya, tengo mucha mayor curiosidad por las que todavía no he hecho.»

Una frase viene con frecuencia en la conversación de Pablo: «Esto es lo que debería pintarse... lo que hay que pintar... "—y lo dice a propósito de cualquier cosa que ve, ante una puesta de sol, una corrida, o sus perros jugando..." Sí, pero ¿pintarlos cómo? Para lograr pintar todo eso *tal como es,* sin olvidar nada... Es imposible ¿no?».

Siempre el problema de la realidad. La lucha de lo que es y lo que se ve. Lo que está en la vida, a medida del tiempo, y lo que hay en el cuadro. «Lo que yo quisiera es pintar una corrida tal como es de verdad.» ¿Y cómo es una corrida? ¿Es como uno la ve? La cuestión es que no se ve de cada cosa más que una imagen, una cierta corrida, diferente de la realidad. Ese problema de la imagen, de la visión intercalada entre la realidad y el cuadro nunca dejó de preocuparle. El ojo no ve lo que es, sino lo que mira...

Picasso pinta pensando en todo eso. Si hace diez cuadros al día no es por virtuosismo, es porque persigue en cada uno de ellos el problema no resuelto aún en el anterior. El problema es, por otra parte, insoluble, y Picasso lo sabe aunque al mismo tiempo no puede por menos de multiplicar las imágenes.

Durante la exposición de *Los Almuerzos* en la galería Louise Leiris, Pablo recibía numerosas llamadas telefónicas para comunicarle el éxito de esta nueva serie, las reacciones del público, etc., y respondía corroborando: «Pues aquí la cosa continúa... ¡Ya sabéis que yo no paro...!» Y, en efecto, seguía pintando y dibujando *Almuerzos* y los embobados se extasiaban: «¡Qué vitalidad!», a lo que Pablo respondía con una cierta guasa en la voz: «Bueno, pero está hecho muy deprisa...», y haciendo un molinete significativo con el puño, añadía: «¡Así!».

Su amigo el doctor Lacan, comenta un día con Picasso: «Lo real es imposible, la realidad desgasta la mirada.» «Esa imposibilidad es lo que habría que pintar», confirma el pintor, que se sabe más carente que cualquier otro. Y también más solo. Desesperación y júbilo caben en su confesión, tantas veces repetida: «Yo no puedo hacer otra cosa que lo que hago».

Después de *Los Almuerzos,* se percibe una cierta monotonía en los cuadros que siguen, como si Picasso hubiera puesto demasiado en aquéllos, y vuelven los reflejos habituales del automatismo, en una creciente falta de invención. Aunque esto ya se venía manifestando antes, es entonces, para ciertos estudiosos de la obra picassiana, la explicación de que se refiera a obras de otros maestros y lo atribuyen a la soledad en que vive Picasso, sin recibir nada del mundo que le rodea, del cual se ha exiliado voluntariamente, hasta el punto de que se plantea esta cuestión angustiosa: ¿qué voy a pintar ahora? Las numerosas Cabezas de Mujer que pinta entre noviembre de 1960 y enero de 1961 reflejan una verdadera lasitud en la expresión y en la ejecución. Pero el 11 de febrero la capacidad inventiva se impone de nuevo y el rostro de mujer de frente que pinta ese día, es de una pureza admirable, el pincel revela el modelado de las facciones, enmarcadas por un velo tenue, con tanta sensibilidad como maestría.

En aquellos años 1960-1961 la actitud de los jóvenes artistas de vanguardia respecto a Picasso ha evolucionado. Ya no es para ellos más que el ídolo pasado, desfasado, de un mundo muerto, sus dichos y hechos no les parecen los de un creador, sino los de una «estrella» que alimenta las crónicas con chismes indiscretos, y la mayoría de las fotografías muestran no el pintor, sino el payaso. En cuanto a la exposición de la galería Louise Leiris, más aparece como un rito que como una necesidad.

Hay que decir que el redescubrimiento de Marcel Duchamp y su mensaje –esto es, de los valores expresivos de un arte de comportamiento– asestó a Picasso un duro golpe. De los neo-dadaistas americanos a los «nuevos realistas» franceses, la reversión de valores se operó rápidamente. Para las nuevas generaciones, los *ready-made* del Gran Perturbador que fue Duchamp, que a nadie le preocupaban desde hacía mucho tiempo, volvieron a ser los totems de una religión del objeto que, unida a la revelación de la civilización tecnológica y del folklore urbano, minaba seriamente la fascinación picassiana fundada en el gozo violento de pintar. La vanguardia desbancaba al virtuoso del *hacer* y lo reemplazaba por el moralista del *saber*.

Esa evolución en el devenir del arte acrecentó el aislamiento que Picasso se propuso, y una de sus más imprevisibles consecuencias sería transformar a aquél que se había tenido por iconoclasta y destructor, en defensor de la pintura, del cuadro del caballete, frente a unos nuevos demoledores, nuevos provocadores. Al mismo tiempo, el hombre-Picasso, quitándose la careta de terrorista del arte, se presentaba como una suerte de guardián de la tradición, según la imagen que Penrose había querido dar a la exposición de la Tate Gallery, en cuyo catálogo escribió que la obra de Picasso había nacido «de su comprensión y de su amor por la humanidad», y que su finalidad era «la intensificación del sentimiento y la educación del espíritu».

Tal interpretación sensible y humanista de la obra picassiana será el último avatar del Minotauro que ha dejado de asustar, que enternece incluso a sus súbditos y tiene para ellos conmovedoras atenciones.

–«Voy muy aprisa, pero es para no fatigar demasiado al respetable público», –le dice maliciosamente a un periodista–. Pues la edad no ha disminuido su cínica ironía. No acabaríamos nunca de enumerar sus respuestas feroces, sus caprichos, sus pullas y sus golpes bajos, su peculiar manera de proferir, delante de alguno de los hagiógrafos de turno, la más estúpida de las trivialidades que luego lee con regocijo, transformada por la pluma servil, en chispa genial.

Picasso quiere ser admirado, querido, respetado por sí mismo y sólo por él. Aparte de que, con los años, se hace más caprichoso. «¡Sobre todo, por favor, evite usted enfadarle!», recomendaba Zervos a Dora Vallier cuando ésta iba a llevarle las pruebas del catálogo crítico, pues el menor fallo podía ser fatal para la publicación.

Pero ocurre que un día, Picasso pregunta como sin darle importancia: «¿No conoce usted a nadie en Cannes?». Dora, olvidando la consigna, contesta que sí, que conoce al pintor Ozenfant a quien, precisamente, tiene que telefonear por encargo de Zervos. Al oír esto, la expresión de Pablo se endurece y al día siguiente hace que digan a la joven que no podrá recibirla. Pues no tolera que, si venía a Cannes para trabajar con él, fuese a ver a nadie más, y sobre todo tratándose de Ozenfant a quien detestaba –como detestaba a casi todos los pintores, con mayor o menor virulencia, reservando lo mejor de su mala intención para aquél a quien denominaba despectivamente «ese pobre Chagall». Justo es decir que Chagall estaba a la recíproca con «el español».

En septiembre de 1960, recibió Picasso la visita de Serge Lifar, el que fue primer bailarín de los ballets de Diaghilev cuando estaba en el apogeo de su talento y su apostura. En un dibujo que le hizo en Montecarlo, hacia 1925, se le ve al lado de su compañero Khoer un alumno de Nijinski. Picasso había sido el primero, coincidiendo con Coco Chanel, en señalar las cualidades de Serge durante los ensayos del *Train Bleu*, y en aconsejarle a Diaghilev que le contratara. Desde entonces, nació entre ambos artistas una real amistad que ahora venía a reanudarse en algo concreto.

En efecto, Serge Lifar iba para solicitar de Picasso un dibujo destinado a ilustrar un álbum de sus ballets que iba a publicarse próximamente. Pablo aceptó y trazó con lápices de color un Icaro volando hacia el sol, referencia a una creación antigua del bailarín. Además, le hizo también un retrato.

Dos años más tarde, habiendo reanudado Lifar sus funciones de maestro de ballet de la Opera de París, y decidido a presentar *La siesta de un fauno* y su *Icaro,* fue de nuevo a pedir a Pablo el telón de fondo para el ballet de Debussy. El motivo fue esta vez un fauno cornudo persiguiendo a una ninfa asustada y para acentuar la expresión esquemática del dibujo, lo reforzó con vivos tonos azules, verdes, bistre y negro. Por desgracia, el director de la Opera, Georges Auric –precisamente el compositor de la música para la película de Clouzot sobre *El Misterio Picasso*– rechazó el proyecto sosteniendo el argumento de que aquello ¡no resultaría serio en un teatro oficial! El telón se realizó, a pesar de todo, y sirvió para el Capitol de Toulouse en el espectáculo que se dio al inaugurarse la exposicón «Picasso y el teatro» en el Museo de los Agustinos, en 1965.

Por el contrario, la maqueta para la reposición de *Icaro,* un guache fechado el 28 de agosto de 1962, no encontró oposición y se montó el decorado según el croquis: en el telón de fondo, un Icaro rosa con las alas verdes, fulminado por un inmenso sol amarillo intenso, como el de la pintura de la UNESCO, caía en el mar ante el gentío que levantaba los brazos al cielo, espantados. Para el telón de boca, Lifar obtuvo de Picasso la autorización de utilizar el otro Icaro de 1960, elevándose por el cielo.

Aquello fue lo último que hizo Picasso para el teatro.

Sabartés ha contado que Pablo le preguntó un día qué pensaba hacer con todos los cuadros y libros que había ido acumulando. «Cuando hacía esa clase de preguntas es que alguna idea le andaba rondando... Yo le contesté que proyectaba fundar un museo Picasso en Málaga. "¿Por qué en Málaga?". Sí, claro que es mi ciudad natal, pero tengo tan pocos lazos con Málaga... ¿Y si hiciéramos un museo en Barcelona?».

Desde ese momento, Sabartés, supo que había que hacer un museo en Barcelona, puesto que Pablo lo deseaba así. Y lo que el señor decidía era para su fiel servidor palabra de evangelio. Así es que comenzó las gestiones. Al revés de lo que esperaba, no encontró obstáculos por parte de la Administración Municipal, pero al remontar hasta otros niveles, en Madrid se presentaron más serias dificultades. Las heridas y rencores de la Guerra Civil no estaban aún cicatrizados, las entrevistas que Sabartés tuvo que sostener con los altos funcionarios del régimen, fueron otras tantas ocasiones de acusaciones políticas y estéticas contra Pablo.

Fue necesaria toda la habilidad, la inteligencia y la diplomacia de los amigos catalanes de Picasso, de Juan Ainaud de Lasarte, del alcalde de Barcelona y algunas otras personalidades que tenían vara alta en el Gobierno, para que el proyecto se realizara. El asunto llegó incluso al general Franco, que otorgó su aprobación. No era mal cálculo el pensar que ese museo sería un medio para «recuperar» al irreductible enemigo del franquismo y para probar al mismo tiempo el liberalismo del régimen.

El Ayuntamiento de Barcelona había recibido de Sabartés la garantía de que Picasso contribuiría con una donación importante a la fundación del museo, que podía instalarse en un palacio de la calle Montcada, al de la familia Berenguer de Aguilar, que el Ayuntamiento había adquirido en 1963. El edificio formaba parte de un conjunto histórico de residencias aristocráticas de los siglos xv y xvii, verdaderamente notable. Cuando Sabartés designó la soberbia mansión, el alcalde José de Porcioles lo aceptó y Picasso, a quien naturalmente enviaron numerosas fotografías, se declaró también de acuerdo. Hemos de señalar en honor a la verdad que el hombre que llevó, con inteligencia y pasión, las negociaciones entre la Municipalidad y la Administración central de Bellas Artes, el que allanó todos los obstáculos, fue Ainaud de Lasarte. Repetidas veces hizo el viaje a Cannes para tener a su amigo Picasso al corriente de las gestiones y preparar con él la realización del proyecto.

El Museo de Arte Moderno de Barcelona poseía un conjunto importante de obras de Picasso, la donación de Sabartés no era menos considerable y los amigos catalanes habían prometido su cooperación. Por su parte, Picasso prometía «hacer algo»... Su país venía a él, la ciudad de su juventud y de sus principios de pintor llamaba al hijo pródigo exiliado. Cuando Pablo recibió el telegrama del alcalde confirmándole la decisión oficial, sintió sincera emoción y se cuenta que dijo con una sonrisa irónica, dirigiéndose a Jacqueline: «¿Crees que voy a contestar?».

Meses antes, no se había dado por aludido cuando, por iniciativa de Sabartés, se colocó una placa en su casa natal de Málaga.

Pero Barcelona era otra cosa. Por de pronto, había encargado que sacaran fotografías de todas sus obras, pinturas y dibujos que pudieran aún encontrarse en posesión de los Vilató. La matrona casi impotente, pero vivaz y alegre, que era entonces la linda hermana Lola, había cuidado durante años y años un tesoro cuyo exacto valor probablemente no había calculado nunca. Lola daba la impresión de vivir fuera del tiempo, de tener una apreciación muy personal y desconcertante de las cosas. A su muerte, nada cambió en la casa del Paseo de Gracia, y hubo que esperar a la donación de Picasso en febrero de 1970, para que los cuadros fueran descolgados y limpiados, para que las innumerables carpetas de dibujos, acuarelas, guaches, etc., quedasen inventariados, y clasificados los cuadernos de estudios, álbumes y carnets de apuntes.

En el verano de 1959, el público de Marsella, tiene la ocasión de contemplar en el Museo Cantini, una importante exposición de cincuenta y ocho piezas, de las cuales, quince no habían sido nunca expuestas antes y otras quince desconocidas aún en Francia, es decir, más de la mitad inéditas. Todos los períodos estaban representados en ese conjunto, balance claro, equilibrado, mesurado, el primero realizado hasta entonces en Francia con el sentido de informar y no de producir un choque. Una selección densa, presentada con un prefacio de Douglas Cooper, mostraba un Picasso «clásico»; incluso en los cuadros más provocadores, el tiempo había borrado lo que pudieran tener de escandalosos. En esa exposición aparece un Picasso más en la línea de la historia del arte que en la de una pintura que entonces se está haciendo, allí suscita más interés a los historiadores que a los críticos de actualidad y, por supuesto, a los jóvenes artistas que, recíprocamente tampoco a él le interesan gran cosa. ¿Esas reacciones le sorprenden o le decepcionan?

«No, eso no tiene nada de extraordinario –comentará con Dora Vallier– entre los jóvenes y los viejos las relaciones son púdicas. Cuando yo era joven, tenía muchas ganas de conocer a Renoir, y nunca me atreví a ir a su casa. Por otra parte, Renoir no veía nunca a los jóvenes...» Y añadió burlonamente:

«Mire, la verdad es que una exposición mía no le interesa a nadie. Todos saben ya a qué atenerse.»

¿Quién fue el primero en volver a hablar de un monumento a Apollinaire? Era impensable que el Ayuntamiento de París aceptara la construcción abstracta en hierro imaginada antaño por Picasso, la reputación mundial del artista no contaba a los ojos de unos ediles, tradicionalmente retrógrados en materia artística y de un anticomunismo no menos terminante. Es cierto que ni la viuda del poeta ni algunos de sus amigos se mostraban favorables al monumento concebido por Pablo, aunque el hecho de que estuviera dispuesto a regalarlo a la ciudad suponía una ventaja muy digna de tenerse en cuenta. (Existía asimismo un proyecto hecho por Zadkine en 1937, que estuvo a punto de realizarse.)

Siendo concejal del barrio Saint-Germain-des-Prés, Jean Marin, otorgó para darle el nombre de Apollinaire una porción de la calle de la Abbaye, al pie de la célebre iglesia y no lejos de la casa donde murió el poeta, que se conservaba intacta. Conseguido esto, el emprendedor concejal se propuso hacer aceptar por sus reticentes colegas una obra de Picasso. Se eligió una cabeza de Dora Maar, realizada en 1941 y, a pesar de cierta oposición, quedó decidido que el homenaje al poeta tendría por entorno el pequeño «Square de la Charité», en la esquina de la rue Saint-Guillaume y el boulevard Saint-Germain, pero al final se estimó más apropiado el jardincillo adosado a la abadía, en la misma plaza de Saint-Germain-des-Prés.

Se inaguró el monumento el 5 de junio de 1959, en ausencia naturalmente de Picasso, pero los amigos de Apollinaire –Cocteau, Salmon, André Billy, el «barón», Mollet y numerosos admiradores más recientes– rodeaban a la viuda, la «bella pelirroja», cuando se descubrió el busto.

«Saludar a Apollinaire es saludar a Picasso, a quien el poeta comparaba con una perla», dijo Cocteau.

Un mes justo después de aquel acto, Picasso y Jacqueline asistían con Cocteau a la corrida de Arles donde Dominguín figuraba de primer espada. Era el día en que el poeta cumplía setenta años y el torero le hizo solemne ofrenda de las orejas y el rabo que le habían sido concedidos. Por la noche, hubo cena entre amigos y Cocteau propuso entonces a Picasso, Jacqueline, Dominguín y su mujer Lucía Bosé, que actuaran de «extras» en la película que estaba preparando para rodar en septiembre: el *Testamento de Orfeo,* para la que había pedido a sus amigos (Mme. Weisweiler, Jean Marais, María Casares, Yul Bryner, el abogado Henry Torrès, Brigitte Bardot, Françoise Sagan, Marlène Dietrich, etc...), que se incorporasen al elenco, en el que también él mismo era protagonista. Porque, como le explicaba a Picasso «¿Tú comprendes?, no puedo permitirme el lujo de actores mediocres».

Los Picasso y los Dominguín aceptaron y se les ve en la película asistir, en una gruta del llamado Valle del Infierno, en Les Baux de Provence, a la muerte del poeta, es decir del propio Cocteau. A Pablo le sorprendió, cuando vio el filme, la dolorosa expresión de Jacqueline.

«Toda película hará lo que le venga en gana –aseguraba Pablo, que pareció divertirse mucho durante el rodaje–. Pasa como con mis pinturas, las empiezo yo, pero luego se pintan ellas solas, y hacen lo que quieren... Ya verás, tu película no te obedecerá...»

Y así ocurrió. El *Testamento de Orfeo* fue un fracaso, pero al mismo tiempo un triunfo de la desobediencia y la libertad.

Picasso había cobrado afecto a David Douglas Duncan, fotógrafo norteamericano que, entre dos reportajes se había presentado en *La Californie* un día de 1956. La puerta, milagrosamente, se le abrió y Duncan penetró hasta la habitación del pintor, a quien acabó por hallar desnudo en el baño; Picasso le hizo amistosamente un signo de bienvenida y todo fue fácil: así nació una profunda amistad. Por lo menos eso es lo que cuenta al reportero de su primera entrevista... En verdad, las cosas sucedieron de otra manera. Lo cierto es que Duncan telefoneó, dijo quien era, hizo valer su amistad con el fotógrafo Robert Capa, a quien Picasso quería mucho, muerto en la guerra de Indochina el año anterior. Cuando se presentó en *La Californie,* el visitante esperó un momento la respuesta del maestro, que fue por fin afirmativa. Una vez que Duncan entró en casa de Picasso, ya no volvió a salir.

«Desde hace venticinco años, he pasado con Picasso más tiempo que en ninguna otra residencia, incluída mi casa» ha dicho el fotógrafo que estaba siempre entre dos aviones o dos barcos, cuando no conduciendo a doscientos por hora su Mercedes 300 S. L.

Con las numerosas fotos sacadas de Picasso –admirable e infatigable comediante, clown genial de un circo constantemente renovado de niños, mujeres, amigos, animales, bufones– Duncan hizo, en 1958, un libro: *El Pequeño mundo de Pablo Picasso.* Mientras que él trabajaba, el pintor escuchaba fascinado, los extraordinarios relatos de sus aventuras de reportero a través de todo el mundo, desde los tiempos en que era fotógrafo de guerra en el cuerpo de los célebres «marines» norteamericanos, y luego en Corea. Terminado su servicio, trabajaba como corresponsal de grandes periódicos y estaba viajando constantemente. Para Picasso, que consideraba sus desplazamientos dominicales a las plazas de toros como toda una expedición, Duncan era un personaje casi fabuloso.

Un día en que ambos trabajaban en Vauvenargues, Picasso le dijo: «Te voy a presentar unos amigos míos». Duncan se sorprendió, no imaginando quién podía haberles seguido al castillo. Picasso le condujo a través del dédalo de habitaciones mientras le explicaba: «Son amigos que no has visto nunca en tu vida...». Por fin Picasso abre la puerta de una estancia ocupada solamente por cuadros, muchos cuadros..., de cara al suelo o alineados contra las paredes, lienzos enmarcados de pesadas molduras doradas, con los ángulos envueltos en papel protector. En la penumbra no se distingue nada... Pablo abre una ventana y Duncan, estupefacto se encuentra ante la «colección Picasso».

Uno a uno va pasando revista a los Cézanne, las *Bañistas*, el *Paisaje de l'Estaque,* el *Castillo negro;* a los Corot; a la *Cabeza de ciervo,* de Courbert, a un paisaje bretón de Gauguin, a los Vuillard, los Braque, los Matisse, los Juan Gris, los soberbios Renoir, un Van Dongen, un pequeño Ingres, el espléndido Modigliani, las piezas del «aduanero» Rousseau, los dos famosos lienzos de Le Nain... Un conjunto extraordinario difícil de enumerar, pues los cuadros grandes tapaban otros más pequeños, pero que podían cifrarse en un centenar.

¿Reflejaba esta colección realmente los gustos de Picasso? En gran medida, puede afirmarse que sí, aunque no poseía ningún Toulouse-Lautrec, pintor por el que tuvo, en su juventud sincera admiración y que era, según propia confesión, el único pintor que le hubiera gustado conocer. No había tampoco ningún Van Gogh, a quien también profesaba gran admiración. Uno de los Miró era el autorretrato adquirido después de la visita que le hizo el entonces joven catalán, cuando llegó a París por primera vez. Los lienzos de Braque eran magníficos, más de una vez los dos amigos intercambiaron obras y además, poco después de terminar la

Segunda Guerra Mundial, Pablo había elegido en el estudio de Braque una *Naturaleza muerta, tetera con fondo negro* y el pintor francés se llevó del taller de Grands-Augustins un gran *Desnudo acostado* que Picasso había pintado en 1944.

Mientras estaban en plena colección, entró Jacqueline con algunos amigos y esto sirvió para sacar a la luz los cuadros más hermosos. Los miraron y remiraron, los colocaron alineados, comparando, y Pablo contó diversas anécdotas. Duncan, por su parte iba sacando fotos. Y Picasso guiñándole el ojo, le dijo: «Hay aquí millones, miles de millones». Al amontonarlos de nuevo, Pablo descubrió unos guaches de Max Jacob y unos soberbios collages de Laurens, luego las cosas de Derain, un cuadro de Max Ernst, otro de Balthus, varios de Dalí. También había gran cantidad de esculturas almacenadas en otra habitación, de Manolo, de Julio González, de Lipchitz, de Fenosa, de Laurens, así como una parte de la colección de máscaras y objetos africanos (otro tanto estaba guardado en Suiza).

Ocurría muy a menudo en París que los marchantes y corredores de pintura fueran a proponerle obras. Durante la guerra, en junio de 1944, le habían llevado un gran cuadro de El Greco en una simple carretilla, aunque cuidadosamente envuelto en mantas. Era un Cristo coronado de espinas, desfalleciente bajo el peso de la cruz, por el cual pedía el propietario cuatro millones. Aquel «Greco de monjitas» como él decía no le interesaba en absoluto. En cambio un marchante, enterado de que había una obra del maestro de Toledo en casa de Picasso, fue a verlo, pero también se echó atrás ante el precio.

En otra ocasión le presentaron un Cézanne y, sin esperar a que el corredor acabase de desembalarlo, opuso indignado: «Hay partes repintadas», el otro se marchó sin rechistar. Un nuevo Cézanne apareció unos meses después, esta vez parecía algo más serio y el muchacho que lo presentaba explicó: «Procede del estudio del pintor. Mi familia lo ha considerado siempre como auténtico». Lleva fecha de la época de los *Jugadores de cartas*. Se trataba de un cuadro falso, una vez más, con gran desconsuelo para el joven propietario. «Cézanne ha sido mi sólo y único maestro, ya puede usted imaginar si lo conozco bien», refunfuñó Picasso.

Y como si alguien quisiera poner en duda su competencia en materia de pintura, invocaba:

«¡Después de todo, sigo siendo conservador del Museo del Prado!»

Duncan iba de sorpresa en sorpresa. Unos meses después del descubrimiento de la colección de Vauvenargues, una mañana en *La Californie,* Picasso le cogió del brazo y le preguntó si no le gustaría, antes de almorzar, echar un vistazo a una de las habitaciones de la planta baja. Y, sin esperar respuesta, lo llevó a donde quería.

Como había hecho en Vauvenargues, también aquí abrió una estancia oscura. Una vez encendida la luz, se produjo un espectáculo parecido al del castillo: una increíble cantidad de cuadros de todos los formatos se alineaban contra las paredes por orden de tamaño. El pintor abrió los postigos, la luz inundó el cuarto. «Ahí tienes» dijo sencillamente. Eran «los Picassos de Picasso».

Nadie penetraba jamás en esa habitación. Durante tres horas, Pablo, Jacqueline y Duncan estuvieron volviendo cuadros uno tras otro, y la mayor parte fueron trasladados al salón contiguo que pronto quedó también, a pesar de ser muy espacioso, completamente atestado. Por todas partes cuadros, grandes, pequeños, anchos, altos, antiguos, recientes, adosados a las paredes, por el suelo, encima de las mesas, de los radiadores, de la chimenea... Y cuando los quitaban, era para poner otros. ¿Cuántos había? ¿Unos doscientos?

«Hay trescientos», precisó Picasso.

Duncan ha relatado así la escena, deslumbrado aún por lo que vio aquel día: «Me acuerdo que yo no dije apenas nada, Picasso movía la cabeza y saludaba a su manera la aparición de cada cuadro, como si asistiera al retorno del hijo pródigo. Durante tres horas, en aquella habitación llena de sol, yo vi desvelarse toda su existencia...».

Muchos de los cuadros procedían de la calle La Boétie, después de la mudanza al dejar el piso, y del taller de Grands-Augustins, otros habían estado durante años en guardamuebles o en cajas fuertes del Banco. Había mezclados sin orden, cuadros de la juventud barcelonesa, de las épocas azul y rosa, del Cubismo, del período neo-clásico, retratos de Olga y de Marie-Thérèse, graciosas caritas de Maya, efigies trágicas, chorreando lágrimas, de Dora Maar. Algunas de aquellas pinturas tenían más de medio siglo, como por ejemplo, la sorprendente *Huida a Egipto,* que Pablo pintó cuando tenía catorce años, escenas callejeras de Barcelona y el retrato de su padre, de un dramático «fauvismo negro».

«¿Cómo he podido yo pintar todo eso?», se preguntaba Picasso que estaba realmente, muy emocionado.

Delante de cada cuadro tenía alguna observación que hacer, una anécdota que contar, un recuerdo que evocar. Toda una vida, la suya, desfilaba ante los ojos del anciano. Se levantó al cabo del sillón en que se había sentado y, aunque aún quedaban por ver docenas de cuadros, hizo que los volvieran a poner en su sitio, cerró él mismo los postigos, la ventana y la puerta. Tras lo cual, se fueron los tres a almorzar. Duncan le propuso a Picasso fotografiar todos esos cuadros que acababa de descubrir. En aquel instante preciso, Picasso estaba silbando una marcha militar mejicana y llevaba del brazo a Jacqueline. Sin volverse y sin dejar escaparse una sola nota de su estribillo, levantó el índice derecho y asintió: «Bueno, pero solo en color».

Mientras comían, precisó Pablo que había aún otra habitación en *La Californie* donde guardaba tantas obras como en la de planta baja, y dos más en Vauvenargues. Duncan le preguntó que cuantos cuadros sumarían en total, pero Pablo se limitó a contestar: «Todos los que quieras...».

En un año, el fotógrafo tomó unos quinientos clichés, es decir todas las obras antiguas que quedaban en *La Californie,* la mayoría de las cuales no habían sido nunca expuestas y eran totalmente desconocidas. Algunas de ellas sorprendieron a los exégetas del maestro cuando apareció el soberbio libro donde Duncan las reproducía: *Los Picassos de Picasso*. A la luz de esos cuadros inéditos, forzoso fue reconsiderar la producción de ciertas épocas.

Mientras Duncan trabajaba, don Pablo aparecía algunas veces de improviso. «Vengo simplemente para mirar un momento por dónde vas..., tengo que conservar ventaja sobre ti», decía bromeando. Pero cuando el americano le pidió si podía fotografiar las obras recientes, en particular retratos de Jacqueline, Picasso se opuso formalmente.

«No, no están terminados. ¡Podrías quitarles algo!»

Duncan comparaba esta reacción a la de las tribus de los desiertos de Arabia y de la jungla de América del Sur que tienen como tenía Picasso, un raro temor y un sentido de rechazo hacia el objetivo fotográfico porque les parecía que, al captar la imagen del individuo, se apoderaban también de su alma. Pablo protegía sus pinturas hasta que se iban de su lado a otros destinos, y desde ese instante, ya esos destinos no le pertenecían.

Vivía por entonces en Antibes, en una casita por encima de las murallas, un viejo amigo de Picasso, Marcel Duhamel, que dirigía en las Ediciones Gallimard la «Serie Negra» (novelas policíacas). Un día fueron a visitarle Jacqueline y Pablo con los Pignon, recorrieron la casa, cuyas ventanas se abrían al mar, admiraron el paisaje, charlaron. De pronto, Picasso se asoma al balcón de la habitación y dice:

«Bien mirado, para un pintor vivir aquí sería lo ideal: un trazo azul y ya está hecho el cuadro.»

«Boutade», sin duda, pero sobre todo expresión en bruto del contacto directo de Picasso con las cosas. El paisaje que él veía, y que los otros también contemplaban, era exactamente eso, una línea azul separando el cielo y el agua. También la pintura es eso lo esencial. Sólo que, ¿quién se contentaría con ello, de no ser Picasso?

CAPITULO XXIV

EL PINTOR Y SU MODELO
(1961-1965)

●

El día 2 de marzo de 1961, el Sr. y la Sra. Ruiz Picasso, que habían ido en coche a Vallauris, regresan gozosos a *La Californie,* y manifiestan su contento descorchando champán con sus domésticos, Janot el chófer, el jardinero piamontés y su mujer, que no salen de su asombro. ¡Picasso acaba de contraer matrimonio con Jacqueline, de ahora en adelante, llevará su apellido! La ceremonia se celebró muy sencillamente en la alcaldía de la pequeña ciudad con la complicidad del Alcalde, Sr. Derigon, antiguo amigo de Picasso, y con el notario Antebi y su esposa como testigos. Paulo, que no había sido invitado ni avisado, se enteró del acontecimiento por los periódicos.

La villa de *La Californie* empezaba a ser menos acogedora. Se había construido mucho, y se seguiría construyendo más en los años venideros, en aquel bello lugar. Grandes inmuebles de cierta categoría se alzan entre las palmeras y los naranjos, como terribles fortalezas de hormigón. Por otro lado, el castillo de Vauvenargues le producía a Jacqueline tales crisis depresivas que sólo será posible residir allí de tarde en tarde y brevemente, para acompañar a los amigos, echar un vistazo a los cuadros, o hacer un descanso en ruta hacia las plazas de toros.

Para evitar todos esos inconvenientes y conservando *La Californie* –que por otra parte, hubiera sido difícil de vaciar, con tantas esculturas y cuadros como contenía, sin contar el increíble amontonamiento característico de todas sus residencias–, Picasso adquiere una magnífica propiedad situada en lo alto de una colina, cerca de Mougins, a tres kilómetros al noroeste de Vallauris. Se llama *Nôtre-Dame-de-Vie* (Nuestra Señora de la Vida).

Picasso conocía bien el pueblecito, donde había pasado los veranos de 1936, 37 y 38, con Dora Maar y el matrimonio Eluard, en el Hotel *Vaste Horizon*. Este nombre hubiera convenido también a su nueva residencia, antaño propiedad de la familia irlandesa Guiness, la de la famosa cerveza negra, que le habían recibido alguna vez. Un olivar delante y una hilera de cipreses detrás aíslan *Nôtre-Dame-de-Vie,* a cuyo pie se extiende un magnífico panorama salpicado de villas y *masías* entre el verdor, y dominado por las torrecillas del castillo de Broussailles. Los tejados de Mougins ponen en el paisaje sus matices de teja rojos, ocre y rosa viejo. A lo lejos, la bahía de Cannes y más allá, las montañas del Esterel.

Una capillita del siglo XVII, que dio nombre a la finca, se encarama en una cresta cerca del viejo cementerio abandonado, mientras que hermosos jardines se escalonan en terrazas donde crecen rosas de todos los colores, entre las que perfuma sobre todo la «follette», dando fresca sombra a los estanques bordeados de matas de lirios. Esbeltos cipreses montan su guardia, erguidos como centinelas, a lo largo de los senderos enlosados.

En la *masía,* las habitaciones son espaciosas y claras y estarán destinadas irremediablemente, y más aún que en otros domicilios, a convertirse en otros tantos estudios y talleres. En la planta baja, un gran zaguán abovedado se abre a la terraza, en la que se suelen hacer las comidas cuando el tiempo es bueno y que pronto se adornará con varias esculturas procedentes de Cannes. No tardan en encontrar sitio también las hojalatas recortadas y las más grandes cerámicas. Más tarde, falto ya de espacio a pesar de las vastas dimensiones de la casa, Picasso hizo construir un ala en la parte trasera.

Al pie de *Nôtre-Dame-de-Vie,* el *Hombre del cordero* es la señalización picassiana, y el taller de grabado Crommelinck, donde trabaja Picasso, está precisamente en Mougins.

He aquí cómo se presenta el reino suntuoso, desordenado y recatado, donde el artista pasará los últimos años de su vida, los años Jacqueline, y donde trabajará hasta el día postrero con una intensidad tal como jamás hasta entonces había puesto. En ese feudo a su medida, la abeja laboriosa y discreta, mano férrea y mirada de acero, segunda esposa legítima de Pablo, reinará con firmeza sobre el hombre, sobre el pintor y sobre su universo. Conforme vayan pasando los años, Jacqueline irá reduciendo el círculo de íntimos, camarilla halagadora e intrigante, ferviente y agobiadora sobre la que Picasso supo siempre a qué atenerse, semejante al bordoneo cortesano encubridor de maniobras hipócritas, complots y envidias, que antaño rodeaba la vejez de los monarcas. Don Pablo no tiene ya necesidad de todo eso pues tiene a Jacqueline. Y la televisión.

Picasso vivirá sus últimos 12 años bajo los ojos vigilantes y solícitos de esa mujer que cuenta con admiradores, y admiradoras, apasionados y adversarios implacables, que supo imponerse con tacto al gran señor, olvidándose de las humillaciones públicas y las ofensas privadas, y que asumió a la vez el honor y la carga de ser la esposa del menos humano de los hombres y el más bondadoso de los monstruos. En los doce años que le separan de la muerte nunca se librará de la obsesión del inevitable fin.

Todos esos años serán de trabajo constante, encarnizado. El hombre *capaz de todo,* se encerrará alegre y desesperadamente en la pintura, improvisando sin cesar las más increíbles metamorfosis. La creación continua condiciona la libertad del creador. Se le puede reprochar a Picasso la superabundancia de su producción última, pero para un hombre como él, ¿no es preferible el exceso que la insuficiencia? El error fue, tal vez, mostrarlo *todo,* cuando se es capaz de decirlo todo.

Las pinturas, dibujos o grabados de esos últimos 12 años no serían ni una forma de ensoñación de las cosas, ni un canto gregoriano, ni un balance. No hay en toda esa obra ni nostalgia, ni lamentación, ni tampoco la rabia de quien sabe que sus poderes van a serle arrancados próximamente, quizá mañana.

Fascinado por su propia vitalidad, Picasso se otorga en esa etapa de su vida, la juventud que nunca tuvo, él que ni de niño hizo dibujos infantiles, que a los 13 años dibujaba como Rafael y que poseía ya, a la edad de los vacilantes comienzos, una maestría que se impuso como el niño prodigio de La Lonja. ¿No es, acaso, al término de la existencia cuando el acto de pintar sin finalidad precisa, sin pensar, cuando el gesto creador desprovisto de condicionamientos, de límites, de «cultura», cobra toda su impetuosa libertad? Cabe en lo posible que desemboque en la nada, pero esa nada ¿no estará hecha del misterio en donde se pierde, y donde se encuentra, toda creación?

¿Qué puede ya temer? «Bien o mal, todavía me siguen echando flores», confía don Pablo a uno de sus íntimos.

La vejez apacigua y limita, pero la de Picasso será explosión, audacia sin freno. Largamente abusará del derecho a hacerlo todo y decirlo todo. La mayoría de los artistas que llegan a una edad avanzada ven pasar el tiempo con la mirada puesta en el aspecto maravilloso de lo visible y lo reflejan en sus cuadros. Los ojos negros de Pablo desafían y vapulean al tiempo. Los yerros del genio suelen ser más dramáticos que otros, pero no dejan de ser geniales.

«Todo lo que pasa, está aquí», declara un día Picasso llevándose la mano a la frente. Y ese simple gesto dispensa de todo comentario. «Antes de llegar a la pluma o al pincel, lo que importa es tenerlo todo cogido, sin que nada se pierda, en su totalidad», insistía con el ademán peculiar de frotarse las yemas de los dedos con el pulgar para subrayar el misterioso poder que tenían.

La constante creación le apartaba de toda reflexión, impidiendo el análisis. De todas maneras, como la pintura le hace lo que ella quiera ¿para qué intentar explicársela? Había que oír a don Pablo extasiarse hablando de esa dicha que él poseía de poder exteriorizar la vida. «¡Hay que ver las cosas que me obliga a hacer la pintura, ¿eh?!» repetía, mientras pasaba y volvía a pasar delante de los cuadros en el gran taller de *Nôtre-Dame-de-Vie,* los cambiaba de sitio, los comentaba, satisfecho de sus privilegios y de oir hasta la saciedad el coro de cortesanos embobados de admiración, que participaban en esa liturgia específicamente picassiana cuya transcripción parece luego, tantas veces, ridícula en la pluma del exégeta de turno. (Picasso sabía saborear esa ridiculez y hacía todo para exagerarla). Sin embargo, en la realidad esa liturgia no estaba desprovista de grandeza patética y, de hecho, aún murmuraba como para sí esa interrogación tantas veces repetida que muchos amigos le habían oído decir en voz baja: «¿Va esto a tenerse en pie?».

«No he dicho aún todo lo que tengo que decir.... Y no me queda tiempo»: eso será el lema de los últimos 12 años en Mougins. Hambre y sed de *decir,* siempre insaciables, rayan en tal obsesión, y cuanto más dice, más don Pablo se hunde en su rechazo del mundo y de los demás, más solo y desesperado se siente, contando nada más que consigo mismo, condenado a ese «mano a mano» con su grave destino, enfrentamiento que se traduce en inagotable creación de imágenes, ya trágicas, ya irrisorias o irónicas. Poseído por las exigencias que le atormentan, en rebeldía permanente contra su virtuoso «hacer», pero también contra los límites o las impotencias de la pintura, contra la sumisión en cierto modo ontológica del individuo, sobre todo cuando le lleva a inscribirse en el tiempo y en el espacio, dos nociones de las que tiene perentoria necesidad de liberarse.

Lo que el solitario de *Nôtre-Dame-de-Vie* emprende en el acto final de su vida, es una nueva formulación del deseo. Indiferente siempre a los problemas de los demás y más aún a las mutaciones estéticas actuales –es la época del «nuevo realismo», del pop'art, del cinetismo, de la «figuración narrativa»– incluso sus propios planteamientos, los que informaron el Cubismo y las obras mayores como el *Guernica, Las Meninas, Los Almuerzos campestres,* las figuras ingrescas, los rostros trágicos, los cuerpos deformados, le parecen ahora sin objeto.

La principal fuerza de Picasso reside en esa capacidad de olvido, en la aceptación y el abandono del destino, nutridos permanentemente de la vida misma renovada, exaltante, que perdura cuando todo lo demás ha fenecido. Es evidente que don Pablo sentía ante el cuadro la certidumbre de que él no podía morir, que su pintura era un talismán que le protegía contra lo ineluctable.

Y que si un día tenía que morir, sería con la pintura, en la pintura.

Todavía se ofrecería una última vez al entusiasmo del público, los días 28 y 29 de octubre del 61, en que se celebra su ochenta cumpleaños. Exhibición lastimosa, grotesca y cándida: se le verá dando una vuelta por Vallauris en Cadillac blanco precedido por dos motoristas, en medio del delirio de la gente, y recibir los homenajes del Partido, del sindicato de alfareros, de las democracias populares, de los grupos folklóricos, de Luis Miguel Dominguín, de Jacques Duclos, del pianista Richter, del escritor Hervé Bazin, del cineasta Bardem, del Director de los Museos de Francia, en representación del ministro André Malraux, y hasta del Embajador de Ghana...

Vestido con un traje de cuero negro (Sapone explica que no es cuero, «lo he confeccionado en una materia desconocida que encontré en los Abruzzos»), don Pablo mira con aire pensativo una treintena de cuadros de distintos períodos expuestos en el Nerolium, almacén destinado a la recolección de jazmín y de azahar empleados en la perfumería y dice:

«Todas estas cosas se habían alejado de mí y las vuelvo a encontrar con buena cara.»

Un adulador afirma que el hombre y su obra son igualmente jóvenes, y Picasso contesta:

«A lo mejor es que los dos nos imitamos.»

Confesión sorprendente que relega a segundo término la fiesta folklórica, el programa artístico y musical, la kermés comunista y la corrida prohibida hasta el último momento por el prefecto mal enterado de los ritos picassianos. Aquella sería la última vez que el maestro vería una exposición de sus obras y que confrontaría su mirada vivaz con la visión que, desde hace casi setenta años de creación constante, encierra en sus cuadros.

Todavía un instante entre la gente y Jacqueline va a tomarle suavemente por el brazo para llevárselo, con la perentoria persuasión de las mujeres fuertes, hacia el remanso de paz de donde ya no saldrá sino en muy raras ocasiones, para escapadas a *La Californie,* o cortas incursiones al taller Madoura y algunos paseos en coche, conducido por Jacqueline o por el chófer. De vez en cuando le gusta ir al cine en Cannes, pero se irá aficionando más y más a la televisión que le ofrece de cuando en cuando programas de lucha libre, espectáculo que suele contemplar con pasión, en compañía del peluquero Arias y algún otro amigo.

Le gusta también ir personalmente al aeropuerto de Niza para esperar o acompañar a los viajeros que van a verle. En una de esas ocasiones, mirando el edificio aéreo, dice:

«Ya ves, me preguntan si he aportado al arte algo nuevo, pues mira, este aeropuerto, sin el Cubismo, no sería así.»

Pocos acontecimientos exteriores vendrán a turbar la existencia laboriosa del despierto anciano: en 1962 recibe el Premio Lenin de la Paz; en 1963, la muerte de Braque y de Jean Cocteau le conmueven profundamente por más que, como de costumbre, se niega a hacer la menor declaración y cierra su puerta a toda solicitud. Por el contrario, se ocupa muy activamente de su museo de Barcelona. Cuando la grave crisis de Cuba, en octubre de 1962, presta más atención a esos sucesos que a las numerosas exposiciones y a los libros que le consagran en todo el mundo. En cambio, sí que le interesa y sigue de cerca la reproducción de sus cuadernos de dibujos, y muestra entusiasmo por el magnífico *Picasso hoy,* publicado por las *Editions du Cercle d'Art* en 1969, libro en el que Charles Feld reunió cuatrocientos dibujos realizados entre marzo del 66 y marzo del 68.

Entretanto, sus grabados, en linóleo, al aguafuerte, a buril, al aguatinta, sus litografías, carteles, esculturas, cerámicas, entran en el vasto repertorio de los catálogos críticos y Zervos sigue con minuciosa atención y constante fervor el ingente catálogo de las pinturas y dibujos (incluidos guaches y acuarelas), tarea que prosigue después de su muerte, su colaborador Mila Gagarin, con pleno acuerdo de Picasso para la publicación. Veinticinco tomos se habrán publicado cuando desaparezca el artista, en 1973, y un suplemento sale aún, correspondiente a los años 1907-1909, tres meses después de su muerte.

Esos libros, y los estudios que no dejan de serle consagrados, los testimonios sentidos de sus amigos, los números especiales y artículos de las revistas, como las exposiciones en galerías o en grandes museos, son la mejor prueba de la universal reputación del pintor. Pero no encontramos apenas ninguna intención analítica en las obras publicadas sobre Picasso triunfante de esos últimos años. El mito se mantiene contra la indiferencia de la joven pintura y de la joven crítica, para quienes el viejo maestro fosilizado no es ya más que un fenómeno de longevidad en la creatividad, mientras que su juvenil impetuosidad todavía subyuga a las damas de la corte admirativa y a los plumíferos del Partido que llevan la voz cantante en el coro de aduladores.

Nada de existencia de Picasso nos será ocultado, ninguno de sus dichos y hechos, incluso los más triviales o ridículos, que cobrarán para algunos, en un instante que pretenden único, un valor sagrado. Por ejemplo, cuando el serio historiador de arte inglés, John Richardson, dice que si Picasso «mira un libro, lo mira como si nunca hubiera visto otro hasta ese momento», y que «cuando bebe un simple vaso de agua da la sensación de que *está pensando* en ese vaso...»

Los adversarios del pintor no caen en menores excesos, aunque no es entre los críticos de arte ni entre los pintores donde se da la mayor virulencia. El novelista J. Dutourd, declara, por ejemplo, que «Picasso es una especie de viejo chocho en delirio, completamente extravagante, que hace unas cosas de dibujo balbuceante y colores extraordinariamente groseros...». Este tipo de acusaciones demoledoras no sale, evidentemente, de los críticos, sino que aparece más en las columnas de cronistas y polemistas de derechas, por lo general unidos a ataques anticomunistas y antisemitas que suelen reiterar sin pudor las vergonzosas acusaciones que antaño proliferaban en la prensa del tiempo de la ocupación. Algunas veces hasta se saca a relucir la falsa entrevista de Papini.

Cuando el 22 de octubre de 1962, el presidente Kennedy denuncia la instalación de misiles intercontinentales rusos en Cuba y decreta el bloqueo del país, se produce una conmoción en el mundo que Picasso también sentirá profundamente. El peligro de guerra no ha estado nunca tan cerca. Bajo los efectos de la primera impresión, Pablo pinta aquel mismo día una *Naturaleza muerta con perro,* y la fecha con cifras enormes, como cada vez que un acontecimiento importante origina un cuadro. En este bodegón, el perro se acerca con amenazadores colmillos a un montón de crustáceos y frutas esparcidas en una mesa. Al día siguiente, un gato, no menos feroz, ha tomado el sitio del perro. (Recordemos que el gato reaparece un muchas pinturas de Picasso en períodos dramáticos, sin duda porque no le tiene ningún afecto, le parece un animal hipócrita y cruel).

El día 27 Jruschof cede al ultimátum de Kennedy: tras aquellas horas de trágica tensión, el mundo vuelve a respirar aliviado, se ha conjurado la guerra. El día 24, es decir, en pleno paroxismo de la amenaza de un conflicto, Picasso había hecho, en la misma jornada, catorce dibujos preparatorios para un cuadro que emprende inmediatamente después: *El rapto de las Sabinas.* Es un extraordinario revoltijo, vehemente y brutal, de cuerpos entremezclados, pintados con increíble rapidez, como si el autor del cuadro hubiera sido testigo presencial del hecho que representa.

El día 25 prosiguió sus estudios con diez dibujos de diferentes detalles, seguidos de otros dieciséis al día siguiente y tres más los días 27 y 28. Prueba de que tiene intención de continuar la exploración del tema. La tela del día 24 sería, en efecto primera de una serie que seguirá desarrollando en los meses venideros.

El trágico episodio de la guerra entre romanos y sabinos, que los pintores franceses Poussin y David habían tratado de manera muy teatral, el primero insistiendo en la violencia del rapto, el segundo poniendo de relieve la intervención pacífica de las sabinas, lo trata Picasso como exponente de la brutalidad ciega de los combatientes. Con el acicate de la rebeldía e impulsado por su repugnancia hacia la guerra y la soldadesca ebria de sangre, don Pablo recobra su *furia* (1) heroica de Guernica, y pinta unas figuras que se entrechocan y se desgarran. Como un terrorista, arremete contra la rigurosa composición de Poussin, y lo trastorna todo, aplastando, triturando, desarticulando, revolviendo... Combate sin remisión que no tendrá otra salida que la muerte de uno de los dos adversarios, si es que el pintor consigue, por su parte, llegar al último extremo.

«Es necesario saber ser vulgar», decía Picasso, y él lo es. No duda en hacer una pintura sucia, embarrada, en trazos aplastados, en líneas maculadas, con colores que chorrean, con partes en grisalla voluntariamente descuidada, salpicones, borratajos. No controla, no construye, sino que se desborda incontenible.

El 25 de octubre, cuando nadie conoce todavía cuál será el desenlace del conflicto entre soviéticos y norteamericanos, Picasso concede una importancia insólita a un detalle del *Rapto de las Sabinas,* que no habían podido prever, claro está, ni Poussin ni David: una mujer cae de espaldas de una bicicleta y el caballo de uno de los romanos la pisotea. Luego vuelve a tratar el conjunto del tema, pero como entretanto se ha conjurado el peligro de guerra, transforma *El Rapto,* es una especie de inmensa orgía de pechos, muslos, nalgas, y sables entremezclados, de la que también hace varias versiones. La más espectacular data de los días 4 y 8 de noviembre y pertenece al Museo de Arte Moderno de París. Combinando *El Rapto de las Sabinas* con *La Matanza de los Inocentes* –tema éste tratado igualmente por Poussin– Picasso

---

(1) En español en el original.

compone un decorado libremente «antiguo» donde conviven mujeres desnudas, niños, guerreros y caballos, en mezcla de sexo y sangre.

Como siempre, las efigies femeninas –cabezas, mujeres sentadas en un sillón, mujeres con perro– distraen a Picasso de sus accesos de violencia. Calmada ésta al confirmarse que la paz no se turbará, vuelve tranquilamente a algunos de sus temas favoritos inspirados en motivos que tiene al alcance de la mirada.

El grabado en lino ocupará gran parte del año 62, y también prosigue las cabezas recortadas en hojalata que luego pinta de manera muy realista, dando particular importancia a los ojos, casi siempre exorbitados. Varios perfiles tienen a Jacqueline por modelo. Hay que decir que en toda circunstancia y actitud, Pablo pinta, dibuja o graba, el bello y hermético rostro de su mujer, basta que ella cambie de vestido o de peinado, que se acueste o se siente en la mecedora, que acaricie al perro afgano, para que Picasso plasme esos instantes con una atención y un fervor sólo comparables a la portentosa movilidad de su mirada y al virtuosismo de la mano.

También aparece Jacqueline en numerosas placas de cerámica: Jacqueline con cinta amarilla, Jacqueline sombreada de azul, Jacqueline con vestido rosa, Jacqueline con cuello largo, etc. Pablo ya no va casi al taller de los Ramié, pero le traen los platos y las placas de Mougins. La producción de vasijas cesó en 1956, la de los años 60-71 no será más que decoración, defecto en el que Picasso no podía por menos de caer desde el momento en que consideró la cerámica como simple soporte, sin preocuparse de su técnica. Sería inútil, por tanto, extendernos demasiado acerca de las últimas obras, en las que la tauromaquia ocupa una creciente importancia: todos los lances de la corrida están representados con el estilo «tachista» de las aguadas de la época 57-59, sobre fondo de loza rosa.

Pero son sobre todo las cabezas lo que ahora le ocupan prioritariamente, también aquí se contenta con repetir en placas las variaciones de formas y colores de la pintura, de la litografía del dibujo o del lino. Una serie de siete de esas tablillas de cerámica fueron estampadas, en 1964, sobre matriz de yeso, reproduciendo el vaciado de un grabado original en lino destinado a ser trasladado al papel. Luego, realiza algunos platos redondos en loza blanca, y otras placas decoradas con variaciones barrocas y coloreadas incorporadas a las cabezas, análogas a las que viene desarrollando, por esa misma época, en los cuadros.

En la restrospectiva celebrada en París, en 1966, con motivo de sus 85 años, la cerámica aparecía como el aspecto menos consistente de la producción Picasso. Pierre Courthion llegaría, incluso, a hablar de «amontonamiento de no se sabe qué museo arqueológico "glozelisé"» (2).

Las mujeres tumbadas –cuerpos informes y blandos–, los desnudos desarticulados, las mujeres con sombrero o sentadas en una butaca, se suceden típicamente picassianas, mientras que dibuja en numerosos cuadernos una considerable cantidad de estudios sobre temas femeninos: cuatro cabezas apoyadas en la mano, a lápiz sepia, el 9 de enero de 1962, tres cabezas con sombrero, también a lápiz sepia, el 12, otras tres el día siguiente, cuatro el 14, etc., y varios desnudos en posición reclinada.

Los primeros retratos de la *Mujer con perro* (Jacqueline y el afgano Kabul), datan del 13 y 21 de noviembre, luego del 23 de noviembre, 14 de diciembre, y el que comienza el día 13 de diciembre y termina el 10 de enero, se resiente de las dotes de Picasso como escenógrafo. El tema volverá de nuevo en los meses siguientes, contemporáneo de otras cabezas de guerreros, derivadas del *Rapto de las Sabinas,* y de estudios concretos sobre este motivo.

Nunca se sabe, con Piccasso, cómo le vienen las composiciones, las figuras, las ideas, los temas... De lo que acontece

---

(2) Se refiere a un descubrimiento arqueológico en el pueblo francés de Glozel que fue muy discutido por los años 20 y sigue siendo discutible. *N. del T.*

exteriormente, por supuesto, pero también de su vida cotidiana. Así, por ejemplo, *El Paisaje de Mougins,* admirable sinfonía de azules fríos y blancos, pintado el 26 de diciembre del 62, se lo inspiró un paseo en coche, por las nevadas colinas cercanas, excursión en la que Pablo y su mujer estuvieron a punto de perderse y tuvieron que luchar contra la helada. El accidente sirvió durante mucho tiempo como pretexto de narración, cada vez adornado con nuevos detalles con esa habilidad de Picasso para contar, incansable, a partir de un hecho cualquiera de lo más trivial. Lo mismo que hacía en sus cuadros.

Cinco días después, para despedir el año, pinta un muchacho sentado tocando el «pipeau» (especie de flauta) en gris y blanco, un gris y un blanco sucios, como la nieve pisoteada de los caminos de Mougins, en un prado de verde fresco y con un cielo azul uniforme. ¿Reminiscencia tal vez de *La Alegría de Vivir*?. Aquel adolescente tranquilo que toca la flauta anuncia, con su expresión gozosa, el año que va a comenzar.

Por esos días también pinta con sereno realismo, un retrato de Cathy, la hija de Jacqueline, con su cabecita fina y enérgica de perfil agudo, y se lo dedica con humor «a mi hija de leche».

El sosiego no va a durar mucho. El 9 de enero del 63, Pablo empieza una composición vertical que termina el 7 de febrero. Son dos combatientes, uno a caballo, y el otro a pie, éste de mayor tamaño que su adversario y su montura, afrontándose con salvaje determinación, sin hacer caso de que pisotean a una mujer con su niño, que gritan de terror. Este cuadro se titula *El Rapto de las Sabinas, después de David.*

La retórica del pintor David recobra aquí su nobleza épica, en el movimiento de los soldados que blanden la espada o la lanza dirigiéndola uno hacia el otro, en la angustia de la mujer, en el pánico del niño. Las figuras, escalonadas, dejan poco lugar al espacio-paisaje, visible sólo entre los personajes: un campo de hermoso verde, un templo, un cielo de azul puro.

Ninguna concesión al pintoresquismo, a la anécdota o al saber hacer viene a recargar ese torneo singular cuya fuerza bárbara rebasa con mucho el episodio histórico y la pintura que lo ha inspirado, para tocar lo universal. Una vez más, se refiere a todos los combates y todas las guerras, ridiculizadas por el «vestuario histórico» que Picasso ha puesto a sus combatientes y por el entorno «antiguo», de todos los horrores que el pintor ha querido estigmatizar y condenar.

Tanto el episodio como el cuadro de David no fueron, efectivamente, sino un pretexto. La historia, por otra parte, no es nunca más que pretexto, Picasso tergiversa los datos, cambia el sentido de los hechos, varía los movimientos de la narración, confronta el pasado con el presente en una misma acusación implacable, una misma denuncia a la que ese hombre de 80 años se entrega por entero. «No podrá decirse que no es trabajo», comenta.

Matanzas y guerreros ocupan los meses de invierno, en múltiples imágenes diversificadas, pero siempre tomando partido por el débil, el inocente, el vencido. En *El Rapto de las Sabinas* y la *Matanza de los Inocentes,* de los días 4, 5 y 8 de diciembre, el centro está ocupado por el trágico escorzo en grises de una víctima pisoteada por los caballos. Sin embargo, no puede por menos de celebrar la fuerza, de exaltar la violencia de los guerreros. Como en el juego de la plaza, igual de cruel, Picasso está al mismo tiempo del lado del toro y del matador.

Si las Cabezas de guerreros contemporáneas o consecutivas de los Raptos cobran en un momento dado tal importancia, es a causa del tema propuesto a los expositores del Salón de Mayo 1963, única manifestación pública colectiva a la que Picasso sigue enviando alguna obra. El motivo obligado versaba aquel año en torno a *La Entrada de los Cruzados en Constantinopla,* en homenaje a Delacroix de quien se conmemoraba el centenario de su muerte.

Algunos de los participantes en el Salón protestaron, encontrando que la idea del cuadro de Delacroix era «pom-

pier», ñoña y el retorno a un tema dado se juzgaba retró-
grado.

Picasso por su parte no se inquieta lo más mínimo. «A
mí el tema no me ha asustado nunca... Por otra parte, nunca
se suprime del todo el tema... Aunque el cuadro no sea más
que un color, enteramente verde, pues, en ese caso, el tema
es el verde.»

A propósito de aquel motivo, explica a Hélène Parmelin:
«Actualmente, un guerrero si no tiene casco, ni caballo, ni
cabeza, es mucho más fácil de hacer... Claro que a mí, desde
ese momento, no me interesa en absoluto. Si es así, lo mismo puede tratarse de un señor que va a tomar el metro. Lo
que a mí me interesa del guerrero es el guerrero». Y pinta
incansable, guerreros y más guerreros, con una *furia* increíble (3). Bromeando dice que su taller está tan lleno de guerreros, que se tropieza con ellos. «Nunca ha sido como ahora, es la cosa más difícil de pintar... No sé si vale, a lo mejor
es algo espantoso. Pero en todo caso, yo los hago, los hago a
millares...» (4).

En efecto, los meses de invierno los pasa con esos hombres armados y con casco. Algunos de ellos inauguran una
serie de cabezas de pim-pam-pum que luego irá multiplicando. Son otros tantos aspectos diferentes, variaciones de un
tema ya antiguo, pero que cobrará nueva amplitud: el Pintor y su modelo. El primer dibujo de esta nueva serie está fechado el 10 de febrero de 1963.

Los días 13 y 14 de marzo interpreta a su manera el
Rembrandt y *Saskia* del museo de Dresde y en la composición caótica de Picasso se perciben todos los elementos de
aquel cuadro soberbio: el gozo exuberante del pintor, con
sombrero de pluma y espada al cinto, alzando su copa de
vino en brindis a la mujer que tiene en sus rodillas. La versión picassiana entra en la serie de El pintor y su modelo en
la cual representa a veces aparte la figura del pintor.

_____

(3) En español en el original.

(4) H. Parmelin: *Picasso dit...*

El motivo del que mira y el mirado ocupará la producción de Pablo todo aquel año y principios del siguiente. Ya sabemos con qué total entrega se consagra a lo que emprende. Hèléne Parmelin escribe entonces: «Picasso está desatado... Está pintando *El Pintor y su modelo,* y a partir de un tema dado trabaja como un loco. Jamás ha pintado con tanto frenesí»

«Mis cuadros, una vez terminados, son las páginas de mi diario» –había dicho Pablo años antes a Françoise Gilot– y como tales son válidas. Luego, el futuro elegirá las que prefiera. No soy yo quien debe hacer la selección... Soy como un río que sigue fluyendo y cuya corriente acarrea lo mismo árboles desarraigados que perros muertos, desperdicios de todas clases y los miasmas que proliferan (5).

Picasso es el que mira en su escena del Pintor y su modelo, como había sido el Hablador de los Almuerzos, y va, de entrada, a lo esencial. La confrontación del pintor y de la mujer cobra, desde los primeros cuadros de marzo del 63, toda su significación expresiva: no se trata tanto de representar al artista en el acto de pintar como de ilustrar el acto mismo en su desarrollo, al igual que Clouzot había hecho en su película «El Misterio Picasso.» Cada cuadro es el eslabón de una cadena, un momento en un proceso continuo, y en él se adivina el que va a seguir, que contendrá en parte el precedente. Y así sucesivamente.

Picasso sigue fiel a su tema, a la representación. Incluso esquematizados y hasta chapuceros, sus personajes conservan una apariencia humana, y se siguen a un ritmo extraordinario, empujándose los unos a los otros como si tuvieran prisa en asumir su papel en el cuadro. Tal movilidad, perceptible en la pintura de Picasso desde 1930, cobra una precipitación vertiginosa en la serie del Pintor y su modelo: el hombre que delante de su caballete pinta a la mujer que posa, sea en su estudio o al aire libre, no permanece ante nuestros ojos más que un instante, apenas aparece cuando

---

(5) F. Gilot y Carlton Lake: *Vivre avec Picasso...*

ya otro le reemplaza. El ceremonial del ágil movimiento de la muñeca se convierte en verdadera carrera contra reloj, como lo prueba el sorprendente «reportaje» de Hélène Parmelin (6).

«El 22 de febrero, hace un pintor sentado al caballete. Desde encima de una cómoda de cajones, una cabeza de yeso o de piedra, mira al pintor.

Del 22 al 26, trabaja en otro lienzo del mismo tema.

El 2 de marzo, pinta cuatro lienzos: el pintor y su modelo con un desnudo verde.

El 4, pinta un desnudo blanco, más dos cuadros con la cabeza del pintor.

El 13, el desnudo con el brazo extendido ofrece un vaso mientras el pintor sigue trabajando.

El 14, el desnudo está ausente, tal vez durmiendo en otro lugar, en todo caso el pintor solitario trabaja delante del caballete de su taller.

El día 25, el pintor sigue solo. En el cuadro del 26, en cambio, es la modelo la que está sola triunfalmente de pie en un gran lienzo, y el mismo día el pintor al fondo del estudio, aparece en otro cuadro trabajando ante el busto que ha crecido, mientras que la modelo se aleja.

El 27, el desnudo se amplía. El 28, se acerca hasta tocar el caballete del pintor. Al día siguiente el pintor se ha puesto el sombrero. El 30, el caballete y la barba del pintor son azules, ¡oh, Barba Azul de mil mujeres colgadas en todos los museos del mundo! Y el mismo día, la cómoda se ha puesto color naranja en otro cuadro, en tanto que el desnudo toma enormes proporciones.

El 2 de abril, el perro afgano Kabul viene a echarse a los pies del pintor.

El 3, el pintor se pone un sombrero de color "fauve" para trabajar, etc., etc.»

Y así varios meses, durante los cuales Picasso no se limita a esta serie del Pintor y su modelo. De uno a otro cuadro,

---

(6) H. Parmelin: *Picasso dit...*

siempre con una libertad pasmosa, no hay la menor evolución y sucesión lógicas, sólo hay pintura, pintura impetuosa, a rienda suelta, hasta perder el aliento. Algunos de los grandes cuadros comenzados en la primavera, vuelve a trabajarlos y terminarlos en el otoño sin cambios importantes, salvo sensibles modificaciones de color, de espacio y de luz.

Con los lienzos que inician la serie, el titulado *Pintor y su modelo en el estudio,* fechado 17 marzo-9 abril, y el *Pintor y su modelo,* de 28 de abril-4 de mayo, se opera ya la composición en interior y en exterior. El ambiente aparece tranquilo, entre el que mira y la modelo se establece una sosegada relación de confianza, están a respetable distancia uno de otro, lo que permite a Picasso conceder particular importancia al decorado muy estilo «artista pintor» o al paisaje. Luego, a lo largo del mes de marzo, suprime el espacio y acerca a los protagonistas que se encuentran ahora frente a frente, casi uno contra otro, pero así como la mujer desnuda, recogida en sí misma, se diría que está en guardia, el pintor no parece sereno sentado detrás de su caballete, con la paleta en la mano (al revés que Picasso, que nunca se servía de paleta sino que extendía los colores sobre una mesa). ¿Es porque está seguro de sus poderes?

Así es como empieza el diálogo o mejor dicho así vuelve a comenzar la confrontación, esa confrontación que ya sabemos es esencial en la obra de Picasso, entre él mismo, su doble y eso que a sus ojos cuenta más que nada en el mundo: la pintura.

Por supuesto, la pintura le obliga a hacer lo que ella quiere, pero en este caso, ¿no estará ocurriendo lo contrario? ¿No habrá escrito eso don Pablo en sus cuadernos, el 27 de marzo del 63, porque estaba entonces seguro de lo contrario? Porque hay que ver con qué maestría, con qué libertad manipula ahora la pintura... Picasso ha digerido todo, la historia del arte, la de la cultura, ha digerido a Poussin, a Delacroix, a David, a Manet, a Cranach, a Rembrandt... nada tiene ya secretos para él ni los tiene tampoco para consigo mismo, acostumbrado a decirlo todo, a mostrarlo todo, pero

he aquí el prodigio: la pintura sigue maravillándole y subyu-
gándole, para este hombre millonario enclaustrado en su
masía pintar equivale a una extraordinaria persecución hacia delante, una forma de ir aún más allá de sí mismo.

Y se percibe en la sucesión de los Pintores y su modelo, lo
que no aparecía desde hace largo tiempo, el sentimiento.

En ese «mano a mano» del observador y el observado, no
hay apenas movimiento. Entre esos dos personajes no ocurre
virtualmente nada, nada que no sea pintura. Es la primera
serie –y será la última– «abstracta» del pintor que no ha cesado de vapulear y de ridiculizar la abstracción, cuyas razones se comprenden ahora mejor. A partir de abril-mayo,
pintor y modelo ocupan todo el espacio del lienzo, pero ¿se
trata en verdad del uno y del otro? Su personalidad y su realidad ¿no están ampliamente superadas por la interpretación
que Picasso les da? El, siempre trató de hacer al espectador
partícipe de su gozo creador, de sus descubrimientos, de su
exaltación, que deseó ser comprendido hasta por el más humilde de los mortales, está ahora únicamente preocupado no
por sí mismo, sino por su dialéctica. Acaso porque como
solo en la vida y solo en su siglo, solo está también en la pintura, en la idea que él se hace de la pintura.

Todo esto, mientras pregunta cada día y sigue con inquietud el progreso de la enfermedad, que no tardaría en llevarse
a Braque, su amigo de juventud. Braque, el que fue con él, e
incluso contra él, tan plenamente pintor, y por lo cual Picasso sufriría, como llevó mal el talento de Juan Gris, de Léger,
de Bonnard, de Matisse.

La pintura, siempre esa espina clavada en la carne.

De todos los temas que Picasso abordó, este del Pintor y
su modelo es el que más tiempo le tuvo ocupado, hasta sus
obras postreras, y no hay ningún otro con tantas variaciones
e interpretaciones. Al igual que el héroe del *Chef d'oeuvre
inconnu,* el libro de Balzac que antaño ilustró, Pablo se pasó
la vida soñando ese cuadro absoluto que todos los astistas
ambicionan pintar alguna vez y que nunca llegan a hacer,
puesto que su realización es imposible. Y es precisamente

por eso por lo que les obsesiona, como obsesionó a Frenho-
fer hasta conducirle a la locura.

Respecto al proyectado museo que Barcelona consagra al
más ilustre de sus hijos adoptivos, existen dudas sobre si ha
de llevar o no su nombre. En Madrid no falta quien lo vería
cómo una provocación. Pero lo cierto es que las obras de
instalación avanzan y se espera que pueda inaugurarse en
1963. Entretanto, Sabartés ha sufrido un ataque de hemiple-
jía y ha tenido, por tanto, que dejar de ocuparse personalmente de los trámites para ese «Museo Picasso» en que había puesto tanta ilusión. Su viejo amigo no le ha abandonado en su desgracia: como el estado de sus piernas le obliga a
dejar su piso antiguo de la calle Convention, Pablo compra
para él, en febrero de 1962, un apartamento con ascensor en
el 124 boulevard Auguste-Blanqui, donde puede vivir mucho más cómodamente, atendido por su ama de llaves catalana, la joven Pilar Solano.

Picasso tiene siempre ante lo ojos las maquetas del museo;
con Juan Ainaud de Lasarte, que hace frecuentes viajes Bar-
celona-Cannes, estudia la disposición de las salas, la ilumi-
nación, el emplazamiento de las vitrinas y los paneles, la
disposición de las obras, etc. Pasado el momento de gravedad, en cuanto Sabartés puede reanudar sus actividades, parte de nuevo a Barcelona y esta vez le espera una gran alegría:
la Municipalidad le ha nombrado conservador honorario del
museo de la calle Montcada. Al enterarse del nombramiento, Pablo le dice: «Pues los dos tenemos la misma profesión
solo que tú sí que puedes ir a tu museo, yo no...» No olvide-
mos que Picasso seguía siendo conservador honorario del
Prado.

Por entonces, Fernande Olivier, vivía sola, enferma y pobre en un pequeño alojamiento de Neuilly, rumiando me-
lancólicamente sus penas y recuerdos, en los que figuraba
siempre aquel español de mirada de fuego que ella encontró
un día al ir a la fuente del Bateau Lavoir, y que no supo
amar ni comprender. Nunca se habían vuelto a ver desde su

separación y ella no conservaba de Pablo más que un espeji-
to en forma de corazón.

La viuda del pintor Derain, que prestaba ayuda a Fernande, se había dirigido a Picasso, en 1958, y éste le envió
10.000 francos (7) para los cuidados que necesitaba la preca-
ria salud de Fernande. Pero como la pobre infeliz no tenía
para vivir más que una exigua pensión de ancianidad, poco
después Alice Derain rogó a Braque que interviniera cerca
de Picasso para que asegurase a Fernande una renta de-
cente. Para él eso no hubiera sido gran cosa...

Braque y su mujer, aprovechando un viaje a Cannes con
Claude y Denise Laurens cumplieron la misión. Picasso
asintió, se sentó a la mesa, se caló las gafas, cogió su talonario de cheques... Y de pronto, bruscamente, se volvió hacia
Braque y, delante de Claude Laurens, le preguntó a quema-
rropa:

«¿Y por qué no la ayudas tú?».

Dicho lo cual, cerró el talonario, se lo metió al bolsillo y
salió.

Por fin, años más tarde, y a petición de Jacqueline, Pablo
consintió en pagar a Fernande una pensión; no era más que
otro cheque entre otros tantos como firmaba cada fin de
mes, para Paulo, para el servicio, para los pedigüeños. Desde hacía algún tiempo, había confiado ese menester a su
amigo el banquero Max Pellequer, pues Picasso se enteró
que había quien vendía su firma por un valor superior al del
propio cheque.

La avaricia de Picasso ha dado pasto a no pocas anécdotas, y Brassai, sobre todo, daba algunos ejemplos en su libro
Conversations avec Picasso, por lo cual se excusó, todo con-
trito, ante su amigo, pero Pablo le contestó: «¡Mejor es así,
prefiero pasar por un ogro antes que por un bienhechor!».

Hay que decir que Picasso estaba solicitadísimo, asediado.
Pero cuando no lo estaba podía ser capaz de hermosos gestos
de desprendimiento, por un brusco capricho, o más bien por

---

(7)   10.000 francos actuales, que en 1958 suponían un millón.

un impulso del corazón, pues era hombre que estimaba y cultivaba la amistad. Claro que también podía mostrarse grosero y odioso con cualquier otra persona.

Valentine Hugo recordaba con emoción una tarde de julio de 1935 en que llegó toda desconsolada a la revista *Cahiers d'Art* y contó a su amigo Zervos que estaba amenazada de embargo y expulsión de su casa, Pablo que entraba en ese momento, la oyó y escuchó sus lamentaciones. Luego cambiaron de conversación, pero al ir a marcharse dijo a Valentine: «Venga mañana a la calle La Boétie, tengo algo que quiero enseñarle». Valentine fue, y cuenta así su visita: «Era la peor época de la vida de Picasso. Olga le había dejado llevándose a Paulo. Su piso estaba en un desorden y una suciedad increíbles, nadie había hecho limpieza desde hacía meses. En cuanto entré, me dijo: «Me gusta mucho lo que ha pintado usted recientemente, me agradaría comprárselo ¿cuánto quiere usted por ello? Y sacando su talonario miró en torno suyo buscando un hueco donde apoyarse. Como no lo había, corrió con el codo un rimero de cosas que llenaban la repisa de la chimenea y fue encima de ese trozo de mármol donde, sin esperar a que yo le dijera una cifra, me firmó un cheque. Yo le pregunté cuándo quería venir a mi casa para buscar los cuadros que deseaba, y me contestó que cualquier día de esos me telefonearía. Nunca vino».

Si es verdad que gestos como ése no eran frecuentes, Picasso no deja de hacer donativos en dinero o en cuadros para innúmeras obras benéficas de las que se ocupaban amigos suyos, particularmente colonias de vacaciones para niños. Quedaba lejos aquel tiempo en que siempre tenía consigo una maleta llena de fajos de billetes, de la que no se separaba jamás. «Una vieja maleta roja de Hermès, con cinco o seis millones en billetes, para tener siempre remanente con que poder "comprar un paquete de cigarrillos", ha contado Françoise Gilot en su tan citado libro. Picasso pasaba una parte de su tiempo contando los fajos, y como siempre se equivocaba, nunca el total era el mismo, lo que le ponía en un estado de cólera indecible». Ya no tiene por qué enfadarse, la maleta ha desaparecido, no hay fajos de billetes en la casa ni Pablo lleva nunca dinero encima, ni siquiera tiene necesidad de disponer «con qué comprarse el paquete de cigarrillos» porque se ha quitado de fumar. Y, por otra parte, es Jacqueline la que se ocupa de todo eso. ¡Habrá algo de lo que no se ocupe!

El 10 de marzo de 1963, el museo de la calle Montcada abre sus puertas por fin. O, mejor dicho, las entreabre prudentemente. No hubo inauguración oficial. Solamente se distribuyeron –discretamente– trescientas invitaciones, y brillaron por su ausencia el Gobernador Civil, el Alcalde de Barcelona, José de Porcioles que, sin embargo, había sido un elemento activo en el proyecto, y las autoridades municipales. Tampoco asiste Sabartés, pero es como protesta por esa «discreción» y porque no figuraban en la fachada del palacio Berenguer de Aguilar las palabras «Museo Picasso». «Es sólo cuestión de días» aseguraba el director de Museos de Barcelona, muy disgustado. Pero cuando se le replica que seguramente es más cuestión de autorizaciones, no sabe qué contestar.

Corren rumores de que el Ministro de la Gobernación se ha opuesto formalmente a dar al museo el nombre de Picasso, pero que, en cambio, el de Información y Turismo le es favorable.

El «Ilustre compatriota», como le llama «La Vanguardia» no enviará a Barcelona el mensaje de simpatía que se esperaba. Siempre tuvo conciencia de las dificultades del proyecto emprendido por Sabartés y, por otra parte, nunca se le ocultaron sus obstáculos. El se los esperaba y quién sabe si, en el fondo, hubiera lamentado que no los hubiera y que todo sucediera sin problemas. Pues tiene en mucho su papel de oposición «oficial» en cierto modo. Si aceptó ese museo, si ha prometido enriquecer la donación de Sabartés con varias otras obras, y en particular el regalo espléndido de *Las Meninas,* es porque le enorgullece ese homenaje sin dejar de ser fiel a sí mismo. Ese museo que no se atreve a llevar su verdadero nombre será el más hermoso reto de Barcelona y de Picasso al régimen que ha abolido las libertades.

Desde hacía algún tiempo venía hablando don Pablo de ponerse una vez más a hacer grabado. Entretanto los hermanos Crommelynck de vuelta a París, habían instalado un taller en el distrito XIV, a donde numerosos artistas iban a trabajar. Eran unos estupendos profesionales en los que Picasso tenía absoluta confianza. Al mayor, Aldo, lo había conocido cuando estaba de aprendiz en el taller de Lacourière, y alguna vez había ido al estudio de Grands-Augustins para trabajar en las planchas de Picasso, luego, junto con su hermano Piero, había estado muchas veces en Cannes cada vez que los necesitaba para una nueva serie de grabados.

En aquella primavera de 1963, tuvo ganas de trabajar otra vez en planchas de cobre. Inmediatamente los hermanos Crommelynck van a Mougins y un taller queda listo en una casa del pueblecito para la preparación y tirada. «Mañana empezamos...» anuncia cada día Picasso a sus colaboradores. Pero los meses pasan. Aldo y Piero se relevan en la permanencia, esperando el momento favorable que se producirá al fin, en octubre, después de una nueva serie de Almuerzos. Y entonces comienza un extraordinario ceremonial que duraría, con intervalos, cerca de diez años. Los Crommelynck preparan el cobre en el taller y lo llevan a *Nôtre-Dame-de-Vie,* que dista dos kilómetros, para que Pablo trabaje –cuando tiene tiempo o ganas–. Graba las planchas de cualquier manera, encima de una mesa llena de trastos, sentado con la plancha sobre las rodillas, a veces en la cama. Una vez el cobre grabado, Aldo o Piero lo llevan a Mougins y tiran una prueba de estado, que enseguida someten al maestro. Picasso la trabaja más y, a veces, prepara otras al tiempo, recogidas y tiradas por los Crommelynck cuyas pruebas llevan de nuevo a *Nôtre-Dame-de-Vie,* etc.

Tales idas y venidas pueden durar meses, pero aún en los períodos en que no grababa Picasso, la «ruta del cobre» estaba siempre abierta: era preciso estar preparados para una próxima serie. De cuando en cuando, Picasso iba a Mougins, si bien es en *Nôtre-Dame-de-Vie* donde trabajaba de ordinario. En cuanto decía por teléfono «está listo», el pequeño coche de los Crommelynck se ponía en marcha.

«En general, los artistas se preparan, estudian la composición –ha contado Aldo Crommelynck–, Picasso no, Picasso grababa como si dibujara y empezando el trazo por cualquier lado que iba siguiendo como un hilo que se desenrolla». Esa extraordinaria seguridad de la mano, al servicio de una igual rapidez de espíritu, la perfecta visión del conjunto que se hacía desde el punto de partida y sin previa preparación de ninguna clase, le permitían lograr en un solo estado lo que cualquiera hubiera tenido que hacer en varias fases.

Las dificultades técnicas le estimulaban por otra parte. Y lo que es más, él mismo las suscitaba. Y así, las pruebas de estado se sucedían, no porque Picasso estuviera insatisfecho o porque deseara tal o cual cosa, sino porque deseaba cada vez ir aún más lejos o precisar el tema. Durante esos períodos, la «ruta del cobre» desarrollaba una extraordinaria actividad.

No era raro el caso de que Picasso transformase completamente la plancha entre un estado y el siguiente, eso le requería un trabajo considerable, pero desde el momento en que decidía emprender diferentes caminos para llegar a un resultado determinado, no se echaba atrás ante ningún tipo de escollo y empleaba en sus experimentos todo el tiempo que fuera necesario. Lo mismo que en pintura, Pablo escribía en grabado su «diario»: todo cuanto le pasaba por la cabeza o ante los ojos, lo trasladaba inmediatamente al cobre, como en otros períodos hacía con el lienzo. Y cuando decía «Voy a ponerme a pintar...» los Crommelynck sabían que podían regresar a París, pues Picasso no mezclaba disciplinas diferentes. Cuando hacía grabado, no pintaba, y a la inversa.

Así pues, aquel mes de octubre de 1963, de pronto decide don Pablo trabajar en el grabado. Inmediatamente se prepara el zafarrancho de combate. Todo empieza el día 14 con un aguafuerte, punta seca y buril, titulado *El Abrazo,* tema que entroncaba con las obras de juventud de Picasso. El día

15, vuelve a tratarlo en aguafuerte solo, el 20 mezcla aguafuerte y buril y cambia a un estilo más lineal y una estructuración maciza neocubista, el 23, hace con el mismo motivo dos aguatintas.

La «ruta del cobre» queda abierta, varias veces al día. El «dos caballos» de los Crommelynck sube o baja la cuesta de *Nôtre-Dame-de-Vie* y, entre dos pruebas, Picasso charla con ellos, comenta, aconseja, entregado por completo al grabado por un tiempo que nadie sabe cuánto va a durar. La actividad y las horas del pintor se resumen ahora en aguafuerte, aguatinta, punta seca, buril, barniz blando, pruebas, estados, contrapruebas, tiradas, planchas...

El 31 de octubre, Picasso aborda otro de sus temas preferidos: el *Pintor trabajando.* Un primer aguafuerte representa un artista pintando en un lienzo un hombre barbudo ante la mirada atenta de la modelo, desnuda como los dos hombres.

El motivo titulado *En el taller del escultor* viene a completar el precedente. El mismo día último de octubre, graba con ese tema un aguafuerte en el que dos hombres desnudos miran con sorpresa una escultura abstracta colocada en un zócalo, mientras que la modelo, igualmente desnuda, adopta en un sillón una postura provocativa y parece estar diciéndoles: «¿No estoy yo mejor que ese adefesio?».

El Artista trabajando, el Pintor (reemplazado a veces por un mono) y su modelo, y el Abrazo serán los únicos temas a que Picasso consagrará esos meses del invierno de 1963, de octubre a enero. Inútil decir que mezclando los estilos más diversos y hasta más opuestos, y las técnicas más dispares, incluso en el mismo día. Luego de pronto, se consagra solo al linograbado, para volver al cobre el 7 de febrero del 64, con un *Atelier,* y continúa el 8 con *El pintor y su modelo.* Luego reanuda con la pintura: los Crommelynck regresan a París, no habrá más grabados hasta el verano siguiente. Entretanto, nacerán más *Mujeres con gatos,* acostadas, sentadas, vestidas o desnudas, y algunos *Fumadores.*

Uno de los cuadros más notables de la serie del *Pintor y su modelo* data de los días 10-12 de junio del 63. El hombre y la mujer ocupan enteramente el espacio del lienzo y el caballete, visto de perfil, separa, como una especie de frontera ideal a los dos personajes alargados, él con el rostro barbudo y el cuerpo reducido a volúmenes voluntariamente esquematizados, está pintando, pero sus ojos, muy abiertos, miran al espectador, no a la modelo que se presenta de frente, y que es uno de los desnudos más extraordiarios que Picasso haya pintado.

Ese desnudo es una especie de odalisca sentada, con las piernas cruzadas y los brazos, cual verdes lianas, armoniosamente replegados debajo de una cabeza pequeña de mirada perdida en la lejanía. Con una suerte de manierismo matissiano, las gamas de azul-verde y azul-verde y azul pálido, ya sutiles, ya intensas, matizan la oposición entre los dos protagonistas, oposición que, en sucesivos cuadros, cobrará más curiosos aspectos. ¿Qué está pasando en la mente de Picasso?

A medida que va desarrollando el tema, éste pierde importancia, lo que Picasso nos propone es, sobre todo, una interpretación de la pintura misma o bien, lo contrario, es decir que está inventando una dialéctica de la diversidad, de la multiplicidad, del antagonismo, jugando con lo uno y lo otro, con el tema y el objeto. Sin embargo va a ocurrir que todo eso sea finalmente vano, simple ejercicio falaz, monótona palabrería servida por el hambre irresistible de decir?

No muy lejos encontramos la confesión: «Lo peor es que nunca se termina –dice Picasso un día a Pignon–. No hay nunca un momento en el que se pueda decir: he trabajado bien, mañana es domingo... En cuanto nos paramos es para volver a empezar... Nunca se puede poner la palabra Fin».

Así pues, el anciano enamorado de la pintura, tal Okusai confesaba ser un loco del dibujo, justifica la superabundancia de su última producción. Ya sabemos a qué atenernos: Picasso pinta porque no puede parar de hacerlo y confía en la extraordinaria disponibilidad de su organismo cuando se abandona al torrente creador que en él hierve. Tal vez porque se resiste a crear en términos de tiempo, es decir en límites efímeros o perecederos, porque rechaza el desgaste, la decadencia. La única fatalidad que él acepta es la pintura. ¿Quién podría discutirle a Picasso esa locura?

La muerte de Braque el 31 de agosto del 63, aun sabiendo que estaba próxima, le causa profundo dolor. Un año antes, al cumplir los 80 años, el 13 de mayo, le había enviado *El desayuno de Braque,* una taza de café con su plato, los terrones de azúcar y una tostada, en cerámica decorada, y grabado de su puño y letra: «Por tu 80.° cumpleaños, Picasso».

Las exequias, que siguió atentamente en la televisión, le causaron indignación. Toda esa pompa ridícula orquestada por Malraux, al pie de la columnata del Louvre frente a la iglesia de Saint-Germain-l'Auxerrois, los soldados con antorchas encendidas rodeando la carroza fúnebre, la bandera tricolor cubriendo el féretro, los tambores con crespones negros y, en sordina, la *Marcha fúnebre para un héroe,* todo eso le enfureció. Y a varios otros amigos de Braque también. No menos de lamentar fue que durante todo el acto, la población parisina estuvo obligada a permanecer alejada, muy por detrás de las barreras y los cordones de guardias. El increíble discurso del Ministro Malraux acabó de sublevar a Picasso. ¿Qué hubiera pensado Braque de toda esa bufonada fúnebre, él que fue un hombre sencillo, hostil a los honores oficiales, enemigo de cualquier exceso? Pablo respondió a su manera a esos fastos gaullistas, invitando a la viuda a *Nôtre-Dame-de-Vie.* Marcelle Braque llegó con sus velos de luto, desplazándose penosamente, casi obesa, con lágrimas en sus bellos ojos azules..., y volvió la oleada de recuerdos, el fluir del pasado en la memoria. De todos los grandes aventureros del arte moderno de principio de siglo, Pablo era ya el único superviviente.

«Braque dominaba los medios, yo me dejo llevar por ellos...» decía Picasso consignando la diferencia entre ellos.

Esa frase se aplica muy particularmente a la producción de aquellos últimos años. Una superabundancia sin freno, sin límites, sin elección deliberada. Como cuando pintaba las *Señoritas de Avignon* o cuando emprendía lo que había de desembocar en el Cubismo. Pablo no sabía a dónde iba, pero iba decididamente, de frente, viva aún su pasión por la aventura, lanzándose así mismo reto tras desafío y no viviendo sino para eso. A los ojos de Picasso nunca hubo una dirección o un género privilegiados, todo le parecía digno de ser expresado, experimentado, como todo le sabe bien al que está hambriento. Extraordinario devorador de formas, técnicas y modos, si raramente llevó sus investigaciones a sus últimas consecuencias, fue porque le parecía que tenía el tiempo contado, y que tantas otras le solicitaban. Pero su pasión, su inspiración y su furia no le abandonaron nunca y ese violento júbilo que se desprende de su obra, se mantendrá hasta el final. El grabado le servía de verificación artesana, y también de freno: ahí reside de ahora en adelante el terreno de la investigación, de los experimentos plásticos pasa a las experimentaciones técnicas.

Las sucesivas versiones del *Pintor y su modelo* no acaparan toda la atención y la invención de Picasso que simultáneamente sigue multiplicando las cabezas de mujer, las figuras sentadas, los desnudos, etc., tanto en pintura como en dibujo. El 2 de mayo comienza una figura de mujer desnuda leyendo una carta con la cabeza inclinada, de gracia y clasicismo ingrescos, enmarcado el rostro de rasgos puros por una cabellera oscura con una cinta negra. Este cuadro lo trabajaría aún dándolo por terminado el 16 de septiembre.

Día a día sigue llenando cuadernos, diarios íntimos cuya extraordinaria diversidad de inspiración y de géneros no ha decrecido. Pero, al contrario que los demás pintores, Picasso no acumula sumando experiencias, sino que se desparrama.

En noviembre de 1963, vuelve a la litografía, acaso incitado por la visita de Mourlot que, unos meses antes, vino a mostrarle la maqueta del tomo IV de su *Picasso Litógrafo*. No sólo examinó detenidamente cada plancha del álbum, sino que después de haber hecho un dibujo para la cubierta, añadió una cabecera no prevista, sobre el tema del *Pintor y su modelo*.

Sin embargo, la serie de perfiles de hombres y mujeres que

realiza con lápiz litográfico sobre zinc y en aguada, durante ese mes de noviembre, no le satisface. Habiéndose realizado los litos con cera blanca, Picasso deseaba obtener dibujos en reserva sobre el fondo de aguada, pero la cera es un producto graso que se había entintado de negro, y el resultado fue distinto del esperado. Entonces pidió a Mourlot las planchas originales en zinc para hacer un segundo estado, pero allí se quedaron en un rincón del taller, y nunca más volvió a tocarlas.

Esas nueve cabezas serán la última realización litográfica de Picasso, luego hará todavía algunas para responder a peticiones amistosas concretas, por ejemplo, una ilustración destinada a un número especial de la revista *Derriére le Miroir,* de la Galeria Maeght en homenaje a Braque, en 1964: un desnudo por encima del cual puso con su letra de trazos entrecortados: «Braque, tú me dijiste un día, hace de esto mucho tiempo, encontrándome paseando con una muchacha muy bonita del estilo de belleza que se dice clásico: "En el amor, no te has liberado bastante de los maestros"; en todo caso, aún puedo hoy decirte que te admiro, ya ves que todavía no he conseguido liberarme».

También realiza en litografía el 29 de octubre de 1964 un retrato de la bella Angela Rosengart, la hija de su marchante de Lucerna, realzando la pureza del rostro con rascados a púa fina, para conferir mayor fuerza al sombreado y acentuar los efectos del moldeado.

Luego se suma al *Homenaje a Kahnweiler,* álbum suntuoso con que varios pintores y escritores celebran en 1964 los 80 años del marchante, y todavía dibuja algunas litografías para una edición de Shakespeare publicada por *Le Cercle d'Art,* y para una exposición celebrando «60 años de Obra Gráfica» en el Museo de Los Angeles, etc.

La cotización de Picasso sigue en alza. En Nueva York, el 20 de noviembre de 1958, una *Madre con su niño,* de la época azul, tasada en 50.000 dólares, alcanza los 150.000 (unos 68 millones de francos de entonces, antes de la devaluación): la más alta puja lograda hasta entonces en toda su obra. Un año después, un guache de la misma época, la célebre *Familia de Arlequín,* es adjudicada en Londres por 12.000 libras, en mayo del 59, *La Bella Holandesa* de 1905, bate de nuevo el récord, también en Londres, con 55.000 libras, por una obra de dimensiones medianas. ¡En el espacio de solo seis meses un Picasso alcanzaba cerca de 10 millones más de francos!

En diciembre de 1961, con ocasión de la subasta de las colecciones de Jean Davray, el librero de Niza Henri Matarasso adquiere por 3.100 francos (nuevos, es deir 310.000 en moneda antigua) una carta del marqués de Vauvenargues, para ofrecérsela a Picasso, delicada atención esa de devolvérsela al propietario del castillo. También compra el citado librero el ejemplar que perteneció a Eluard del *Manuscrit trouvé dans un chapeau,* de André Salmon, enriquecido con 55 dibujos originales de Picasso, y dedicatoria fechada de su mano el 2 de marzo de 1947.

En la subasta de Someterset Maugham, el 10 de abril de 1962, un «doble Picasso» (cartón con una *Mujer sentada en un jardín,* pintada en 1901, por un lado, y una *Muerte de Arlequín* de 1906 por el otro), fue adquirido en Londres por el gran coleccionista americano Paul Mellon en 80.000 libras, equivalente a 180.000 francos fuertes. Días después, el 23 de abril, un dibujo a carboncillo de la época de Barcelona se vendía en Niza por 35.000 nuevos francos.

Nueva subida el 26 de noviembre del 66, con la venta Lefevre en París: *Cabeza de Mujer en rojo,* un guache de 1906-7, alcanza 285.000 francos, un estudio de figura para una *Señoritas de Avignon,* 350.000, ambas obras adquiridas por el Museo Nacional de Arte Moderno de París.

Evolución normal, ciertamente, pero que en diciembre de 1967, da lugar a un acontecimiento sensacional: el Gran Consejo del cantón de Basilea decide casi por unanimidad destinar un crédito a la compra de dos Picasso «clásicos»: *Los Dos Hermanos* de 1905, y el *Arlequín sentado,* de 1923, ambos pertenecientes al fondo Peter Staechelin, cuyo padre había sido un coleccionista de primera magnitud y que, al transformar esa colección en fundación, en 1931, instauró la cláusula de que no fuese enajenado ningún elemento de la misma, salvo en caso de absoluta necesidad. Ahora bien, ese caso se presentó en 1967, 20 años después de la muerte del fundador Rodolfo Staechelin, pues su hijo tuvo urgente necesidad de una suma importante para enjugar deudas de una de las sociedades que controlaba, la compañía de aviación Globe Air, abocada a la quiebra después de un terrible accidente. Un coleccionista americano le propuso 11 millones de francos suizos por los dos lienzos más bellos del conjunto, esos de Picasso. El Consejo de Administración de la fundación le dejó libertad de decisión: si aceptaba el ofrecimiento, podrían pagar a los acreedores, pero Suiza perderá dos magníficos Picassos. Entonces, el director del museo de Basilea Franz Meyer, revuelve cielo y tierra para evitar que los dos cuadros salgan del país y encuentra el apoyo de numerosas personalidades. Fue así como Peter Staechelin renunció a la ayuda americana y aceptó contentarse con 4.400 francos si la ciudad de Basilea lograba reunir la suma necesaria para salvar su Sociedad aérea, esto es 14 millones y medio, antes del 10 de julio de 1968.

El Gran Consejo cantonal autoriza 6 millones y una firma industrial ofrece otro millón y medio, pero la ley helvética permite a todo ciudadano exigir un referéndum para anular una decisión o una ley, siempre que 999 personas estén de acuerdo. ¡Y para protestar contra la suma otorgada por el Gran Consejo, el propietario de un garaje de Basilea logra reunir 2.000 firmas! El referéndum se convoca para el primer domingo de diciembre. La víspera, el museo de Basilea, organiza una gran verbena para completar la suma solicitada y recoge 200.000 francos. El ciudadano oponente había ido demasiado lejos al insistir en que «No hay bastantes hospitales, residencias para ancianos, aparcamientos, y se va a dar tanto dinero por dos trozos de tela. ¡Que paguen los 80 millonarios del canton de Basilea!».

Esas declaraciones cayeron muy mal. El día del referéndum, gana Picasso por 32.000 votos a favor y 27.000 en contra. Franz Mayer telefonea a Mougins: los cuadros no saldrán de Basilea. Don Pablo, encantado, regala entonces a la ciudad otras cuatro pinturas diciendo: «Es la primera vez en la historia del arte que el pueblo impone su propia voluntad en algo artístico y cultural».

Una cosa que a don Pablo le encanta es dar a los amigos que le visitan la sorpresa de lo que en ese momento está pintando. Empieza por charlar con ellos en las grandes estancias vacías donde suelen reunirse, o en la terraza de *Nôtre-Dame-de-Vie,* cuenta los festejos de su «centenario» en Vallauris, habla de la última visita de Kahnweiler, de un Picasso falso que le han traído la semana anterior, o de una película que ha visto en Cannes con Jacqueline; pero es en su trabajo en lo que realmente está pensando y cada cual espera el momento en que los va a llevar al taller. Por fin se pone en pie, y sus perros se levantan al tiempo: ha llegado el momento.

Mientras diversifica la serie de *El pintor y su modelo,* continúa las variantes cabezas y desnudos, recreando cada vez con mayor osadía el cuerpo humano. El 18 de octubre empieza una serie de dibujos que representan un hombre, viejo unas veces, joven otras, contemplando con distintas expresiones a una mujer desnuda: la muda interrogación del artista y la modelo cede el sitio después a una tanda de dibujos con el motivo del hombre desnudo sentado, al mismo tiempo que una hornada de linograbados sobre el tema de *El Abrazo.*

El 11 de octubre de 1963 estaba en Vallauris con Jacqueline cuando le llegó la noticia de la muerte de Cocteau; acababa de almorzar con unos amigos y es natural que la conversación versara sobre el amigo, al que se sabía enfermo sin esperanza. Era el fin de una amistad que había durado más de cuarenta años, aunque no sin eclipses, pero que la admiración de Jean por el anciano fauno de Mougins había sabido transformar en luna de miel.

Para el «príncipe frívolo» era indispensable que Pablo le quisiera, por más que nunca pudo estar seguro de ser correspondido. Por eso había confiado a alguien, poco antes de morir: «Yo le amo, pero él no me quiere». Picasso, que fue capaz de juicios muy duros contra Cocteau, le tenía en cierto modo de bufón y víctima propiciatoria; detestaba los malabarismos verbales que prodigaba el poeta para seducir y achacaba al incurable exhibicionismo del viejo homosexual, su teatralismo, su corte de efebos que tomaba como modelos para los ángeles y los demonios de la capilla del Santo Sospir, monumental «tatuaje» de pésimo gusto. Pues Cocteau, que era un dibujante capaz de hacer apuntes deliciosos, se revelaba torpe pintor de murales que suscitaban las burlas despiadadas de Picasso.

¡Cómo había sido posible que Cocteau hubiera pintado, como si tal cosa, tantos muros, que hubiera decorado las capillas de Villefranche y de Milly, la sala de ceremonias de la Alcaldía de Menton, cuando a él, que era nada menos que Picasso, no le habían encargado nada! E incluso se pusiera en entredicho su talento en cuanto a la capilla de Vallauris, o el gran mural de la UNESCO...

Sin duda que Cocteau había sufrido con fruición la actitud despiadada de Pablo, las mofas que prodigaba respecto a sus pinturas, de las que no dejaba de detallar la mediocridad y el narcisismo con acerbos comentarios. Llevado por una suerte de masoquismo, el poeta buscaba la maldad de Pablo, que le era necesaria, preferible a la indiferencia. Unas más dolorosas que otras, todas las crueldades fueron otras tantas espinas de su corona. Jean escribía a Picasso dos o tres veces por semana y al día siguiente de su muerte, todavía recibió una carta suya, garabateada 48 horas antes de fallecer.

Por supuesto, cuando ambos amigos se veían, se prodigaban grandes efusiones, pero Cocteau estaba acostumbrado a mantenerse en guardia. «Me gustan los accesos de ternura de Picasso, uno se pregunta siempre qué es lo que tratan de borrar».

A finales de año, Picasso hizo una selección de obras con destino a la exposición en la galería Louis Leiris a mediados de enero de 1964, selección que comprendía 68 cuadros pintados entre el 13 de diciembre de 1961 y el 17 de enero de 1963, una antología de dieciocho meses de actividad durante los cuales la diversidad iba de las variaciones de *El Rapto de las Sabinas* a la serie de *El pintor y su modelo,* incluyendo varios estudios de cabezas, de hombre y de mujer, algunos paisajes, y figuras femeninas y bodegones, entre éstos los del perro y el gato amenazadores de octubre del 62.

Picasso había sabido asimilar la lección de Clouzot: la forma en que la cámara había captado la ejecución de *La Playa de la Garoupe* y cómo había sido montada para que se integrara a la película, le habían hecho reflexionar. De ahí, el desarrollo cinematográfico que fue introduciendo en su quehacer: verlo todo, hacerlo todo para alcanzar una totalidad de la que luego habrían de concretarse los momentos culminantes, es decir, para Picasso, los cuadros que al final destinaba a ser expuestos. Pero el film, empero, continúa. Solo que en otras direcciones.

De película pictórica habría que hablar en el caso de *Las Meninas,* en el *Rapto de las Sabinas,* en los *Almuerzos,* o en el *Pintor y su modelo.* Mirando de cerca las distintas series se advierten los numerosos parentescos, en alternancia de serenidad y de agresividad, pero con la dominante de un doble tema para todas: la aceptación de sí, la negación del tiempo. Picasso desde el centro de su propio vértigo, se deleita con sus poderes; pasado el miedo a la guerra en el momento de la crisis de Cuba, pasados los tumultos sangrientos donde el *Rapto de las Sabinas* se entremezclaba a *La Matanza de los Inocentes,* acabada la agresividad y ruptura de ritmos, la confusión de cuerpos atropellados por la soldadesca desatada, don Pablo ya no desea reanudar su larga y amorosa confrontación con la modelo. El movimiento se sosiega y deja paso a la emoción.

Nada más conmovedor, en efecto, que ese diálogo de miradas, en un espacio que ya no tiene límites, espacio puramente pictórico, donde los seres y las cosas parecen suspendidos en las lindes del tiempo. Después del lenguaje vehemente, violento de los raptos y los bodegones con perro o gato, viene la majestuosa plenitud de ritmos, la sabrosa sensualidad de las manchas, el deleite táctil de las texturas coloreadas, tan diferentes de las gamas dramáticas de *Los Almuerzos.*

La improvisación alcanza ahora su cota suprema: el experimentador apresurado que es Picasso no tiene ya tiempo de elegir, el narrador no se para a establecer jerarquías de lenguaje, su discurso está hecho de las incidencias o las torpezas del presente. Así le ocurre al Pintor-Hablador, pero no es de extrañar que muchos de los auditores-espectadores abandonen la partida, porque el discurso les aburre o les desconcierta.

El conjunto de cuadros y dibujos del *Pintor y su modelo* –mejor dicho las selecciones que nos ha sido dado poder ver tanto en la galería Louise Leiris como en el libro que Hélène Parmelin consagra al tema (8), dejan una curiosa impresión de popurrí. Se diría que don Pablo establece el censo de sus medios y de sus poderes, y que pinta con sus recuerdos, pero que éstos le empujan por delante de sí mismo más que le vuelven atrás. Cuando surge entre el público y la crítica la cuestión ritual: «¿De Picasso qué hay de nuevo?», dan ganas de contestar: «Todo su pasado».

El 29 de enero de 1964 emprende un cuadro que terminará el 17 de febrero, un *Desnudo acostado y gato,* que da lugar a toda una sucesión de dibujos sobre el mismo tema, doce el 30 de enero, trece el 1 de febrero. Ya sabemos que cuando un motivo le preocupa, lo trata por todos lados, lo desmenuza y ahonda en él. De la *Mujer con el gato,* pasa a *Mujer en un sillón con un gato en las rodillas,* dedicado el 24 de febrero «a Jacqueline por su santo» (se trata en realidad de su cumpleaños, pero Picasso detesta ese sustantivo).

¿Cuál es el origen del nuevo motivo? Simplemente, como tantas otras veces, una anécdota. Paseando don Pablo con su mujer por el jardín, vieron un gatito, que Jacqueline recogió y llevó a casa. Sin duda muy a gusto, el minino se dejaba

(8) H. Parmelin: *Le Peintre et son modèle,* París 1965.

acariciar horas enteras ronroneando de placer, y dormía con ellos en la cama. Curiosamente, cuando Picaso dio por terminada la serie de cuadros que había originado, el gatito desapareció.

Esas *Mujeres con gato,* desarticuladas o realistas que prosiguen su reposo y su juego sean cual sean las variantes anatómicas, están pintadas generalmente en una armonía gris-azul realzada por un azul claro, algunas más vivamente coloreadas.

La inspiración de Picasso se concentra luego en torno a algunos temas de la vida cotidiana cuyo punto de partida es, una vez más, algún incidente trivial. Viene después de las Mujeres, una serie de Hombres fumando desarrollada en mayo-junio del 64, sucesión de rostros barbudos o lampiños, dibujados con lápices de color en tonos vivos, azules, amarillos, rojos, etc. El origen es el jardinero de *La Californie.* Los distintos hombres que se suceden tienen un cigarrillo o se lo llevan a la boca, o están fumando, a veces han acabado el cigarro pero se sabe que son fumadores puesto que en el dibujo anterior tenían el pitillo en la boca.

Los desnudos, las mujeres sentadas en el sillón, las que tenían al gato en las rodillas, etc., podían ser Jacqueline o cualquier otra mujer, así como los paisajes son Mougins, son una vista cualquiera de los alrededores, por donde a veces van de paseo. Lo individual expresa lo colectivo y la verdad del pintor es una verdad profundamente popular: el lado «reportero» que siempre hay en don Pablo.

Y cuanto más pinta –cabezas, mujeres desnudas con gato, y mujeres en el sillón, y corridas, y efigies de Jacqueline– más verdaderas son todas. Un día habrá una de esas cabezas, asegura Pablo, tan prodigiosamente más verdadera que las demás, que se podrá mirar como una cabeza real.

Es ésa una cuestión que le preocupa a Picasso desde hace largo tiempo. Pinta para identificar la realidad a la verdad, para que lo real no sea sólo una realidad de pintor, sino auténtica, una verdad común. Pero hay todavía mucho por hacer, mucho que decir hasta llegar a eso. Y tiene el tiempo contado... Por eso, don Pablo trabaja como un loco.

Más de una vez se le ha oído suspirar: «¡Ah, si yo fuera un artista pintor!» y vestido de «artista pintor» le fotografió una vez Brassai, en 1944, fingiendo trabajar en un gran desnudo académico, que había comprado en el «Mercado de las Pulgas», mientras que Jean Marais, tendido en el suelo, con los brazos bajo la cabeza, imitaba la pose de la modelo acostada en una cama.

Que el pintor sea «un personaje» es algo que a Picasso le sublevaba, reacción que puede sorprender en un hombre que tuvo siempre plena consciencia de ser una de las celebridades de su época, universalmente admirado y respetado, que aceptó el culto de los admiradores. Pero como le confesaba una vez a Claude Roy, cuando éste escribía su libro sobre *La Guerra y la Paz:*

«¿Es que soy un marciano? Habría que añadir un capítulo al libro en el que se aclarase: Pablo Picasso tiene también dos brazos, dos piernas, una nariz, un corazón, y todas las apariencias de un ser humano».

Esa «humanidad» de Picasso se expresa largamente en los temas anodinamente cotidianos en que se inspira, y aquello que está ocurriendo en el lienzo –«lugar vacante en el que ha de producirse el encuentro entre él y la pintura», ha escrito Michel Leiris– no es una operación mágica. «Tú haces un paisaje o un tipo tocando un instrumento –interroga a Pignon–. ¿Por qué? ¿Por qué eso y no, por ejemplo, *Nôtre-Dame-de-Vie?* ¿O el retrato de mi loro? Voy a decirte por qué: es que en el momento en que lo estás haciendo, tú te sientes aliviado. Y eso es lo esencial».

En otra ocasión le dice a uno de sus amigos visitantes: «La libertad de pintar es la facultad de liberar algo dentro de sí mismo. Hay que hacerlo de prisa; eso no dura».

El estudio de Pablo, luego de haber estado lleno de *Mujeres con gato,* se ha poblado de cabezas. Cabezas azules, estriadas de amarillo o de rojo, cabezas amarillas y verdes con un plantel de pelos de barba, cabezas blancas, moradas, verdes, atravesadas por una Z de otro color chillón que define la arquitectura del rostro, repartiendo los ojos, subrayando la boca, marcando el arranque del cuello. Cabezas que se presentan también como inextricables revoltijos de líneas, de trazos, de garabatos, con una nariz de perfil muy prominente y un cigarrillo bien puesto. La mayoría de esas cabezas tienen una característica común: visten la camiseta rayada de marinero que suele llevar Picasso.

He aquí que un día, acuden de nuevo los Crommelynck a una llamada telefónica. Aldo y Piero, prestos y ágiles cual dos bailarines, ejecutan periódicamente los pasos de un ballet ritual en torno a los deseos de Picasso grabador. Vienen de París, vuelven a Mougins, suben a *Nôtre-Dame-de-Vie*, bajan de nuevo al pueblo, etc., etc., es la «danza del cobre» después de la ruta del mismo metal.

Si los Crommelynck están presentes una vez más, es porque don Pablo siente ganas de ponerse a grabar. El 7 de febrero de 1964, emprende *En el estudio* al aguafuerte, completado por un *Pintor y su modelo,* al día siguiente, tras lo cual se interrumpe. Y no volverá a tocar el cobre hasta el verano. Los Crommelynck regresan a París.

En un gran dibujo fechado el 26 de mayo de 1964, el Fumador del jersey a rayas se ha instalado indolentemente en lugar del Pintor al lado de la modelo de formas opulentas. Como tantas veces, los temas y personajes de Picasso se entremezclan; cuando se entienden bien entre ellos, continúan; en caso contrario, se separan.

Para Picasso los veranos y los inviernos no se diferencian ahora gran cosa. Todos los días, cualquiera que sea la estación, los consagra al trabajo, aunque haya todavía corridas, como la de Fréjus en 1965, las de Arles o Nimes. Aún asiste Picasso a la fiesta de los toros, pero ya no es con el jolgorio de antaño, sino con una cierta gravedad, solemnidad casi. A veces, Jacqueline y Pablo parten con el chófer y regresan solos, hay casos en que el matador le brinda las orejas o el rabo, y Picasso de pie, saluda. Al final se limita a decir sen-

cillamente: «Ha estado muy bien ¿no?». Y regresa hacia
Mougins, donde le espera su trabajo.

La serie de Fumadores va a continuar al óleo, luego en lápices de colores, durante varios meses. A principios de agosto, los Crommelynck vuelven a Mougins: del 19 de agosto al
8 de septiembre, se sucede toda una serie de Fumadores con
camiseta rayada al aguatinta en color. Y también por ese
procedimiento graba, durante el invierno del 64 y la primavera del 65, 10 ilustraciones para *Sable Mouvant* de Reverdy, que publica al año siguiente el editor Louis Broder.

Todo el repertorio de Mujeres sentadas, desnudas, con
sombrero, de Fumadores, Pintores, Escultores, Modelos,
Jardineros en familia, de todos los estilos y de todos los colores pasan ahora fácilmente del lienzo al cobre y al papel. Picasso está tan íntimamente familiarizado con los actores intercambiables de su comedia humana, que sabe lo que le
ocurre a un caballito en un rincón del estudio del escultor:
«De vez en cuando le dan ganas de ponerse a hacer escultura». Algunas veces aparece en un grabado el cuadro inacaba-
do en que está trabajando y entonces lo juzga no como una
de sus propias obras, sino como pertenecientes al pintor representado en esa plancha. «No le ha salido muy mal...», comenta asintiendo con la cabeza, o bien: «Hoy no se ha cansado mucho que digamos».

Es así como Picasso vive en su pintura, que es el día a día
de su propia existencia. Jacqueline está siempre a su lado,
por tanto es muy natural que figure en la mayoría de las
obras, pero también aparecen los sirvientes, los amigos, los
visitantes, los animales de la casa. Muchas veces reconocibles, aunque también reinventados y transformados. De todas maneras, el personaje protagonista sigue siendo Picasso.
¿Quién podría ponerlo en duda?

¿Acontecerá que Picasso vuelva a ponerse de moda? Tras
el retorno al realismo de los años 60 y la reactualización de
Marcel Duchamp, la joven pintura había sufrido en Francia
una importante reversión. 1964-65 son los años clave de una
evolución en el lenguaje pictórico que opone el «nuevo rea-

lismo», fundado por el binomio operacional Pierre Restany-Yves Klein (crítico y pintor respectivamente), sobre la base de los valores expresivos del mundo tecnológico, a la «nueva figuración», bastante mediocre en conjunto, pero que aborda por derecho el problema de la modernidad narrativa. En el texto de presentación de «La Figuración narrativa en el arte contemporáneo», exposición organizada en París en octubre de 1965, el crítico Gassiot-Talabot atribuía el padrinazgo de ese retorno al realismo, entre otros, al Picasso de *La Guerra y la Paz*, al de la serie de dibujos de toreros y del *Sueño y Mentira de Franco*, donde, en opinión del crítico había utilizado «procedimientos de historieta dibujada para tebeo», y apoyaba su teoría, además, en declaraciones del pintor transmitidas por Françoise Gilot en su célebre libro.

Por más que esa nueva figuración realista no haya dado obras de primera importancia, la evolución narrativa era indiscutible y comportaba no pocas características picassianas: el humor, la ironía, un cierto sentido contestatario, la afición a los niños, la mezcla de géneros, la utilización de tiempos sucesivos simultáneos. Pero justo es decir que a aquel proceso de expresividad naturalista, Pablo oponía, con su desdén mordaz, el continuo *suspense* de una obra que, por sus paradojas como por sus contrastes, negaba arrogantemente toda referencia pasada o presente.

Sin embargo, el hombre, ese «gigante molesto» (según la expresión del pintor Corneille) ya no bloqueaba todo, como sucedía 10 ó 15 años antes, había dejado de ser obstáculo a la aventura por los artistas «narrativos», venía a contradecir la declaración de no actual que firmaban los «nuevos realistas» y el eslabón expresivo que negaban en favor de Duchamp, existía situado a nivel de la crónica anecdótica en estilo continuo o en episodios autónomos, explícita o no, del desarrollo temático en deliberada ruptura con la unidad del tiempo.

A fin de cuentas, el ejemplo del genial veterano antecesor no operará gran cosa en los factores de una «figuración narrativa» que, sobre todo a distancia, aparece como un cajón de sastre donde cabía de todo. Lo cierto es que la lección de Picasso cayó pronto en el sistematismo, la verborrea, la mediocridad.

Un pintor, teórico, crítico y poeta, que había sido amigo de Mondrian, intervino en el debate picassiano: «¿Qué puede hacerse hoy de esta obra enorme? –se pregunta Michel Seuphor– sino abandonarla a los poetas capaces de cantarla. A menos que se prefiera la rechifla, que no deja de ser una manera de cantar» (9).

«Picasso está de nuevo entre nosotros con sus audacias, su humor, su gusto por la metáfora y por los malabarismos, sus bufonadas y sus gritos inolvidables», dice por su parte Miguel Ragon en la misma publicación, después de aquel texto escandaloso con el título de «Picasso se aleja» que, en 1950, cuando la gloria picassiana estaba en su cenit, había provocado tantas indignadas protestas. La era de las condenas sin apelación había pasado, la de los ditirambos también. La exégesis analítica del crítico inglés J. Berger aparece como una tentativa de conocimiento del hombre y de la obra, cuyo principal mérito es ser una interpretación personal. *Success and failure of Picasso* (10) publicado en Londres (1965) traducido en Francia, es un libro que recusa todas las ideas aceptadas, aunque irritando en algunos aspectos, rompe la desoladora monotonía de los libros de loas, por lo general tan mediocres como exaltados.

Success and failure of Picasso revela una evidencia que se había olvidado: el maestro de Mougins es un hombre. Como hombre, simplemente, había deseado ante Claude Roy, que se le tratara. Puede, por tanto, equivocarse y ser discutido; puede tal vez perder su potencia, y es lícito empezar a tener en cuenta su edad –84 años– aunque su vitalidad sea portentosa. John Berger identifica el carácter intocable del arte de Picasso con la dictadura ejercida por el Partido en la pintura de después de la guerra, recordamos que los

---

(9)   «Picasso 1964», en *Jardín des Arts,* mayo 1964.
(10)   *El éxito y el fracaso de Picasso.*

comunistas se habían arrogado el derecho de prohibir que se discutiera, ni que se criticara al «genial camarada». Lo más curioso es que fuese en el seno mismo del Partido donde nacieran las primeras contestaciones y donde se perfilara ese malestar que había de llevar a la puesta en cuestión de Picasso respecto al realismo social primero y al compromiso luego. Desde la actitud que tomó cuando lo de Budapest, el ídolo ya no gozaba de los encendidos sufragios, si bien se le seguía respetando. Al fin y al cabo, el respeto se les debe por derecho propio a los ancianos...

La existencia de Picasso estaba tan admirablemente organizada en Mougins que todo lo que le llegaba del exterior eran elogios, halagos, incienso. Sin duda, de no haber estado tan bien protegida, esa «vida de forzado» que, según él, llevaba, sería un infierno, vida de trabajo en todos los instantes, posiblemente intolerable. Pero es la que Pablo necesita para sentirse existir y cada vez le aporta menos derivativos y distracciones.

Justo es decir que esos halagos e inciensos del exterior le importan bien poco, y no les concede más atención que a las críticas, está muy acostumbrado a vivir y trabajar a igual distancia de unos o de otras. La única opinión válida que reconoce es la suya propia. No les pregunta siquiera a sus cortesanos, quienes, por otra parte, nadan en una beatitud admirativa de todos los instantes y se muestran tan excesivos en la anécdota como frenéticos en la exégesis. Se puede hablar de un culto picassiano en Mougins, como hay entonces también un culto gaullista en el Elíseo, uno y otro elaborados a partir de un mismo concepto del «monstruo sagrado» omnisciente e invulnerable –la comparación será aún más sensible unos años depués.

El retiro de Picasso en Mougins en medio de la «familia» que se ha elegido, una vez aceptada por Jacqueline, presentaba no pocos puntos comunes con el del general De Gaulle en Colombey, apartado del poder y rodeado también, en su hosca soledad, de una «familia» natural y espiritual, dotado

de una corte, de sus pidones, de sus turiferarios, de pará-
sitos y de aprovechados.

La leyenda gaullista y la leyenda picassiana están fundadas en un factor similar: el mito del héroe.

La tarjeta de Pablo Picasso la despositaba tradicionalmente todos los años en el Salón de Mayo el pintor Pignon,
miembro del Comité organizador. El envío que hace Pablo
en 1964 es una de las *Mujeres con gato,* al año siguiente sería *Un lienzo en doce* o *Doce lienzos en uno,* ensamblaje de
nueve cabezas y tres desnudos barrocos y coloreados, deri-
vados de las series anteriores, así como *La Familia del escultor, La Familia del jardinero,* y *El Hombre de letras.*

Una tela en doce causa sorpresa, aunque no encerrase en
sí ningún misterio. Simplemente, una mañana Pablo dispuso
varios lienzos en su estudio de Mougins, luego con Pignon
reunió doce, unos al lado o por encima de otros, y el rompecabezas resultó tan logrado que daba la impresión de que todos aquellos cuadros estaban hechos para ser presentados en
ese orden. Y así fueron expuestos en el Salón. Tal vez hubiera sido posible reunir 20 ó 30, pues la libertad y la naturalidad de Picasso pueden multiplicarse indefinidamente.

Entretanto, varias importantes exposiciones se celebran en
el mundo entero, los cuadros entran en los museos y colecciones, los precios suben y se multiplican las ventas... La rutina del genio a dimensión planetaria.

La exposición «Picasso y el teatro» aporta algo nuevo a las
habituales retrospectivas y manifestaciones de homenaje.
Organizada durante el verano de 1965 en el Museo de los Agustinos de Toulouse, fue una de las exposiciones más originales
que se hayan consagrado al pintor proteico que, no sólo había trabajado mucho para el teatro, sino que toda su obra es
una dramatización en un espacio teatral, en el que decorados y personajes se organizan y se distribuyen como en un
espectáculo. Duración teatral también si se tiene en cuenta el
desarrollo de las «series», en particular la de los Almuerzos:
se trata, efectivamente, de acciones en episodios, con un argumento, unos protagonistas principales, unos segundos pa-

peles, comparsas, suspenses, cambios de perspectiva y de decorado. Y, como la afición a los trajes de teatro también ha sido siempre muy viva en el pintor, los numerosos actores de sus cuadros cambian varias veces de vestuario, como él mismo, por otra parte.

Picasso se representó a sí mismo más de una vez con distintos disfraces, a Sabartés le colocó lo mismo una gola de hidalgo que un hábito de fraile, y el traje de Arlequín regalado por Cocteau le sirvió para numerosos modelos. Paulo niño fue sucesivamente Pierrot y Arlequín, Jacqueline será Lola de Valencia (d'après Manet), amazona con penacho de plumas o reina de España. Si a Picasso le gustaba hasta tal punto el teatro en sus diferentes interpretaciones era porque, como en la pintura, todo ahí es convención y veracidad a la vez. Como Juan Cassou escribe en el prefacio del catálogo de la citada exposición, «el genio de Picasso se ofrece a sí mismo un perpetuo espectáculo... Maestro de las formas, de las deformaciones y las transformaciones, es un demiurgo y un dramaturgo». Y Denis Milhau, el conservador del museo tolosano, corrobora: «Todo lo que Picasso tiene de la vida lo ha puesto en el teatro, y todo lo que ha tomado del teatro se vuelve a encontrar en el conjunto de su obra».

La exposición era realmente rica, y simultáneamente se dieron espectáculos de ballet en el teatro del Capitole, con el joven bailarín español Rafael de Córdoba bajo la dirección de Serge Lifar y decorados y figurines de Picasso.

Recordemos que había sido un periodista de Toulousse. Arthur Huc, director del diario *La Depêche du Midi*», quien se manifestó, a principios de siglo, como uno de los primeros admiradores de Picasso en provincias. Aquel mecenas lúcido y enterado no carecía de valor en una ciudad y un momento en que reinaba el «pompierismo». Por otra parte, Picasso había participado en 1908 en dos exposiciones celebradas en Toulouse, la de la Unión Artística y la organizada por el periódico «Telegramme», y en aquel entonces los principales apoyos habían venido de Charles Malpel,

un coleccionista de Montauban y otros dos tolosanos
–homónimos ambos–: Louis Lacroix, gran enamorado de la
estética «Belle Epoque» que luego no logró abordar el Cubismo, y el doctor Lacroix, que tenía en su bella mansión de
la calle Nazareth un notable conjunto de obras de Picasso,
de distintas épocas (ambas colecciones, con el tiempo, fueron dispersadas).

A principios de octubre de 1964, Picasso recibió un paquete de reproducciones realizadas por el editor Spitzer, de
una de sus pinturas: el cuadro titulado *El Pintor,* de marzo
de 1963, que formaba parte de la serie *El Pintor y su modelo.* El hombre barbudo y con un gran sombrero, presentaba
ante el caballete todas las características de su condición: era
el «artista pintor» de que tanto se burlaba Picasso, llamán-
dole «El Pobre», o Rembrandt, en cuanto aparecía en uno
de sus lienzos.

Después de desenrollar las reproducciones –una treintena
en total– Pablo se puso tranquilamente a repintarlas, una a
una, con guache y tinta china. No era la primera vez, por supuesto, que se entregaba a ese juego, no sólo utilizando reproducciones o carteles, sino también fotografías. Y no eran
únicamente los cuadros lo que le inspiraba. Por ejemplo, un
día que Douglas Duncan le entregó las ampliaciones de fotos
sacadas al regreso de uno de los viajes de Pallarés, Picasso se
puso inmediatamente a transformarlas. Una de esas fotos representaba a Pablo dando cariñosos golpecitos en la mejilla
a su amigo, que se reía con todas sus ganas: pues bien, eso se
convirtió en un escena báquica entre dos romanos vestidos
de toga y coronados de laureles, el que correspondían a Pallarés levantaba con amplio ademán su copa colmada de
néctar.

Entre el 10 y el 14 de octubre, Picasso se regocijó disfra-
zando, modificando, repintando con su facilidad soberana,
todas las reproducciones enviadas por Spitzer. Esos Picassos
sobre Picasso le encantaban. El Pintor barbudo o imberbe,
con o sin sombrero, de frente o de perfil, realista o imaginario, siempre delante de su caballete y su cuadro, pincel en

mano, esas treinta efigies diferentes cobraron una cierta unidad por la armonía de azul-gris, blanco, negro y azul claro.

«Podría hacer millares... Es magnífico poder trabajar así sobre lo que ya está ahí. En el fondo, lo más terrible para un pintor es encontrarse con el lienzo virgen..»

El 26 de octubre reanuda el tema del *Pintor y su modelo,* pero el hombre ya no se parece en nada al de la serie recientemente acabada, sino que tiene la nariz chata y el semblante un poco negroide; la modelo, por su parte, es una bella criatura de carne rosa claro, una especie de ideograma de mujer, del cual Picasso hace, en los días siguientes, varios estudios del rostro. Vuelve luego al Pintor y, a partir del 1.º de noviembre, el que mira y la que posa están de nuevo frente a frente en una serie de confrontaciones que condensan y sintetizan el tema cada vez más, como si progresivamente Picasso se identificara con la intimidad creciente de esos dos arquetipos de Modelo y de Pintor: él es tan pronto el uno como el otro y ambos al mismo tiempo, es el conflicto que los opone, el lazo que los une; la Pintura son todos sus infinitos sortilegios que día a día multiplica, y es la Mirada que se posa sobre la modelo y sobre sí mismo, a la vez exterior e interior.

Cada día, cada hora, cada instante, nace un cuadro, un dibujo o un grabado, aquello fluye como una inmensa oleada a la que Picasso se guarda muy mucho de poner diques. El es flujo y reflujo: «Yo no puedo hacer otra cosa que lo que hago...». El automatismo de los reflejos condicionados multiplica los temas y dentro de cada motivo, las variaciones, y aún en esas variantes todavía queda lugar para el humor, para la fantasía, la cólera, la furia, el desafío. Y Picasso no asume solamente sus propios poderes, usa del legado de Matisse, explotándolo con una maestría revanchista que se expresa en la libertad de los coloreados arabescos y en la disposición de la luz que muerde en las formas, con esa especie de hedonismo que tal vez refleja la definitiva identificación de don Pablo con los encantos de la Costa Azul. El anciano robusto, pero siempre atento a cuidar sus fuerzas, aprecia más que nunca el calor, la luz, y el clima sedante del Midi, lo que constituye una manera más de rendir homenaje a Matisse.

En las variaciones del *Pintor y su modelo* correspondientes al otoño del 64 y la primavera del 65, ya no ejerce su manierismo sobre el estilo del pintor francés, sino de sí mismo, a través de la herencia de aquél. El reparto de las manchas de color en la tela blanca, la oposición de tonos puros y de contornos negros, el juego de las ondulaciones coloreadas, reflejan una renunciación progresiva del tema en cuanto a su combinación de formas, para exaltar el puro gozo de pintar. Y ahora, Picasso «tiene ya una paleta», porque Matisse la dejó caer de sus manos...

El taller-laboratorio de Mougins es un remanso de calma, de trabajo y de aislamiento en la vorágine del mundo moderno. La pintura no le alcanza a Picasso, si no es la suya. El ídolo incensado por sus adoradores no tendría nada que hacer entre los hombres. ¿Quién podría imaginar a don Pablo sentado en la terraza de *Les Deux Magots,* charlando con Pignon, o visitando con Jacqueline una exposición, o presente en uno de los «vernissages» de Kahnweiler? Le basta una mujer, unos cuantos amigos, sus perros, un loro de Gabón, la televisión... los cuadros en marcha, los grabados, algunas visitas, los programas de boxeo y de lucha algunas tardes, en compañía de Arias (esos días pone bien visible un cartel: «Ojo, hoy lucha libre»).

Tal es el universo, reducido e inmenso, de Pablo Picasso. Encerrado en sí, protegido, aislado, pero en modo alguno cerrado al exterior. Pues no creamos que Picasso permanecía indiferente a lo que pasaba por el mundo; nada de eso. Generalmente leía gran cantidad de periódicos y revistas, hojeaba los libros que recibía, sobre todo los de arte, cuyas ilustraciones comentaba cuando le suscitaban resonancias afines, y las publicaciones sobre pintores antiguos o museos le apasionaban. Además, no dejaba de leer ninguna carta de su ingente correo cotidiano, ni siquiera las invitaciones y catálogos de exposiciones o subastas. Un nombre, un lugar, podían recordarle una anécdota, traerle un recuerdo. La hora del correo era uno de los momentos más agradables del día: Picasso lo leía en la cama mientras tomaba el desayuno. Por lo general, seguía levantándose tarde.

En la mesa, cuando tenía invitados, le gustaba mucho charlar, «hablaba con las manos» como suelen hacer los mediterráneos, y conversaba sobre pintura con los entendidos: Kahnweiler, los Leiris, Pignon, Clavé o Guttuso, con este último mantenía largas discusiones acerca del arte y la política, el artista comprometido, etc.

Se suceden los cuadros como los planos de una película; luego, el tiempo se encargará de hacer el montaje. Por su parte, él crea, no elige ésta o aquella escena, y cuando muestra un conjunto de obras es para que el espectador participe del gozo que él mismo ha experimentado al pintarlas.

De pronto, un elemento nuevo, imprevisto, viene a sacudir su pintura. Primero, son los paisajes los que acusan el sobresalto, luego los desnudos, y las figuras y cabezas. En marzo y abril, más de treinta y cinco cuadros vuelven a ilustrar el tema del *Pintor y su modelo,* del estudio del artista, del desnudo. ¿Es acaso, que Picasso desea ir aún más lejos en su exploración del motivo? Poco importa. Lo cierto es que en un pequeño lienzo del 3 de abril aparece, a un lado, el busto del pintor, de perfil, con la paleta y los pinceles en la mano izquierda, mientras que con la derecha está pintando en un cuadro colocado verticalmente delante de él, una modelo que no se ve. Esta vez el artista es casi un anciano, calvo y barbudo, de expresión pensativa, representado con una fluidez impresionista, por medio de tonalidades frías de materia acuarelada. El perfil de entonación *fauve* destaca sobre el blanco espeso del fondo.

¿Qué está pintando ese artista con tanta aplicación? Don Pablo no nos deja largo tiempo en la ignorancia: en otro cuadro que hace pareja con el primero, vemos una mujer riendo, con los muslos replegados, la cabeza y los hombros cubiertos por una especie de velo de novia, tumbada en el extremo de un sofá amarillo y rojo, ídolo hierático y un poco chulesco, trazado con rapidez, en anchos restregones geométricos blancos y grises, con toques de verde y rosa sucios subrayando la anatomía. A su lado, un lienzo virgen espera en un caballete.

¿Se trata acaso, de un nuevo símbolo de la impotencia del pintor para representar la realidad? Un modelo es una cosa, el lienzo es otra y ambas no están inevitablemente destinadas a encontrarse. Da pena ver al pobre pintor aplicándose con paciencia –la boca entreabierta, casi se espera que va a sacar la lengua... para aprehender lo que se le escapa. Pintor y realidad están enzarzados en un combate sin fin y tal vez sin desenlace posible, del que Picasso traduce cada episodio, y es fácil adivinar que tras cada uno de los cuadros hay aún otros antagonismos, luego otras interrogaciones. No hay medio de hacerlo de otra forma más que diciendo lo que pasa, variando las palabras, el sentido de las frases, sirviéndose de lenguajes diferentes, pues la pintura no es un arte de confidencias –ni de desahogos, no está destinada a expresar estados de ánimo– como hacen los «artistas pintores» a los que Picasso desprecia, ni tampoco para mostrar cosas bonitas, –lo que igualmente practican los «artistas pintores»– sino de «dar a ver», como pretendía Paul Eluard. Ver por dentro.

El pintor pinta la pintura.

Los pinceles de Pablo trizan, trituran, torturan, caricaturizan. Un expresionismo de barroca inspiración, tan pronto ácida como irónica, transforma los rostros en carátulas, y todas las actitudes, los gestos, los ademanes humanos en una orgía de contorsiones, distorsiones, muecas y bufonadas. *Hombre y Mujer desnuda, Los Durmientes, Mujer a la orilla del mar, El Guitarrista* o *Comedores de sandía,* cuadros todos de abril de 1965, parecen ilustrar esa afirmación de Picasso: «A lo imposible nos hemos atenido». Y tal imposible, con tal vehemencia, nunca había sido alcanzado por nadie: cada cuadro es como una palabrota o un par de bofetadas, resultado de álgido paroxismo. Pues, como también decía Picasso: «Lo que cada uno hacemos es en cierto modo un termó-

metro, nos lo ponemos y nos da la temperatura que tenemos».

La familia del jardinero, el cuadro expuesto en el Salón de
Mayo del 65, es *La familia de Carlos IV,* de Goya, en una
transposición a lo popular. Una galería de grotescos personajes inspirada en un acto terrible de veracidad.

En cuanto a la repugnante *Meona* ¿acaso la sorprendió el
pintor en el recodo de un camino, durante uno de sus paseos
con Jacqueline? Al choque brutal de la «cosa vista» se añade
la singularidad de lo insólito. Esa mujer desnuda, agachada,
con el rostro demudado, orinando de la manera más natural,
mezcla la sátira de lo trivial a un escabroso exhibicionismo,
en el que Picasso se complacerá más y más, tanto en sus pinturas y grabados como en sus palabras.

El sexo y sus funciones cobran una importancia que irá
afirmándose bajo distintas formas: el pubis no era, antes,
sino un tachón triangular y he aquí que ahora se ofrece
abierto, presto a servir para sus necesidades naturales o para
el placer solitario o compartido. De simple observador que
era, el pintor se convierte en «voyeur». Y no es más que un
comienzo.

Es por entonces cuando, enfermo del estómago, tuvo que
trasladarse a París para operarse de úlcera. Llegó en ambu-
lancia al hospital americano de Neuilly y de la misma forma
volvió a Mougins una vez intervenido. El doctor Hepp, que
le operó el 18 de noviembre, logró ocultar la identidad de su
ilustre paciente, toda una hazaña por la que don Pablo le
guardó sincera gratitud. A pesar de las precauciones, algo fil-
tró al exterior y el cotarro parisiense se sobresaltó, cronistas
y curiosos se lanzaron por varias pistas, pero infructuosa-
mente.

«Me han abierto como a un pollo», comentó simplemente
Picasso. Y en cuanto volvió a *Nôtre-Dame-de-Vie,* se puso a
mirar sus cuadros alineados por todas partes tal como los
había dejado al marchar, y se preguntó: «¿Y ahora qué es lo
que va a pasar?».

CAPITULO XXV

LA GLORIA DE DON PABLO
(1965-1970)

En la tranquilidad laboriosa de *Nôtre-Dame-de-Vie,* se produce una conmoción en la primavera de 1965: un libro de cubierta roja que lleva por título *Vivir con Picasso.* Los autores son Françoise Gilot y Carlton Lake, crítico de arte del *Christian Selence Monitor* y del *New Yorker* que, como tal, había sido varias veces bien recibido en casa de Picasso.

Cunde el pánico en torno a don Pablo, Jacqueline está consternada y no sabe cómo ocultar el libro a su marido, la prensa entera habla de ello. El estado mayor de la amistad planea su táctica en *Nôtre-Dame-de-Vie.* ¿Posibilidades de impedir la salida del libro? Ninguna. ¿Prohibir su venta por embargo? Lo intentan. Tan pronto corrieron rumores, Pierre Daix lanzó el grito de alarma en *Les Lettres françaises:* «Doce años después de haber dejado a Picasso, Françoise Gilot derrama un despecho y un rencor que ni siquiera perdonan a los amigos desaparecidos –particularmente Eluard y Nuschni a los más allegados –Olga, Dora Maar, Sabartés– mezclando en su narración chismes y confidencias íntimas». Daix condenaba en sus columnas a «la comadre amargada, sólo preocupada por el fracaso, según ella, de su vida, que pintaba con las mismas tintas a todos aquellos que tuvo el privilegio de conocer». Lo cual, dicho sea de paso, no era muy elegante.

Hélène Parmelin, con su ardor habitual, dirigía el combate de la amistad. La prensa, sin ningún miramiento, apuntaba cada vez al corazón de Picasso. El libro, ya best-seller en Estados Unidos y en Inglaterra, se tradujo al francés con algunos cortes. Picasso no lo lee, no lo leerá nunca, y se muestra más triste que indignado. Se sabe personaje público y siempre vivió como tal, asumiendo todo, pero se ve incapaz de resistir al movimiento de protesta iniciado por sus amigos en favor suyo y que lamentablemente sirve para ridiculizarle todavía más que el libro. Pues si el hombre y el pintor, aún maltratados y hasta ultrajados, están muy por encima de las anécdotas malintencionadas, aunque divertidas a veces si no siempre auténticas, de Françoise, la campaña de firmas que se organiza encaminada a sostener la querella entablada por el pintor, y a testimoniarle la simpatía de la mayoría de los artistas e intelectuales, mezcla la compasión a la torpeza y rebaja a Picasso a la cateogría de víctima. Algo que él nunca aceptaría.

En las listas publicadas por *Les Lettres françaises,* no sólo hallamos los nombres de Clavé, Miró, Hartung, Magnelli, Pignon, Soulages, o Vieira da Silva, sino también Aragon, Jean Cassou, Douglas Cooper, Ilya Ehrenbourg, Serge Reggiani, y... ¡Fernande Olivier! «Es bastante elocuente que un solo libro pueda provocar tan unánime repulsa contra alguien», escribe el semanario comunista que, después de un largo eclipse en las relaciones con el contestatario que se pronunció contra lo de Budapest, toma la defensa del anciano brillante. El único de los pintores del equipo Kahnweiler que no firma la petición es André Masson, dando a sus compañeros una lección de cortesía: no se debe atacar a una mujer, sobre todo cuando habla mal de un hombre que la ha amado.

Después de romper con Picasso, Françoise Gilot se había instalado con sus hijos en el piso de la calle Gay-Lussac que Picasso adquirió en tiempos para ella. Según decía, no se llevó más que un sólo cuadro de aquel que durante 10 años había compartido su vida, el célebre titulado *La Mujer-flor,* de 1946, uno de los retratos más enternecedores que Picasso haya pintado de Françoise. Contrajo más tarde matrimonio con el pintor Luc Simon, de quien tuvo una hija, Aurelia, pero no tardaron en separarse. De niños, Claude y Paloma iban a *La Californie,* mas cuando fueron mayores su madre los confió a unos amigos ingleses que tenían cerca de Cambrigde una magnífica propiedad. Ella seguía pintando, solo que, según aseguraba, al haber roto con Picasso, las puertas de las galerías se le cerraron y la oposición se extendía también a Luc Simon. Por lo visto eso había sido una de las causas de su divorcio.

En el verano del 64, Françoise decidió que Claude y Paloma fueran con su padre a Mougins y, de acuerdo con las condiciones de su separación, telefoneó al abogado de Pablo para que avisara a éste. Picasso hizo transmitir que las fechas fijadas no le convenían, pero no propuso otras. Françoise entonces se fue a Mougins con sus hijos y los dejó a unos centenares de metros de *Nôtre-Dame-de-Vie*. Claude y Paloma llamaron a la puerta y se anunciaron por el interfono, pero una voz respondió que «el señor no estaba», y tuvieron que volverse tristemente, convencidos de la presencia de su padre en la casa.

Al año siguiente, Claude, ya con 18 años, pidió el coche a su madre y, junto con Paloma, emprendió viaje a la Costa Azul. Otra vez se pararon ante la verja de la *masía* y volvieron a escuchar que «el señor no estaba». Ambos se decidieron a poner los medios para encontrar directamente a su padre, y enterados de que había corrida en Fréjus, allí se dirigieron. En efecto, Picasso estaba en la plaza, rodeado de Jacqueline con su hija Cathy, y de un grupo de amigos. Claude se aproximó, pero sólo consiguió saludar de lejos a su padre que, según él, no pareció prestarle ninguna atención.

Ahora, el libro está ahí. Acusador, venenoso, pérfido. Un crimen de lesa majestad en toda su bajeza, y la camarilla picassiana, con Hélène Parmelin desatada a la cabeza, se horroriza. Pero a fin de cuentas ¿es en verdad tan terrible esa narración en la que se reconocen fácilmente la parte de Françoise –amor fracasado, arreglo de cuentas– y la de Carlton Lake –exégesis del pintor y comentario de la obra–? ¿Describe al Barba Azul de entonces con una luz realmente condenable? ¿Es siquiera, como pretenden los cortesanos, una mala acción? A decir verdad, ¿merecía todo ese ruido que se armó a su costa aquel requisitorio tardío aunque detestable en cuanto a su sentido y sus métodos, pero lleno de juicios originales sobre el comportamiento de Picasso, sobre sus ideas acerca de la pintura, sobre su manera de vivir, y sus relaciones con las mujeres y con sus amigos? La sentencia del tribunal recusando el embargo del libro, con su secuela de considerandos mucho más malévolos hacia el pintor que las anécdotas de Françoise, añadió a la natural aflicción por la actitud de la que fue su compañera, un legítimo resentimiento hacia todos aquellos que le habían arrastrado a una ridícula aventura.

Durante semanas y semanas Pablo, herido en lo más hondo, se retiró aún más; Jacqueline horriblemente deprimida, tuvo que guardar cama. El círculo de amigos, tragándose la rabia y rumiando su amargura, se retiró y un silencio piadoso, de conmiseración y de respeto, se estableció en torno a *Nôtre-Dame-de-Vie*. Tal como Françoise había escrito, no era fácil ser Picasso, y menos fácil aún vivir con él.

¿Cómo olvidar aquellas frases que antaño le dijera?, cosas como ésta: «Para mí, nadie cuenta, nadie tiene importancia. Los demás son como motas de polvo bailando al sol. Un buen escobazo y... desaparecen», o bien: «Para mí hay dos clases de mujeres: las diosas y las felpudo». Aunque tales afirmaciones hayan sido algo «arregladas» –la corte de Mougins afirma que son pura invención– suenan tremendamente picassianas. Por más que debamos tener en cuenta que si Picasso no perdona a nadie, tampoco se perdona a sí mismo, y que el drama de su vida fue, tal vez, no haber encontrado ni mujer ni amigos a su medida. Pero ¿acaso lo deseaba de verdad?

La crueldad de Picasso hacia los demás no es maldad pura, gratuita, como era, por ejemplo la de Degas; es una provocación, un reto a desenmascararse o a romper sus propios límites. Aquello de «Braque es mi mujer», es eso, precisamente. Y suele olvidarse que ni Braque ni Matisse tuvieron más miramientos para con él que Picasso hacia ellos, sólo que las frases, las «boutadas» del español iban más lejos, porque se situaban en otro contexto. Es verdad también que él era, generalmente, el agresor.

El hombre Picasso, tal como Françoise Gilot le conoció, no era evidentemente el que ensalzaban sus admiradores, los plumíferos del Partido o las damas extasiadas ante el fenómeno Picasso. Pero sus pequeños detalles podían tener algo de enternecedor. Cierto que el militante de base, no poco sorprendido ya de ver a los dirigentes comunistas celebrar en él una forma de arte que rechazaban de plano en cualquier otro, no podían por menos de encontrar extraño que el Minotauro hubiera entrado con su amiga en una iglesia para hacerla jurar ante la pila de agua bendita «que le querría siempre», y que animara complacido a la abuela de Françoise a que rezara por él. Sabido es que Pablo tenía supersticiones religiosas y profanas. Contaba Françoise que una vez abrió imprudentemente un paraguas dentro de una habitación, y Pablo la obligó a dar varias vueltas, cruzados los dedos en gesto de conjuro y gritando, con los brazos en alto: «¡Lagarto! ¡Lagarto!» (1).

Anécdotas solo, por supuesto. O pequeña historia. Pero cuando Picasso aconseja a Hélène Parmelin que titule uno de los libros a él consagrados *Secretos de alcoba de un estudio,* sabe que legitima así de antemano la preciosa crónica indiscreta a que se presta su persona y su reinado. Pues el genio no está únicamente hecho de grandeza, sino también de pequeñez, y toda luz por deslumbrante que sea, tiene también su parte de sombra.

Pocos fueron los artistas menores de cuarenta años que firmaron la petición de *Les Lettres françaises* contra el libro *Vivir con Picasso.* Las nuevas generaciones se sentían ajenas a tales historias que, por otra parte, contribuían a mantener a Don Pablo en candelero. Los jóvenes que le descubren, en esos años 65-66 no son sólo aquéllos que, por pertenecer a la nueva figuración le consideran como el pionero de la imagen realista y su propagador más fascinante, sino que también le

---

(1)   Françoise Gilot y Carlton Lake: *Vivre avec Picasso.*

admiran por razones contrarias sin atreverse siempre a confesarlo. Picasso había sido el primero en utilizar los objetos de desecho e introducir materiales pobres en la pintura. Nadie puede negar que sus primeras obras con yeso y arena incorporados al soporte, su primer collage con el trozo de hule, allá por 1911-12, los fragmentos de periódicos de 1913, los montajes cubistas de 1914, la bayeta-guitarra de 1926, fueron otras tantas anticipaciones de los experimentos neodadaístas y anunciaban nuevas búsquedas artísticas definidas luego como *nihilworks, arte povera* o *art in process,* que implicaban el contacto directo y la participación física del espectador. ¿Acaso no ha de considerarse el Cubismo como la primera de las artes conceptuales?

Paralelamente a esas connotaciones, Picasso asumía aún otra dirección del arte contemporáneo: al renovar los problemas de la figuración, había dejado bien sentado que no todo se había dicho aún en ese terreno, y que, contrariamente a las afirmaciones de Malraux, la gran pintura podía seguir siendo figurativa. Había mucho todavía por ver en la realidad, y por inventar, incluso fuera del legado cubista: él mismo era la más cumplida demostración.

Con Picasso quedaba probado que un arte profundamente personal podía aún ser posible, íntimamente ligado a los dramas, a la angustia, a todos los sentimientos que cada hombre pudiera experimentar ante los problemas del mundo moderno.

Al lado opuesto del «colectivismo» preconizado por numerosos artistas, de las corrientes de integración del arte a la vida de la ciudad, de los movimientos que implican el desarrollo de un arte global relacionado con la arquitectura y el entorno, Picasso afirmaba su feroz individualismo. Era realmente el último señor feudal de la pintura y, por ende, encarnaba la continuidad de un comportamiento que había sido el de tantos artistas de su generación.

Todo un aspecto del arte dramático de Picasso, sus obsesiones, sus cóleras, sus rebeldías que no dejó de reflejar en el diario íntimo de su pintura, estaba implícito en ese indivi-

Los pichones, Cannes, julio de 1957, Museo Picasso, Barcelona.

El matador brinda la muerte del toro, aguatinta, 1957, Colección
Biblioteca Nacional.

Faunos y cabra, linóleo, 1959, Colección Museo Español de Arte Contemporáneo, Madrid.

Almuerzo campestre, Vauvenargues, febrero de 1960, **Galería Louise** Leiris, París.

El pintor y la modelo, abril de 1963, Museo Español de Arte Contemporáneo, Madrid.

Hombre con las manos juntas, abril de 1967, colección particular, Barcelona.

El pintor, mayo de 1967, colección particular, Barcelona.

La familia, Mougins, septiembre de 1970, Museo Picasso, París.

En la cocina de La Galloise, en Vallauris, el pintor y los panecillos llamados «picassos».

Arriba: Picasso y Pignon en la corrida de Arlés (Lucien Clergue).

Abajo: El Testamento de Orfeo, Aux Baux, durante el rodaje: Luis Miguel Dominguín, Jacqueline Roque, Picasso, Cocteau, Lucía Bosé, Serge Lifar (Lucien Clergue).

En casa de Picasso, después de la representación privada de *El deseo atrapado por la cola*. De izquierda a derecha: Dr. Lacan, Cécile Eluard, Pierre Reverdy, Louise Leiris, Zanie de Campan, Picasso, Valentine Hugo, Simone de Beauvoir. En primer plano: J.-P. Sartre, Albert Camus, Michel Leiris, el editor Jean Aubiet y el perro «Kazbek» (Brassaï).

Picasso en su taller. (Foto René Jacques.)

Picasso y Sabartés acompañan a Juan y Miguel Gaspar.

En la capilla de Clemente VI del palacio de los Papas de Avignon; pinturas de Picasso.

La entrada
del Grand
Palais en París,
homenaje
a Picasso 1967
(Roger
Viollet).

Picasso
y Jacqueline
en el
aeropuerto
de Niza.
29 de abril de
1971
(Keystone).

Sobre la tumba de Picasso, *La Femme au vase* (Y. Coatsalión-L'Express).

dualismo del que nunca abdicó hasta su fin. Hizo del artista el contestatario que siempre fue, contestatario de sí mismo, de los otros, de la pintura, del mundo. Más o menos imperativamente en las últimas obras.

Tras un período de grabados en linóleo durante el invierno 1964-65, hace otra nueva hornada de grabados en plancha de cobre, que comienza los días 27 y 28 de febrero con otra versión del *Artista trabajando* y del *Estudio* que le ocupará hasta el 18 de marzo en variaciones sucesivas. Conviven con el *Estudio* algunos desnudos, mujeres mirándose al espejo, y una curiosa *Venus y el Amor* en aguatinta, en que se ve un Cupido volando por encima de una Venus desarticulada con una enorme pierna en primer término.

La actividad de don Pablo es tal en esos meses que los Crommelynck se ven obligados a acelerar las idas y venidas por la «ruta del cobre». Entre el 2 y el 18 de marzo graba nada menos que una treintena de planchas en las que dominan los temas del Pintor y su modelo, las Mujeres desnudas y diversos Hombres y Mujeres, principalmente en aguatinta y punta seca. A partir del día 12, se consagra exclusivamente al motivo del Estudio, y realiza, hasta el 16, catorce versiones sucesivas, tras las cuales se interrumpe y no reanuda el grabado hasta septiembre. El día 6 hace un aguafuerte para la página de título de un libro escrito por Jean Cassou sobre *Les Papiers collés*.

Un día don Pablo dice a Piero Crommelynck: «Oye, ¡cómo te pareces a mi padre!». El grabador que tenía el rostro fino y los ojos claros, se había dejado una barbita rubia, que le daba un aire, efectivamente, muy parecido a don José, tal como le recordaba Pablo cuando era niño. Picasso no pudo nunca olvidar a aquel hombre al que tan cruelmente hizo sufrir sin querer después de haberle dado tantas esperanzas. Y todavía hablaba de él, citándole como ejemplo: «Mi padre hacía esto...». «Mi padre decía aquello...» ¿No fue, acaso, de él de quien recibió sus primeros rudimentos de pintura? Pasados más de setenta años, todavía conservaba la paleta y los pinceles que un día, solemnemente, le entregó en La Coruña. ¡Cuántos interrogantes, desafíos, escándalos salieron desde entonces de aquella «alternativa»!

El 21 de septiembre Picasso hace en dos linos, uno con fondo claro y otro con fondo oscuro, el retrato de Piero, pero nunca llegó a hacerse la tirada, como fue el caso con otras planchas de la primavera. Al día siguiente y al otro, todavía hace un aguafuerte y una aguatinta, luego deja el grabado y los Crommelynck regresan a París.

Todavía vuelve a la imagen de Piero meses más tarde: el 16 de enero de 1969, pinta a grandes pinceladas rojas, negras y blanco azulado, un *Piero en el tórculo* donde se ve al joven maestro grabador transformado en una especie de diablo de ganchuda nariz, con dos ojos superpuestos de perfil y la barbita de chivo.

Jacqueline anda entonces muy preocupada, y a los amigos más íntimos les confía que la pintura que está haciendo Pablo la aterra. Jamás su expresionismo barroco había sido tan agresivo, la escritura no es ya más que surcos empastados en trazado sinusoidal a través del lienzo y masas de color graso rápidamente restregadas por la brocha áspera que barre y estría las formas. En esos magmas de color empastado donde las líneas se anudan y se desanudan, una maraña de cuerpos desarticulados, de brazos, de piernas, cabezas, sexos chocan entre sí, se enlazan, se acoplan, unos contra otros se revuelcan cuerpos desnudos, mujeres, faunos, flautistas, fumadores, mosqueteros, pintores... Las cabezas, grotescas o repugnantes, con las mejillas comidas por la barba y los ojos extraviados, los cuerpos deformes de grupas elefantiásticas, muslos y pies monstruosos, vientres hinchados, colgantes falos, abiertas vulvas.

Todos descuartizados, desencajados. El Flautista echado sobre la Mujer desnuda, sopla en su instrumento sostenido por sus velludas manos. Los hombres comiendo sandía, impúdicos y bárbaros, hincan el diente entremezclados como si se estuvieran devorando a sí mismos o engulleran la forma, el color, toda la pintura y a quien los está mirando.

La Mujer desnuda y el Fumador, ídolos firmemente estructurados en bellos azules intensos sobre fondo amarillo anaranjado, no parecen hechos ni para encontrarse ni para entenderse: son esquemas erizados, como trabajados a golpes, que recuerdan a un hombre y a una mujer por lo que conservan de anatomía fragmentaria en la incoherencia de sus respectivos aspectos. Furor de pintar, de destruir para reconstruir, con la más loca inventiva, pues la realidad pertenece a quien la toma. Y la pintura a quien la hace.

Un día, un mosquetero viene a ocupar el sitio del pintor en su estudio, y desde ese momento varios otros entran con fuerza en el feudo picassiano, bigotes de rizadas guías, gola al cuello, jubón y fina espada. He aquí que el mosquetero se sienta delante del caballete y se pone a pintar a la modelo, luego es el flautista el que sigue haciéndolo, hasta que por fin el pintor vuelve, cediendo el sitio luego a los glotones de la sandía, más ávidos que nunca. Y entretanto, aparece el circo, porque don Pablo sigue en la televisión, con apasionado interés, los espectáculos de *La Piste aux Etoiles* –ese circo amateur en el que actores célebres hacen números de artista circense–, y surgen así payasos, caballistas, atletas, acróbatas, enanos...

Toda esa extraña locuacidad desbordada ¿no sería tal vez sino la diversión suprema del superviviente que todavía se sirve de sus poderes para hacer brotar imágenes inmediatas?, ¿es acaso el resultado, a la vez desconcertante y fascinante del automatismo de la mano y de la intemperancia del ojo?; condenado a cadena perpetua de la pintura ¿qué otra cosa puede hacer Picasso sino pintar?

Es en el trazo de línea, el dibujo o grabado, donde en esos años alcanzará incomparables cimas, en tanto que la pintura va a caer, cada vez más, en la repetición, la acumulación y la insignificancia. Alucinante cacofonía de la que las dos grandes exposiciones en el Palacio de los Papas de Avignon –1970, 1973– darán un espectáculo tan fascinante como intolerable.

La inagotable fantasía de don Pablo puebla su comedia humana con mil personajes cuyos juegos multiplica: había que verle con la plancha delante, las gafas cabalgando sobre la nariz y los ojos taladrando el cobre, pasar la punta seca sobre la fina película de barniz y trazar, en arabesco flexible y leve como un pelo, sin levantar la mano, la línea que hará nacer un mundo de metamorfosis. Qué sencillo y natural parece todo, qué fluido, qué fácilmente los seres y las cosas «salen» de los dedos del anciano laborioso...

Todavía imagina un día un nuevo procedimiento para que en la tirada aparezca el trazo blanco sobre fondo negro: una especie de «manera negra» en cierto modo, con la que realiza gran cantidad de pruebas. Esas experimentaciones sucesivas están reunidas en la «extracción» como lo llama Picasso, del retrato de Angela Rosengart, ejecutado el 30 de octubre de 1966. Renovación incesante a la que sigue aportando innovaciones, mientras que las pruebas se suceden en la «ruta del cobre». «¡Menudas pruebas!», bromea don Pablo.

«Con el grabado tienes todo –comenta un día con Pierre Daix, mostrándole una tirada que acaban de traerle los Crommelynck–. Aunque siempre quedan algunas cosas, minucias... Mira, por ejemplo, este blanco...», y va a buscar una plancha de la víspera: «esto también tenía que haber quedado blanco... Pero a lo mejor no iba en absoluto».

El 3 de septiembre de 1967, en una hoja de 75 × 56,5 cms., dibuja a lápiz tres figuras de mujer con una delicadeza de trazo que deja en toda su plenitud el color ocre del fondo. La que está en medio tiene la cabeza más trabajada que las otras dos, modelada en sombreado y contorneada de negro. A sus pies, hay un hombre agachado y en esa profana trinidad se diría que ha resonado un eco fugitivo de *Las señoritas de Avignon*. El hombre, con dos perfiles simultáneos, es tal vez Picasso mismo.

Por entonces, una juvenil compañía de teatro, animada por el escritor Jean-Jacques Lebel y el director de escena Alain Ziou, piden y obtienen la autorización para representar *El deseo atrapado por la cola*, que ya antes había puesto en escena el grupo de estudiantes suizos *Le Tapis Vert*, bajo la égida de la Sociedad Suiza de Bellas Letras. Con gran sorpresa de todos, el alcalde de St. Tropez, donde debía darse el espectáculo, prohibe la representación, y finalmente, tuvo lugar en Gassin, por invitación, y con la conocida vedette de strip-tease Rita Renoir, que obtuvo un gran éxito por su belleza y dinamismo. Lebel y Ziou se limitaron a seguir al pie de la letra las indicaciones del autor, y tan delirantes parecieron que el público creyó que se trataba de invenciones suyas. Lo que pasaba es que Picasso se había divertido en inventar un lenguaje y una acción que se adelantaba en más de veinte años al teatro moderno y anunciaban el famoso happening. Cuando escribía al final del IV acto, que debía hacerse «un gran silencio de algunos minutos durante los cuales en la concha del apuntador, sobre una gran lumbre y en una enorme sartén se verá, se oirá y se olerá freír patatas en aceite hirviendo, y hasta que el humo invada la sala y produzca la asfixia completa», era todo el teatro petrificado de entre las dos guerras lo que Picasso ridiculizaba y ponía en el banquillo.

El silencio tiene particular importancia en la comedia, Picasso lo invoca varias veces, y uno de los personajes que se llama, justamente, Silencio, sólo abre la boca para decir: ¿Queréis callaros?, y Pie Gordo replica: «Desnudad enseguida al Silencio». También en eso aparece Picasso como precursor del teatro vanguardista de Jérôme Savary, de Patrice Chéreau, de Grotowski, donde las palabras tienen mucha menos importancia que la acción, llamada a neutralizar el condicionamiento del espectador, a arrancarle de su pasividad y su fijeza y permitirle hacerse su propio montaje de los acontecimientos, como ocurre en la vida cotidiana, que es una especie de collage permanente de las percepciones visuales sucesivas o simultáneas.

En una fría mañana de invierno, Fernande Olivier muere en su exíguo piso de Neuilly más de cincuenta años después de su encuentro en la fuente del Bateau Lavoir. La viuda de Derain, que se ocupó de ella hasta su día postrero, fue casi la única que la acompañó al cementerio. Poco antes de morir, Fernande había estado mirando una fotografía de Pablo, vestido de etiqueta con Jacqueline, en el Festival de Cannes de 1956, y reía diciendo: «¡Cuando pienso que en otro tiempo no se hubiera puesto por nada del mundo una camisa blanca y un cuello almidonado!». «La bella Fernande», cuyo libro *Picasso et ses amis,* tuvo bastante éxito en 1933, había completado sus recuerdos con algunas páginas que confió al periodista Georges Charensol, éste las entregó a la editorial Stock que había ya publicado aquel primer libro. A la muerte de Picasso, la citada editorial quiso publicar esos recuerdos póstumos, pero en vano buscaron el manuscrito: había desaparecido, tal vez a causa de una reciente mudanza. Fernande no tuvo nunca suerte con Pablo.

Algunos amigos de Picasso o admiradores de su obra venían pensando en consagrarle en París una retrospectiva, ya que desde la exposición de 1955 en el Museo de Artes Decorativas, no se había visto un conjunto antológico. En todo ese tiempo, por supuesto, se habían celebrado en el mundo diversas e importantes manifestaciones de su obra y la exposición de *Picasso y el Teatro* en Toulouse había probado que, con un poco de diplomacia y contando con la mediación de amigos seguros, era posible suscitar el interés de Picasso y lograr que prestara algo de su propia colección. André Malraux en la Cartera de Cultura y la política de prestigio que el ministro había emprendido, parecían haber creado el clima favorable para organizar una amplia retrospectiva con la que se rindiera homenaje a Picasso al cumplir los ochenta y cinco años, en 1966. Ahora bien ¿cuáles eran las intenciones de Malraux respecto al artista? Teniendo en cuenta, claro está, lo que Picasso le inspiraba y, por otra parte, lo que éste representaba para el mundo entero: el más grande de los pintores vivos. Se había abordado la eventualidad de una donación posible del pintor al Estado en condiciones que quedaban por definir, y, habiéndole sido transmitidos los deseos y sondeado su reacción, un íntimo pudo recoger esta respuesta: «Si me lo piden, no diría que no...».

¿Quién iba a encargarse de pedírselo? ¿Y en qué forma? La cuestión se la planteó al ministro el entonces director de

Artes y Letras, Gaëtan Picon, que era amigo y exégeta de Malraux, pero le contestó que «con Picasso no había nunca nada que hacer» que en el último momento se negaría, que podía esperarse que pusiera todos los inconvenientes imaginables y que su principal placer consistía en «atrapar» a sus interlocutores, fuesen quienes fuesen. *Piéger* (poner trampas) era un término que los colaboradores del ministro oían cada vez que se les hablaba de Picasso.

Y es que el octogenario encerrado en su soledad de señor feudal de la pintura, significaba un peso para Malraux quien no le había vuelto a ver desde hacia varios años. Ningún diálogo parecía posible entre ambos, ningún terreno de entendimiento podía existir entre los dos, porque «el drama es que ellos se consideran iguales en la eternidad», decía un pintor célebre que los conocía bien. ¿Quién iba a dar el primer paso? Picasso, no, entonces ¿Malraux? Pero, ¿es qué se olvidaban de que era ministro? ¡Y un ministro del general De Gaulle, del hombre histórico, no puede serlo cualquiera! Y tampoco podía hacer cualquier cosa.

Había, además, el inconveniente del tinglado comunista en torno a Picasso, y sus opiniones políticas que iban en sentido opuesto al gaullismo. Por otra parte, algunos de los allegados del pintor se mostraban más o menos reticentes ante la idea de una gran exposición que podía hacerle, en cierto modo, si no cómplice, al menos deudor del Estado que manifestaba entonces un virulento anticomunismo. También se aducía la eventualidad de que se produjeran ruidosas manifestaciones del Partido si tal exposición se celebraba.

Muchos inconvenientes, en fin, que para Malraux no podían más que desembocar en las temidas «trampas» y, por ende, en un fracaso que le perjudicaría a él particularmente y al Gobierno. Sin embargo, eran muchos quienes consideraban la utilidad de correr todos los riesgos porque una exposición de Picasso bien organizada, a la cual el artista no podía por menos que prestar su cooperación, sería el mejor modo para lograr la deseada donación. La disposición favo-

rable de «si me lo piden, no digo que no...», dejaba al ministro un tanto escéptico, pues sabía que Picasso era «capaz de
todo».

Al consejo de uno de sus colaboradores, que le sugerían que
fuera en persona a Mougins para tratar directamente del
proyecto con Picasso, Malraux oponía escandalizado: «¡Está
usted loco! Me dejaría llamar a su puerta y luego diría:
"Ahora le abren", pero yo me quedaría horas enteras esperando delante de la verja mientras que él telefoneaba a
L'Humanité...».

No, no, eso era impensable, Malraux, el representante del
Estado, es decir de Francia, ¿podía exponerse a que le hicieran tal feo? El escritor, tampoco, el novelista del destino, el
compañero de tantos héroes muertos, el exégeta de las obras
maestras imperecederas, no podía de ninguna manera reba-
jarse a una gestión que entrañaba tantas «trampas», aunque
el asunto valiera la pena.

Y las cosas se quedaron como estaban, por el momento.

El ministro no se decidía, pero eso entraba en el comportamiento paradójico del escritor, que renunciaba al combate
antes de haber desenvainado la espada. Huidizo, inquieto,
inestable, capaz de audacias aisladas sin resultados, de hermosas ideas nunca realizadas, de visionarias intuiciones y de
retiradas desconcertantes, dotado de una movilidad en el
pensamiento que no excluía ni la indecisión ni la renuncia
brusca, la personalidad de Malraux se complicaba aún por
lagunas de la memoria, por la imposibilidad de comunicar
directamente con sus colaboradores tanto como de consa-
grarse a las tareas administrativas de su Ministerio. «Para
eso están nuestros directores generales» decía, y el escaso interés que prestaba a los hombres «esos miserables montonci-
tos de secretos...» Decididamente, todo eso no predisponía al
ministro Malraux a los proyectos de envergadura a largo
plazo.

Así pues, cuando Gaëtan Picon y uno de sus colaboradores, Blaise Gautier (que sería luego director del Centro Nacional de Arte Contemporáneo y es, hoy, uno de los princi-

pales responsables del Centro Pompidou) hablan al ministro de la obligación moral de organizar una gran retrospectiva en París para conmemorar los ochenta y cinco años de Picasso, Malraux piensa que, en efecto, Francia debe hacerlo y consiente advirtiendo, no obstante: «Por supuesto, ustedes se comprometen a título personal». Lo cual equivalía a declinar su propia responsabilidad, en el caso, tan temido, de que Picasso, multiplicando las «trampas», llegara a hacer imposible la realización del proyecto. Y puso fin a la entrevista con estas palabras:

«¡Ya verán ustedes a lo que se exponen!»

Eso no impide que años después, en su libro *La Tête d'Obsidienne,* comente repetidamente la retrospectiva «que yo hice organizar...». Claro que aquí, no es el reportero quien habla, sino el novelista.

Picasso empezó por negarse. Pero no tardó en aceptar cuando Jean Leymarie fue nombrado comisario de la exposición, en enero de 1966, si bien le previno: «Más te valía no haberme conocido, vas a encontrar todos los inconvenientes del mundo».

Jacqueline, por su parte, ha contado: «Siempre tomábamos las grandes decisiones por la noche. Pablo trabajaba hasta muy tarde, luego comíamos cualquier cosa en la cocina, y era en ese momento cuando se decidía. Yo le hablé de la exposición y me dijo que no. Sin embargo, una hora después, antes de acostarse, consentía: "Bueno, si de verdad tú quieres que se haga, haz la exposición, pero yo no me ocuparé de nada". Esto era poco después de que nombraran a Jean Leymarie».

Picasso y Leymarie eran amigos desde 1944. En aquel entonces, habían encargado al joven funcionario de los Museos Nacionales que hiciera tres programas de radio sobre Picasso, y éste aceptó recibirle y charlar con él unas horas. Todo se realizó de la mejor manera, las emisiones tuvieron gran éxito y Picasso, encantado, volvió a recibir a Leymarie y le honró mostrándole cuadros y, sobre todo, esculturas que nadie hasta entonces había visto, circunstancia que, al ser nombrado Leymarie Conservador del Museo de Grenoble, favoreció la adquisición de cuatro piezas por una suma muy reducida. Las buenas relaciones entre los dos hombres continuaron según las incidencias de la carrera administrativa del joven historiador de Arte. Estimando sus cualidades, Malraux al ser nombrado ministro de Cultura le hizo volver a París –Leymarie ejercía a la sazón de profesor en la Universidad de Ginebra–, deseoso de confiarle un puesto de responsabilidad: designarle comisario de la exposición de Picasso era un primer jalón. Quedó pues, decidido que la retrospectiva se haría en el Grand Palais y que su inauguración coincidiría con la primera fase de las obras de restauración que necesitaba el célebre palacio.

En Pascua de 1966, dos meses después de su nombramiento, Leymarie parte para Mougins. En principio, la exposición debía componerse de un centenar de cuadros de primera magnitud que abarcaran todas las épocas de la obra. Picasso y Leymarie hacen la selección y se prepara el trámite de petición a los museos extranjeros, pero Malraux, declinando la implicación en lo que sigue considerando que va a ser un fracaso, se niega a firmar las demandas de préstamo oficiales y tiene que hacerlo Gaëtan Picon en su lugar. Los museos de Estados Unidos, francamente hostiles a la política extranjera del general De Gaulle, oponen una negativa casi unánime, ante la cual Jean Leymarie cruza el Atlántico para tratar directamente con las autoridades, en particular con su amigo Alfred Barr Jr., director del Museum of Modern Art de Nueva York, que accede a prestarle siete piezas, entre ellas la curiosa *Pesca nocturna en Antibes,* que Leymarie deseaba a toda costa presentar, y las indispensables *Señoritas de Avignon.* En cambio, no es posible hacer venir a París el *Guernica,* que por la fragilidad de su material necesitaría restauraciones a las que se opone Picasso.

Después de obtenido el préstamo de Estados Unidos, se pudo contar con cinco cuadros de la Tate Gallery, gracias a Penrose y quedaba sólo por resolver la petición a los museos de Rusia. Leymarie parte aprovechando la misión oficial de recoger las obras de Cézanne que Francia había prestado para una exposición en la URSS., y al cabo de una semana de negociaciones, la Sra. Furtseva, ministra de Cultura, autoriza la salida de varios cuadros de juventud y de la época cubista. Igual resultado positivo consigue, con mayor facilidad, en Praga, que posee obras cubistas de capital importancia, y los grandes museos de Holanda, de Lieja, de Estocolmo, de Basilea, etc., y naturalmente, el Museo Picasso de Barcelona, aportan su concurso.

Entretanto, el ejemplo de Alfred Barr, rompió el hielo y la mayoría de los museos y coleccionistas norteamericanos accedieron: el Metropolitan Museum de Nueva York, el Solomon Guggenheim, los de Chicago, Filadelfia, Boston, Cleveland, el Wadsworth Atheneum de Hartford, etc. En suma, se ha rebasado con mucho el total de los cien cuadros previstos y se va perfilando una exposición mucho más importante. Ni que decir tiene que Picasso sigue con interés los esfuerzos de su amigo, aunque, según su costumbre, no hace nada por ayudarlo. En cuanto a Malraux no manifiesta la satisfacción que sería legítimo esperar: sigue esperándose «la trampa».

La importancia de las obras prestadas decide a Leymarie dar el golpe: presentar también la obra escultórica de Picasso que es casi desconocida. El Grand Palais ya no basta y se piensa en el edificio de enfrente, el Petit Palais, como más indicado. El comisario general de la exposición hace, pues, la gestión de proponer los bronces, las cerámicas, los ensamblajes y las hojalatas recortadas de Picasso a la conservadora del Petit Palais, Mademoiselle Cacan, que está a punto de desmayarse cuando escucha tal proyecto. Hija de un pintor tradicionalista, Mademoiselle Cacan respeta ante todo la belleza clásica y no está lejos de ver en Picasso un mixtificador y un enviado del diablo. Pero ¿cómo negarse a la petición? la digna conservadora lo trasmite debidamente al Consejo Municipal de París, de quien depende su museo, y el Ayuntamiento otorga su autorización. Jean Leymarie se apresura a anunciar la buena nueva a Malraux y a Picasso.

Es ésta la mejor ocasión, que Leymarie aprovecha, para

intentar que el pintor reanude sus antiguas relaciones con el autor de *La Condición Humana,* y ahora ministro de Cultura. Recordando que Picasso le había dicho un día: «¡Malraux es alguien!». Leymarie le pregunta si lo recibiría en caso de que fuera a Mougins. Entonces Pablo responde, clavando en su amigo los terribles ojos negros: «Tendré mucho gusto en recibir a Malraux, y comerá en la cocina como todo el mundo». Imposible transmitir tal suerte de invitación al ministro que, de todas formas, no habría respondido. Por otra parte, la amplitud que ha cobrado el proyecto de la doble exposición, tiene asustado al titular de la Cartera de Cultura («¡Malraux me tomaba por loco!» –dice Leymarie–). Las pinturas, un total de doscientas ochenta y cuatro, irán al Grand Palais, los dibujos y esculturas al Petit, además de una selección de grabados a la Biblioteca Nacional.

La verdadera revelación de tan monumental retrospectiva serían precisamente, las esculturas, pues Picasso consintió en que por una vez, salieran de su taller obras que casi nadie conocía; el conjunto comprendía ciento ochenta y seis piezas de materiales y técnicas muy diversas que iban de 1901 a 1963.

Infatigable, Jean Leymarie no para, salta de un tren a un avión, pasa un día en casa de Picasso, vuelve a París, está en todas partes. Y nadie se le resiste. Alborotado el pelo, maliciosos los ojillos escudriñadores, suave la voz, despliega una increíble energía, derriba todas las barreras y provoca la admiración del viejo pintor que asiste desde Mougins, como espectador, a esa prodigiosa cacería de Picassos. La tenacidad que pone el Comisario General le llena de admiración: acuciado por el imperativo de la fecha y por la complejidad de la inmensa tarea, se ve obligado cada día a implorar, a desplegar diplomacia, a vapulear, a forzar... «Picasso quería siempre saber hasta dónde se podía ir», explicaba más tarde Leymarie, recordando aquel período de alocada actividad. ¡Y cuántas sorpresas encontró al tratar con el artista! Como la que se llevó al ir a *La Californie* para elegir un cuadro: era el 28 de septiembre, y André Breton había muerto aquella misma mañana. Picasso evocó la memoria del amigo y luego, abriendo un cajón, le mostró a Leymarie un legajo de cartas del escritor surrealista, que había comprado en subasta. Eran cartas dirigidas a una mujer y Breton las había maculado de esperma.

Ante el enorme tesoro de obras picassianas que se van acumulando, representativas de todas las épocas y todos los estilos, Picasso comenta con Leymarie: «En resumidas cuentas, es el inventario de alguien que se llama como yo». Pues se diría que duda en reconocerse a sí mismo, en apreciar su dimensión en todo ese universo en constante gestación, en perpetuo movimiento, cuya abundancia y multiplicidad rebasan con mucho una «obra» en el sentido humano de la palabra.

¿Cómo ha podido un mismo individuo llevar dentro de sí tantas cosas complejas y antagónicas, pasar de una expresión determinada a su antítesis, con tan diabólica facilidad?

¿Cómo explicar que haya podido, al mismo tiempo, destruir y construir, hacer retratos de una admirable pureza y atentar con tal saña a los mismos rostros –eso que tanto horrorizaba a Françoise Mauriac–? ¿Que haya desarticulado los cuerpos y pintado una figuras de tan sosegada serenidad clásica?

«Cada vez que he tenido algo que decir, lo he dicho de la forma que he creído mejor. Motivos diferentes requieren procedimientos distintos... Y eso no implica ni evolución ni progreso...» Hace largo tiempo que Picasso había advertido así a los críticos: no hay enlace lógico entre sus diferentes técnicas y modos de expresión porque el cerebro humano es contradictorio y a cada pensamiento le corresponde un lenguaje luego un estilo, y que la novedad reside en el movimiento de ese pensamiento. Con todo, el conjunto de la obra presenta una medida y un compás: los del individuo que había orquestado las partes. Qué valen las rupturas, los antagonismos, las contradicciones en comparación con el poder de este hombre que dictó sus propias leyes para su uso particularísimo y se permitió a la vez el lujo de transgredirlas.

El 25 de octubre, don Pablo había festejado su cumpleaños, que no pasó inadvertido para nadie. Del mundo entero le llegan telegramas, llamadas telefónicas, flores, regalos. Sin embargo, no hubo jolgorio como cinco años antes en Vallauris, los amigos de la región se encontraron la puerta cerrada y el guarda que repetía sin más explicaciones: «El señor no está». Por la noche, Antoni Clavé y Madeleine fueron a *Nôtre-Dame-de-Vie* para llevarle una colección de muñecos modelados y pintados por un marino de Saint Tropez. Deseando únicamente dejar el regalo para que se lo entregaran a Picasso, estaban ya a punto de partir cuando aparecieron en coche Pablo y Jacqueline, de regreso a su casa después de haberse ocultado todo el día. El contento es sincero, como los abrazos, las enhorabuenas, los deseos de felicidad eterna. «Entrad, entrad», invita Picasso. Y pregunta a Jacqueline: «¿Hay algo que comer?».

La *masía* está vacía, pero por fortuna guardan los cestos de ostras enviadas por un restaurante de Cannes, y siempre hay jamón y algunas botellas buenas. «Es que, claro ¿comprendes? como no esperábamos a nadie, no tenía nada previsto...» Sentados los cuatro en la cocina, comen alegremente y llaman a los criados para brindar. Así rematan los 85 años de Picasso.

Llegado el momento de celebrar el aniversario, la retrospectiva fue acogida con diversas reacciones. Menos centrada que la anterior del Museo de Arte Decorativo en un aspecto particular del espíritu picassiano, podía satisfacer a todo el mundo, ofreciendo a cada cual su Picasso preferido: realista, expresionista, cubista, clásico, barroco; Picasso pintor, escultor, ceramista, dibujante, grabador, etc., pero la inmensidad de la producción desalentaba por anticipado las tentativas de descifrarla en la prensa o en el público, ambos fascinados anticipadamente por la personalidad del artista.

Nadie había esperado la presencia de Picasso la mañana de la inauguración, el 19 de noviembre, presidida por André Malraux, con todos los honores de la guardia republicana y policía en traje de gala. Como escribió un periódico, «el revolucionario de las Letras honraba al revolucionario de la Pintura». Y el Ministro declaró: «Se trata de la mayor empresa de destrucción y de creación de formas de nuestro tiempo y acaso de todos los tiempos».

Así como antaño las muchedumbres se horrorizaban, ahora se agolpan en los dos palacios. No faltan los grupos de obreros llevados en autocares por los Ayuntamientos comunistas, dispuestos a admirar sin reservas al «amigo de los trabajadores» que es, al propio tiempo, el más grande pintor del Occidente capitalista cuya obra se disputan los millonarios tejanos y figura también en los antiguos palacios de los zares abiertos hoy a los hombres y mujeres soviéticos. Visitan asimismo la exposición, conducidos por sus maestros, los niños de las escuelas, a quienes paradójicamente suele decirse que «hacen Picassos» cuando enseñan a sus papás o a sus profesores los garabatos coloreados que dibujan. Durante tres meses se rinde cada día culto a uno de los mitos más desconcertantes del siglo. El Grand y el Petit Palais totalizan un número de 850.000 visitantes.

Para Picasso, el día fijado, 19 de noviembre, fue una jornada de trabajo como las demás. Encima de su mesa tenía extendidas las innumerables fotos enviadas desde París: las salas, la disposición de las obras, las piezas que una vez colocadas fueron fotografiadas a petición suya. Recibió también montones de cartas y telegramas del mundo entero. Después de cenar, empujando un rimero enorme, hace sitio para dedicarle a Jacqueline dos de las invitaciones oficiales.

Su vida continuaba tranquilamente como siempre. No vio esa retrospectiva, ni había visto tampoco las anteriores, y también Jacqueline se abstuvo de visitarlas. «Nunca se hubiera atrevido», me aseguraba uno de sus íntimos. (Después de la muerte de Picasso, estuvo discretamente en Avignon cuando se presentó el conjunto fabuloso en el verano del 73, y en septiembre, asistió a la fiesta de *L'Humanité* en el parque de La Courneuve, suburbio de París, donde el Partido rindió homenaje a su más ilustre afiliado).

Los innumerables amigos no dejaban de telefonear a Mougins para contar a Picasso la enorme afluencia a los dos palacios de la exposición y el entusiasmo –que sólo era relativo– de la gente. Pablo se negaba a hacer comentarios, excepto a dos o tres de sus interlocutores, por ejemplo a Kahnweiler para quien también esas retrospectivas eran, en cierto modo, una consagración. Pablo estaba totalmente al margen de este tipo de «triunfos», pero sin dejar de estar presente, pues lo cierto es que comprobaba cada cosa y finalmente lo dirigió todo. Jean Leymarie no se había engañado respecto a la fingida indiferencia de su amigo que, como sin darse cuenta, todo lo vigilaba y nada se le escapaba. Recíprocamente, Picasso también estaba seguro de la lucidez de Leymarie, de la inteligencia, tesón y tacto con que pudo llevar a buen término un empeño que Malraux había juzgado imposible y que otros, ahora regocijados, estimaron antes como perfectamente inútil.

Ningún hombre fue objeto en Francia, desde la celebración de los ochenta años de Víctor Hugo, de una apoteosis como aquélla.

Kahnweiler le explica que los pintores han asistido en gran número a la exposición y Pablo suspira riendo: «¡Pobrecillos! Por culpa mía no han hecho hoy nada, mientras yo no he parado de trabajar en todo el día», y comenta con los Crommelynck: «¡La de lienzos en blanco que tengo yo sobre la conciencia!».

Se acuesta a medianoche –mucho más pronto, desde hace algún tiempo, de lo que acostumbraba– y hace tertulia en la cama. Hélène Parmelin ha llegado en el tren Mistral con las últimas noticias. También está allí Mme. Hepp, esposa del cirujano que le operó. Rodeado de Jacqueline y de las dos amigas, Pablo escucha complacido la narración de Hélène Parmelin cuya apasionada admiración y el fervor con que sigue cualquiera de sus palabras, por triviales que sean, le divierte siempre. «En cuanto abro la boca, ya está Hélène escondiéndose en un rincón con su cuadernito.» Y, en efecto, la escritora anota sin cesar, consignando todo lo relativo a ese genio tan pronto alegre como caústico, malicioso y amargo, y publica sobre él libros, artículos, reportajes, etc. Hélène Parmelin es probablemente quien más contribuye a mantener la llama del entusiasmo en ese anciano retirado del mundo al que ella aporta, aquella noche, el encendido relato de un triunfo que, en realidad, no fue sino una manifestación muy oficial de estima.

«¡Qué exposición! ¡Qué jaleo en París! ¡Qué tumulto! ¡Qué homenaje!», no deja de exclamar Hélène jadeante de admiración. Aunque Pablo no se llama a engaño –no se dejó nunca engañar– pachá adulado a quien el incienso no embriaga y conocedor de la justa medida de cada cosa, bromea:

«¡Pues qué vas a   decir cuando veas la próxima exposición!»

Algunas galerías de París, aprovechando la manifestación oficial, presentan también sus respectivos homenajes a Picasso.

Unos días después, es el propio Jean Leymarie quien va a Mougins y le cuenta su propia versión. Jacqueline se encontraba indispuesta y los dos hombres cenaron solos en la cocina. «Nos parecemos a los jugadores de cartas del cuadro de Cézanne», comenta Pablo riendo. Y luego, entrada la noche, mientras conversan sobre diferentes temas artísticos, hace esta reflexión: «Es difícil poner un poco de absoluto en ese río revuelto».

El grandioso balance que representa la exposición oficial ha suscitado numerosos comentarios. Respecto a las pinturas, suele lamentarse una última sala que presenta un conjunto poco coherente y apresurado. Lo que sorprende todavía más comparado con la alta calidad de todo el resto. Las esculturas causan impresión; Pierre Restany se pregunta si «Picasso no será ante todo un escultor», haciéndose eco de la apreciación que años atrás expresara Julio González, cuando afirmaba que era «un hombre de la forma»; y el mismo crítico añade: «El itinerario plástico picassiano es todo fantasía deslumbrante, magia inventiva, riguroso control de los volúmenes».

El conjunto presentado en el Petit Palais ponía claramente

en evidencia la pasión de Picasso por la forma, por el volumen pleno y revelaba el sentido táctil de su sensibilidad, su extraordinario instinto de los valores y relaciones estructurales que ya predominaba en el Cubismo y que también le había llevado a González a la conclusión de que «bastaría con recortar sus lienzos para hacer esculturas». Con razón quería Jean Cassou, años atrás, presentar la obra escultórica de Picasso —proyecto que no llegó a realizarse— pues en ella aparece y se impone un contenido lógico y lúcido, la sensibilidad exaltada domina al intelectualismo, trascendiendo la realidad. Si los jóvenes pintores seguían reticentes, los escultores, en primer lugar el más audaz de todos ellos, César, saludan en Picasso al pionero de la forma, al poeta y al artesano de la realidad tangible. Así como todo un aspecto importante de la pintura, lo que se refiere a la luz, al espacio creado por la luminosidad, a la función del color, eso que tanto admiraba en Matisse, no lo dominó Picasso, en la escultura abordó todos los problemas y a cada uno le dio su solución. Precisamente sus mejores momentos en la pintura, son los más plásticos.

La prensa francesa se mostró, en general, singularmente desconcertada. Por supuesto que de Cassou, de Bernard Dorival, de André Chastel, de Hélène Parmelin, de Leymarie, no se podía esperar sino un fervor reverencial o un respetuoso análisis. Sin embargo, las cuestiones que algunos de los críticos planteaban y que, como Gaëtan Picon, estimaban fundamentales —confrontación de la turbulencia barroca y el voluntario descuido de los últimos cuadros, con el equilibrio y densidad de las pinturas cubistas, la concisión de tal retrato neoclásico y tal otro alarde ostentatorio, la grandeza monumental de las *Bañistas,* la elocuencia dramática del *Guernica*— todo esto no lo abordaron más que con cierta ambigüedad y hasta con torpeza, como si la terrible mirada de don Pablo estuviera en guardia sobre las exégesis para limitarlas.

Otro tanto ocurre con muchos críticos que no ven más que el aspecto monstruoso, terrorífico, «maldito», y la «fealdad» de numerosos cuadros. Así, cuando evocaban la anécdota, auténtica o falsa, del escultor Manolo Hugué ante una figura cubista: «¿Qué dirías de tus parientes si vinieran a esperarte a la estación de Barcelona con unas caras como ésa?». Françoise Giroud escribe en el semanario *L'Express:* «Lo que Manolo le decía a Picasso hace sesenta años, todavía lo pensarán millares de franceses al cruzar el umbral del Grand Palais».

¿Será cierto que en esos sesenta años los franceses no han evolucionado en la apreciación y conocimiento del arte contemporáneo? John Canaday, el crítico del *New York Times,* que no lo cree así –se diría que no lee los periódicos de París– escribe al ver las filas de visitantes esperando entrar en los dos palacios: «¡Cuánto han cambiado las cosas en Francia!», pero también se pregunta si la gente mira de verdad los cuadros, pues le parece que los auténticos amateurs difícilmente pueden concentrarse en la contemplación de esas obras, ahogados por la muchedumbre de curiosos que, comparando, «la del metro de Nueva York, parece una reunión de cortesanos del siglo XVIII». Y también comenta con satisfacción que, en los periódicos franceses, la exposición Picasso comparte la primera página con la enfermedad del Presidente Johnson..., y concluye preguntándose si Picasso «es un genio o un malabarista» y si «un malabarista puede ser genial... Variedad, vigor, riqueza de invención, gracia, vitalidad, ningún pintor pudo nunca reunir tantas combinaciones».

Paul Wardo Schwarz consigna en *The New York Times International* el comentario oído en la exposición: «¡Es demasiado!». Por su parte, William Darr, dejando a un lado las polémicas, dedica su crónica en *Art Journal* a las evocaciones del amor y la muerte en *Guernica.* En la misma revista, la representación del cuerpo humano en el cuadro *Pesca nocturna en Antibes* es objeto de una exégesis inteligentemente desarrollada por Laurence D. Steefel Jr., para quien lo que propone esa pintura habitada por «fantasmas de cuerpos» es una verdadera fenomenología del cuerpo humano.

Los corresponsales ingleses se plantean, circunspectos, no pocos interrogantes. ¿Qué clase de artista es el pintor que Nigel Gosling compara, en el *Observer,* a un pirata que volviera triunfante con un rico botín, de algunas batidas fructuosas? El humor inglés no pierde sus derechos cuando John Russel titula su artículo, muy poco convincente, por cierto, en el *Sunday Times:* «El Perpetuo Presente» y Norbert Lynton compara las exposiciones del Grand y el Petit Palais, la Biblioteca Nacional y las galerías parisienses a «una especie de diluvio...». En el *Financial Times,* Denys Sutton se pregunta si la extraordinaria facilidad de Picasso no le ha supuesto un inconveniente, si bien elogia su constante inventiva, su frenesí por los descubrimientos, su vertiginosa y fabulosa imaginación, y lo compara a un personaje de Pirandello en busca tan pronto de un estilo como de otro. Para Sutton, Picasso es el hombre de los grandes impulsos, de los desgarramientos, de los antagonismos y las rupturas, pero también un maestro del gesto teatral, y concluye: «Es el verdadero mago».

El alemán Werner Spies del *Frankfurter Allgemeine Zeitung* que escribiría una obra importante sobre la escultura de Picasso, considera que el conjunto de bronces y de hojalatas recortadas del Petit Palais, constituye la parte más fascinante de la exposición y resulta la piedra de toque de toda la creación picassiana. En cambio, le dejan indeciso los cuadros de la última sala y los recientes expuestos en distintas galerías; impresión que atenúa algo en otro artículo publicado al mes siguiente, donde ensalza «el genio de la memoria» que es Picasso, cuyo arte es el triunfo del recuerdo que ha abolido el tiempo.

En *Die Welt* Gerhard W. Weber estima que Picasso «ha barrido de golpe las bellas armonías y los colores exquisitos que, desde el Renacimiento, se tenían por el alfa y omega de la pintura». A lo cual parece responder el crítico de la *Suddeutsche Zeitung,* Doris Schmidt, que invoca la «espantosa belleza» conseguida por el pintor que convierte en «Picassos» todo lo que toca. Es el Minotauro cuya fuerza reside en la vista y que, cuando se queda ciego, pierde todos sus poderes; así, su obra conjuga «felicidad, y desesperación, dulzura y crueldad, luz y mentira, verdad y perversión, muerte y pobreza, amor y libertad». En cuanto al crítico de la *Neue Zürcher Zeitung* suiza, compara la inmensa producción picassiana a un laberinto en el que no aparece ningún desarrollo ordenado, ninguna línea directriz, y donde cada afirmación se transforma en paradoja o en contradicción. ¿Puede Picasso envejecer? se pregunta, comentando que desde hace años, se complace en repetir la imagen del viejo pintor ridículo, payaso o enano, y de la bella mujer desnuda, expresión triunfante de la Belleza: pero Picasso es capaz de ir más allá de esa confrontación y de lanzar un desafío al futuro.

«Se diría que Picasso vive en un tiempo más largo y más ancho que el nuestro» escribe Guido Piovene en *La Stampa,* insistiendo en «la incesante autobiografía figurada del pintor y del escultor que no va nunca en un sentido realista: todo objeto que se presente ante él lo reinventa de manera fulgurante». A los ojos de Picasso, la vida es –sigue comentando Piovene– una constante transformación en pintura, en dibujo, en escultura, en grabado o en otra cosa que contiene todos los pensamientos, las emociones, las sensaciones, la imaginación. Su obra es «una mitología pagana de los fenómenos cósmicos contenida en un alveolo de humanismo». No existe para Picasso delimitación entre el pensar, el sentir y su plasmación inmediata y simultánea, no, no hay remordimiento en lo inexpresado ni pesar en el apresuramiento, ni descuido en la formulación, puesto que para él nada se pierde y por tanto Picasso multiplica en un tiempo mínimo las expresiones más diversas y las más contradictorias. El crítico italiano pretende que, considerando las obras de los artistas jóvenes, pocas habrá que no parezcan fruto de Picasso: «Es un Buda cuyo vientre contiene todas las cosas».

La prensa española insiste en dos aspectos: la vitalidad de Picasso «que ha seguido su destino resistiendo a las facilidades y a las seducciones» (Juan Cortés, en *La Vanguardia Española*), y la amplitud de la apoteosis. Y numerosos otros periódicos recuerdan que don Pablo es español y tiene su museo en Barcelona. El 20 de enero de 1967, en la capital catalana, doscientos estudiantes y numerosos intelectuales celebraron una «reunión libre» en homenaje a Pablo Picasso, y en el curso de una manifestación organizada por el sindicato democrático de los estudiantes, a la sazón ilegal, uno de sus dirigentes declara: «Queremos aquí rendir homenaje no solamente al pintor, sino también al viejo demócrata que ha luchado toda su vida por la libertad de su patria, lo que todavía no ha podido obtener».

El gentío que acude al Grand y Petit Palais no se muestra, en general, ni indignado ni sorprendido, pero deplora que, pasada la ascesis del Cubismo, haya un exceso de retórica y de improvisación en la obra presentada. Se tiene la impresión de que Picasso ha abordado todos los problemas plásticos, pero sin ahondar en ellos profundamente y que ha actuado más como experimentador que como analizador. En una conferencia que dio Salvador Dalí, en la Escuela Politécnica (1961), tomando el ejemplo del cuadro *Ciencia y Caridad,* insistía en que como el médico cuenta en su reloj las pulsaciones de la moribunda, así también la obra de su compatriota era «una perpetua carrera contra reloj». Digamos, para ser exactos, contra el tiempo.

Esta es la sensación que da sobre todo la sala de las pinturas más recientes. Mas con todo y eso ¿cómo negar la inmensidad y la grandeza del espectáculo? Este que ahora daba Picasso en París ponía término a los solemnes balances oficiales. El pintor de hoy ya no era el creador confidencial para amateurs selectos, sino que se dirigía al gran público y lo hacía juez de su obra y de él mismo. Además de los grupos de obreros y colegiales franceses, llegaban autocares de Bélgica, de Alemania, de Checoslovaquia, aviones charter procedían de Suecia, de Inglaterra, de Italia y hasta de Estados Unidos. Las exposiciones de París contaron con la presencia de un público internacional de lo más heterogéneo.

Por petición expresa de Picasso, la selección de grabados expuestos en la Biblioteca Nacional comprendía, en gran parte, obras de los años 60-66, ya que una presentación muy completa de la obra gráfica en general había tenido lugar allí mismo en 1955, y ocasión en que Picasso hizo depósito de casi un millar de grabados.

Numerosas exposiciones celebraron en el mundo entero aquel aniversario de Picasso. Fueron particularmente notables las organizadas en el County Museum, de Los Angeles; en el Fort Worth Art Center Museum, y en el Museo de Dallas —debidas éstas a Douglas Cooper, habían privado a la retrospectiva de París de varias obras de primera importancia—. En Lucerna (Galería Rosengart); en Basilea (Galería Beyeler); en Barcelona (Sala Gaspar), Picasso triunfaba. La galería Manès de Praga, presentó veinticinco cuadros de 1963 a 1965, lo que constituía la primera exposición importante de Picasso en un país socialista, junto con la del Museo Puchkin de Moscú, con más de doscientos dibujos, aguafuertes, litografías, etc. (la mayor parte procedentes de la galería Louise Leiris, del propio Picasso y de colecciones privadas, entre ellas la de Ilya Enhrenbourg). La última presentación de obras picassianas en el citado museo había tenido lugar exactamente diez años antes, y provocó no pocas controversias y reacciones diversas. Ahora ya no era así, por más que la mayoría de los visitantes se mostraban aún desconcertados por las «deformaciones» de Picasso. Sea como fuere, la muchedumbre esperaba en cola para entrar al museo, con un frío glacial, durante horas enteras.

El viejo pintor de Mougins saboreaba su gloria. La saboreaba trabajando. A todo esto, se seguía hablando de una posible donación, pero no se habían hecho todavía gestiones oficiales. Al parecer nadie se sentía capaz de tomar la responsabilidad de enfrentarse con Picasso, y las cosas iban demorándose y desvaneciéndose por sí mismas.

Otro tanto había ocurrido con la iniciativa de Malraux de otorgar a Picasso un grado elevado en la Légion d'Honneur. Don Pablo no había dicho que no, sólo preguntó indolentemente: «¿Qué título tiene Braque?». El pintor francés era «commandeur» así es que se pensó en nombrar a Picasso «grand officier». Ahora bien, un grado así en la célebre Orden Francesa, no se le puede conferir a un extranjero que no haya pasado por la jerarquía tradicional, sin un decreto del Presidente de la República. El decreto fue preparado y firmado por De Gaulle, Malraux escribió entonces a Picasso para comunicarle ese homenaje excepcional por parte del Gobierno francés. Todo aquello duró meses y, al cabo, Picasso lo rechazó. «Eso me conmueve mucho, pero mi oficio es pintar», confió Picasso a Jean Leymarie.

De la misma forma, en cuanto a la donación, una decisión rápida seguramente hubiera encontrado la aprobación de Picasso. Esperar, discutir, tergiversar, le repugnaba. Cuando Leymarie fue nombrado Conservador-Jefe del Museo Nacional de Arte Moderno, Picasso le dijo: «Sí, te daré lo que quieras, pero ¿dónde lo vas meter?» y le sugirió que recuperase el antiguo museo de Luxemburgo, que estaba libre y a disposición del Ministerio de Asuntos Culturales, que lo iba a ocupar. Era la mejor ocasión para hacer el ofrecimiento a Picasso: «El Luxemburgo está vacío, es para usted». Es seguro que lo hubiera llenado.

Pero nadie se encargó de hacerlo. Y, sin embargo, Picasso no ocultaba el placer con que hubiera visto allí su museo, en ese barrio céntrico y agradable que tan bien conocía desde sus años de juventud. Se había pensado también en el proyecto de convertir la casa de Grands-Augustins en museo Picasso, pero se presentaban dificultades de instalación y de acceso prácticamente insolubles. El gesto, empero, lo hubiera apreciado mucho el pintor.

¿A quién atribuir los sucesivos fracasos de tales iniciativas? Digamos que, aparte de la irresolución de Malraux, algunos altos funcionarios de los Museos Nacionales no mostraron gran diligencia, la idea de consagrar un museo a un artista que no respondía a las normas «clásicas» tradicionales, no les suscitaba precisamente un encendido entusiasmo. Claro que si se hubiera tratado de las épocas azul y rosa, o de los períodos «clasicistas»..., ¡pero aquellas mujeres desar-

ticuladas, con dobles perfiles, ojos superpuestos, piernas colgadas de los hombros y sexo en evidencia!

Más tarde, se pensó por un momento en instalar un museo Picasso en el Palacio de los Papas de Avignon, donde se
celebró en 1970 la importante exposición de obras recientes,
pero la Administración de Monumentos históricos se opuso (1). Nueva ocasión perdida, y eso que Picasso, directamente solicitado, había ya dado su acuerdo. Este otro fracaso, después de los anteriores, desanimó ya definitivamente a
quienes se esforzaban por obtener del Estado francés el gesto
que Picasso esperaba. Es de lamentar que no hubiera seguido Francia el ejemplo de Barcelona, que adquirió un hermoso palacio antiguo sin reparar en medios para alojar como
correspondía la fabulosa donación. ¡Y Picasso lo había llenado!

Entretanto, el proyecto de posible donación, había sufrido
un golpe fatal.

Desde hacía unos años, el propietario del inmueble de la
calle Grands-Augustins, basándose en el hecho de que el artista no habitaba allí, y no trabajaba en el estudio desde
1955, quiso recuperar los locales inocupados. Picasso, despavorido ante la idea de tener que trasladar todo lo que allí
almacenaba aún, y encariñado, además, con aquella casa
donde había pintado el *Guernica* y vivió todo el tiempo de
la ocupación, recurrió a todos los amigos intentando que in-
tercedieran: él hubiera querido conservar todos sus domicilios, como quería haber conservado todas sus mujeres... Precisamente fue entonces cuando se propuso la compra del inmueble por el Estado y la idea de un museo en Grands-
Augustins.

André Malraux aseguró personalmente que Picasso no sería inquietado y encargó a un funcionario de su Gabinete
que vigilara el asunto. Pero éste se fue de vacaciones y la As-
sociation des Huissiers de la Seine, propietaria del inmueble,

(1)   Sin embargo, la exposición en el mismo Palacio de los Papas,
inaugurada en 1973 fue prolongada «por tiempo indeterminado».

comenzó el proceso: el tribunal, sin atenerse a otra cosa que a los textos legales, hizo aplicar la ley, Monsieur Pablo Ruiz Picasso tenía que evacuar los locales, sin que fuera posible elevar ningún recurso contra la decisión.

Avisado el ministro por los amigos de Picasso, se limitó a formular vagas lamentaciones, y no intervino, pues no deseaba ver implicada su responsabilidad ministerial para que el ilustre inquilino conservara su taller. «Si así se hace, tanto mejor...», había dicho a sus colaboradores, deseosos de instrucciones más precisas. ¿Hay que invocar las contradicciones desconcertantes de André Malraux, sus ambigüedades, su manera de esquivar la responsabilidad en una decisión que, en este caso, concernía por encima de él al Estado? A una pregunta que alguien le hizo sobre el tema, cuando la prensa se hacía eco de posibles gestiones para la eventual donación de Picasso, y concretamente respecto a cuál sería su posición personal, el ministro contestó: «Francia no tiene nada que pedir a nadie...».

Picasso no entraba, para Malraux, en el destino de Francia, destino gaullista, por supuesto. Algunas frases de su entrevista al general De Gaulle en Colombey reflejadas en el libro *Les chênes qu'on abat...*, no dejan lugar a dudas sobre la idea que el escritor se hacía de lo que debía ser «el artista gaullista», cuya definición le preguntó el Presidente: «Un artista que le defiende a usted, mi general», respondió Malraux. No era ése, evidentemente, el caso de Picasso, pero sí le parecía el de «Braque, Le Corbusier ayer, Chagall y Balthus hoy... Y no son los únicos».

Así pues, el comportamiento del ministro hacia Picasso no era solamente cuestión caracterial y personal, sino sobre todo política, al más bajo nivel.

El malhadado asunto del piso de Grands-Augustins afectó profundamente a Picasso. «¿No es triste? —confiaba a Brassaï poco después—. ¡Pero cómo luchar cuando los propietarios son todos hombres de ley! ¡Ahí es nada, los "hussiers de justice" de Francia reunidos!... Nadie se ha molestado en interceder para que yo pudiera conservar ese taller donde he trabajado más de veinte años. Todas las huellas de ese medio siglo que he pasado en París están ahora total y definitivamente borradas...» (2). Eso no era del todo cierto, pero sí lo es ahora: el 12 de mayo de 1970, quedó totalmente destruido por un incendio el célebre Bateau Lavoir, seis meses después de haberlo adquirido el Ayuntamiento de París.

A sus ochenta y cinco años, Pablo no pensaba sino en trabajar. A menudo se ha acusado a Jacqueline de haber hecho el vacío en torno al pintor, pero si no era fácil ser Picasso, tampoco lo era ser su mujer. Como todos los monstruos sagrados, Pablo era poco apto para vivir con nadie, aún siendo tremendamente vital. Y, además, Jacqueline tenía una salud frágil que le impedía muchas veces estar a la altura de las circunstancias.

El problema que más dolorosamente persistía –más aún para ella que para Pablo– eran los hijos que había tenido con Françoise Gilot. Desde la publicación de *Vivre avec Picasso,* él no quiso volver a oír hablar de Françoise ni de Claude y Paloma que, sin embargo, no tenían ninguna culpa. Según ha contado Paloma (3), el verano en que cumplía diecinueve años, se decidió a ir a Vallauris y se instaló en *La Galloise,* donde había pasado su infancia. «Estuve varias noches sin dormir con una sola idea en la cabeza: ¿Es posible que no pueda ver a mi padre cuando está ahí, a sólo unos kilómetros?» Varias veces llegó hasta *Nôtre-Dame-de-Vie,* pero los criados le respondían, igual que en años anteriores, que «Monsieur no estaba en casa».

El último día de vacaciones, Paloma estuvo cogiendo flores en *La Galloise,* hizo sus maletas y se fue a Mougins. Aquella voz que contestaba en *Nôtre-Dame-de-Vie* sonó acogedora: «Entre, entre, por favor...». Y la verja se abrió.

«Jacqueline me acogió con amabilidad, y mi padre se

(2)   Brassaï: «En Passant par Mougins», en *Le Figaro,* 8 de octubre de 1971.

(3)   «Mon père Pablo Picasso». Declaraciones de Paloma Picasso recogidas por L. Vincenti en *Confidences,* junio de 1973.

mostró con su talante habitual. El reencuentro fue al principio embarazoso, yo notaba que la cara me ardía de emoción. Estuve con ellos dos horas y no pedí ninguna explicación. Por fin, mi padre me dijo:

—¿Cuándo te vas?

—Pues... hoy mismo...

—Ah bueno, entonces ya es hora de que te marches. Me ha gustado mucho que vengas a verme.»

Y eso fue todo. En el camino de regreso, Paloma se reprochó no haber preguntado a Picasso las razones de su cambio de actitud. Sólo se habían cambiado frases triviales entre ella y ese padre indiferente y lejano, deseando acabar la visita, que antaño fue un maravilloso compañero de juegos y les mostró, a ella y a su hermano, tantas pruebas de ternura, mientras les hacía incansable hermosos retratos.

Efectivamente, convino Paloma, «ese diablo de hombre ejerce a su alrededor una fascinación que conquista, que somete. Nadie puede tratar con él de igual a igual.»

Desde aquel día, la muchacha no volvió a ver a su padre, ni tampoco Claude, que trabajaba de fotógrafo y viajaba mucho. Un decreto del Consejo de Estado, dictado en 1961, autoriza a ambos a llevar, por consentimiento del pintor, el apellido Ruiz-Picasso y a cobrar una pensión mensual, al igual que Maya, casada entretanto con un oficial de Marina llamado Widmayer.

Durante todos aquellos meses, proliferaron en manos de Picasso dibujos y grabados, cada vez con mayor abundancia, de temas eróticos. Unas semanas después de clausurarse la doble exposición conmemorativa, la galería Louise Leiris expuso noventa dibujos seleccionados por el propio Picasso entre su más reciente producción. Acuarela, lápiz negro o de color, pluma, carboncillo, aguada a tinta china, todo le servía. Mientras el público se agolpaba delante de sus obras, él seguía trabajando.

Unos temas se mezclan con otros, ya sean episodios mitológicos, escenas de circo, motivos burlescos o escabrosos, ilustrando el eterno diálogo entre en el que mira, joven, viejo, hermoso, feo, barbudo o imberbe, desnudo o vestido, y la mujer deseable, provocativa, con sus ojos almendrados y sus hermosos pechos turgentes, incitándole y ofreciéndose toda entera en posturas inequívocas.

¿Qué quiere decir todo eso? ¿Qué representa esa extraña galería de personajes? ¿Por qué ese guerrero griego cargado con su arco y sus flechas? ¿Y ese arlequín, ese demonio, ese mosquetero? ¿Por qué esos Grandes de España con almidonadas gorgueras y esos pastores tocando la flauta? ¿Qué hacen esas Penélopes, esas Ledas y esas Venus? En realidad, un mismo tema más o menos subyacente, prosigue de uno a otro dibujo: el sexo y sus manifestaciones.

Lo más asombroso es el registro de sentimientos que contiene cada uno de esos dibujos: el preciosismo se mezcla con lo patético, lo convencional con la audacia, lo monstruoso con la gracia, lo descuidado con la perfección, la ira con la serenidad, el reto con el placer. Y también Ingres se incorpora a Goya, Rembrandt a Daumier, Toulouse Lautrec a Renoir: con todos ellos Picasso se «encuentra» sin haber nunca «buscado» nada.

En noviembre-diciembre de 1966, realiza doce aguafuertes y aguatintas para la edición del *Cocu magnifique,* de Fernand Crommelynck, padre de sus dos colaboradores en el grabado, a quien había conocido en otro tiempo. Entre el 15 de noviembre y abril del año siguiente, graba dieciséis aguafuertes y puntas secas para *El Entierro del Conde de Orgaz,* cuento, poema, y comedia dramática a la vez, escrita por Picasso un poco en francés y un mucho en español, que sería editado por Gustavo Gili con prefacio de Rafael Alberti, en octubre de 1970. Una vez más, el pintor-escritor dio rienda suelta al torrente de imágenes obsesivas que pugnan por salir de su pincel, de su lápiz, de su buril.

«Jamás un idioma ha resplandecido en tantos ojos a la vez.

Jamás se ha iluminado con tantas cosas a la vez ni ha estallado así abriéndose como el vientre de un caballo que el cuerno del toro acaba de perforar», ha escrito Alberti.

Picasso no da el visto bueno para la tirada de sesenta grabados que hizo entre el 27 de agosto de 1966 y el 6 de julio de 1969 y sólo se sacaron tres pruebas. Se trata de planchas de motivos diversos, sobre todo teatrales, en los que se ve al público sentado en los palcos durante el espectáculo, pero otras representan mujeres desnudas y actos de cópula. Una de ellas, en aguatinta y aguafuerte, fechada el 2 de diciembre de 1966, privilegia al órgano viril con unas dimensiones monumentales.

En esas planchas rechazadas por Picasso, las técnicas difieren, algunas denotan en el trazo discontínuo y nervioso, la impaciencia ante el desacierto, y las formas quedan rotas o desvanecidas. En ciertas figuras una parte de la anatomía aparece firmemente dibujada, mientras que la otra se desmorona en magma informe de carne y de huesos traducido en garabatos nerviosos.

Un dibujo del 6 de septiembre de 1967, titulado *Fauno, mujer desnuda y mosquetero,* muestra un fauno cornudo, peludo y barbudo, nada apetecible, visiblemente atraído por la bella criatura desnuda que, con gracias y miradas lascivas, se exhibe ante el mosquetero encandilado. Es éste un personaje barroco, que lleva peluca, bigote y perilla, va vestido con un jubón y sostiene su chambergo en una mano y en la otra una pica. La hermosa parece estar dispuesta a no desanimar ni al fauno ni al mosquetero, tan bien dispuesta para el uno como para el otro, de la manera más sencilla del mundo.

Será todavía, durante algún tiempo, un erotismo grato: en esos dibujos, todos los personajes están haciendo, han hecho o van a hacer, el amor, según se deduce claramente de sus actitudes, sus gestos y sus mímicas, lo que no parece plantear ningún conflicto. Es una suerte de sinfonía del deseo, de la que Picasso hubiera utilizado solamente los tiempos fuertes. No invoca todavía a Sade, sino más bien a Choderlos de Laclos. El voyeurismo aparece velado, furtivo a veces, nimbado de misterio, y si las damas no se recatan de señalar crudamente sus mayores intimidades, lo hacen con el malicioso encanto de las bellas libertinas que pintaba Fragonard, sin dignarse mirar a los moscones lúbricos que mariposean en torno a ellas blandiendo el aguijón tendido...

Con esas evocaciones estamos todavía en la vivacidad y la gracia mediterránea, en la línea de los juegos de playa pintados en 1925-30 de *Las Metamorfosis de Ovidio* y de *La Alegría de vivir* del Museo de Antibes. «Es solamente cuando la pintura no es tal, cuando puede haber atentado al pudor», decía Picasso. Con sus líneas ondulantes, sus ritmos ágiles, sus zonas de luz, marañas de trazos ligeros o sus garabatos apresurados, la escritura de esos dibujos sugiere más que concreta: se trata más de insinuar que de insistir en lo que se dice. El libertinaje de don Pablo nos informa sin ambages acerca de las hazañas que ese casi nonagenario es capaz aún de realizar, se siente dichoso de comunicárnoslo, de hacernos partícipes de su satisfacción.

Entre el 16 de marzo y el 5 de octubre de 1968, Picasso graba una cantidad considerable de planchas, algunas de las cuales no fueron tiradas. La galería Louise Leiris expuso trescientos cuarenta y siete de esos grabados, de diciembre a febrero del año siguiente. En esa selección, el voyeurismo se ha ido transformando progresivamente, haciéndose más insistente, más perverso, antes de culminar en una serie erótica particularmente espectacular, suerte de epopeya priápica y triunfal que testimonia de manera evidente sobre la indomable virilidad de Picasso. Todavía un poco de tregua antes de que se atenúe y se sosiegue, dejando lugar sólo al receptáculo femenino ofrecido en posturas llenas de promesas que habrán de ser ya únicamente pesares, nostalgias.

Se ha ido haciendo el vacío en torno al Minotauro envejecido. El 13 de febrero de 1968 Sabartés, que nunca se había recobrado totalmente de su ataque de hemiplejia, muere de una crisis de uremia. La relación había continuado ininterrumpidamente, los dos amigos se telefoneaban casi a diario y Paulo había recibido la misión de que el fiel compañero de juventud no careciese de nada, y cada vez que volvía de Mougins, le llevaba un cesto de fruta de parte de «el Padre».

Ahora ya sólo le queda a Picasso un único testigo de sus tiempos juveniles, Manuel Pallarés.

Don Pablo le enviaba a Sabartés un ejemplar de cada uno de los grabados que hacía, fechado y dedicado, después de la muerte de éste aún continuó regularmente esos envíos dedicados a los herederos, pero sin el nombre de pila y con una serie de arabescos y volutas que desfiguran la S y P de *Para Sabartés,* como si al entretenerse en esos grafismos, Picasso quisiera prolongar el afectuoso pensamiento que dirigía a su viejo amigo.

El artista en su taller de grabado es el doctor Fausto en su laboratorio de alquimista. La «ruta del cobre» no ha conocido nunca tan intensa actividad, a tal punto que los Crommelynck, según dicen, no dan abasto. Picasso trabaja como un loco, casi sin interrupción multiplica temas, personajes, inventa otros nuevos, varía las técnicas, los estilos, se pone a sí mismo trampas con la impaciencia de ver lo que va a nacer y lo que pueda aún sucederse. En constante actividad, apresuradamente (lo que a veces se nota...), osando ir cada vez más lejos, mezclando en una misma plancha diferentes técnicas.

«Imaginaba procedimientos nuevos, sin desdeñar por eso las maneras tradicionales, las empleaba todas con igual maestría —cuenta Aldo Crommelynck—. Si de algunos grabados se hacían tantos estados, eso no quiere decir que Picasso deseara corregir algún detalle, es que se proponía ir aún más lejos partiendo de tal prueba, darle mayor amplitud o profundidad, forzar el tema o expresar el máximo.»

Los Crommelynck hablan de «Diario de a bordo»; como otros escriben sus impresiones o hacen apuntes en un cuaderno, Picasso toma una plancha y la ataca con la punta seca o el buril... Se diría que tuviera necesidad, sin reposo ni fatiga, de esa agresión, de esa penetración de la materia para seguir *diciendo.*

¿Qué es lo que llama la atención en la serie de grabados expuestos en la galería Louise Leiris? La selección lleva como fecha final el 5 de octubre de 1968, aunque Picasso, evidentemente, continuó con aquellos temas después de ese día. Prosiguen los sueños mitológicos, las escenas de circo o de burdel, con sus mujeres apetitosas, los mosqueteros, los «voyeurs» rijosos, los pintores pintando, los atletas, los payasos, las putas y sus celestinas, los faunos cornudos de aspecto bestial, los viejos lúbricos, o los trabajos del estudio donde el mosquetero habiéndose apoderado de los pinceles y la paleta, pintarrajea sin recato.

Picasso que antes había narrado las venturas o desventuras del Picador, cuenta ahora las del Mosquetero, personaje a quien también le ocurren las más tristes tribulaciones: por ejemplo persigue a las mujeres ante la risa sardónica de la alcahueta, a una consigue obligarla a desnudarse y mostrarle su resplandeciente belleza en compañía de otro barbián drapeado también en su capa, con espadín y chambergo de plumas, o se le ve a caballo, caracoleando al viento y en medio de la niebla. O bien se está batiendo, mientras que una mujer vestida con simple corsé entra con un niño al lado..., pero ¿qué hace la horrible Celestina en un rincón?

Ahora aparece de perfil el personaje del «voyeur» al borde de la plancha –más tarde le volveremos a encontrar– y el Mosquetero se va a caballo. Luego viene el rapto de una mujer desnuda. Después la presentación de otra belleza. Aquí, el Mosquetero entra en el burdel, allí se bate de nuevo, allá está saludando con un amplio gesto del sombrero, a una magnífica criatura desnuda. En el estudio está pintando una escena muy erótica. Otra vez va al prostíbulo, acompañado de varios amigos alegres menos un fraile, que parece enfadado, y las bellas muchachas se precipitan para acogerles. Se suceden duelos de mosqueteros, espada en mano. Mujeres desnudas. Prostíbulos. Celestinas. Compañeros del mosquetero. Y amorosos abrazos.

Y así a lo largo de grabados y más grabados, de páginas. Relatos inacabados, pero no sin suspense, con personajes o episodios imprevistos de vez en cuando. El motivo principal es, sin embargo, la relación entre la mujer desnuda y el Mosquetero a quien le ocurren mil aventuras entre dos achuchones que, a pesar de los esfuerzos de la hermosa, no parece que lleguen a culminar.

La «ruta del cobre» anda enfebrecida. Por más que los Crommelynck trabajen con una rapidez extraordinaria, no alcanzan el ritmo de don Pablo. Tan pronto prima el aguafuerte como el aguatinta, luego de nuevo el aguafuerte o las dos técnicas mezcladas, para volver a insistir en una de las dos durante un cierto tiempo.

Según el testimonio de los Crommelynck «lo que le importa es el metal grabado que contiene en sí mismo su finalidad y su originalidad, aparte del medio que representa para multiplicar una obra. Pero aunque no se tirase más que una sola prueba, seguiría gustándole esa forma de expresión».

El intenso trabajo a que se obliga ese anciano de ochenta y siete años y que les impone a los demás, las dificultades que la tarea depara, la investigación de nuevos procedimientos, la mezcla de géneros, de estilos, de formatos y de técnicas, todo ello transcurre, a pesar de la fatiga y la tensión nerviosa, en un ambiente del mejor humor. Bien es verdad que las desventuras del Mosquetero no engendran precisamente la tristeza, las secuencias de sus hazañas y sinsabores es de una irresistible comicidad, de un humor chusco y barroco, vivo, desenfadado, de inimitable inspiración picaresca. Nunca hay repeticiones o modificaciones, ni tampoco segundas intenciones, todo acaece en plena luz, y a simple vista.

Picasso y los hermanos Crommelynck trabajaron siempre en perfecto entendimiento, Aldo precisa: «Nuestras relaciones estaban fundadas en una cierta discreción recíproca». De vez en cuando se paraban para charlar. Hablaban de cualquier cosa, de todo y de nada. Pero en especial de la plancha que tienen entre manos o de la que se habían llevado para tirar y cuya prueba espera Pablo impaciente. De los demás artistas para quienes trabajaban los Crommelynck o que iban a grabar a su taller de París, nunca decía nada. Solo uno del pasado le obsesionaba: Rembrandt, cuya obra grabada conocía a fondo Picasso, y del cual sí que hablaba constantemente.

No cabe duda que el maestro de Amsterdam ha dominado los últimos años del maestro de Mougins, los mosqueteros proceden directamente de él, como explicó Jacqueline a André Malraux (que, por cierto, también veía en eso, equivocadamente, el origen de las *Meninas*), «los mosqueteros llegaron cuando Pablo se puso a estudiar a Rembrandt». Mosqueteros, guerreros, hombres con espadas, toreros, comediantes se multiplicarán hasta el fin, y es entre ellos también como Picasso morirá.

Esos personajes son símbolo de la insolencia, de la virilidad, de la fantasía: raptan a las mujeres y las violan, se baten entre ellos, caracolean capa al viento. Todo un mundo separa a esos espadachines, convertidos por el pincel de don Pablo en ideogramas rabiosos, de los diálogos serenos en el estudio del Pintor y su modelo, y de los Almuerzos bajo las frescas frondas del boscaje.

He aquí que, de pronto, cambia todo, los juegos cobran otro aspecto. Repetidas veces la mujer desnuda, contorsionada para avivar el deseo del hombre, no duda en señalar con su dedo el lugar de su cuerpo donde se centraban sus sensaciones y, algunas planchas mostraban, incluso, a esas damas haciéndose mutua ofrenda de su sexo.

Un pintor vestido como los artistas del siglo XVII –acaso Rembrandt– se acerca a una mujer desnuda en septiembre de 1968. Ya están muy juntos, luego uno contra otro y después ella encima de él. Está el hombre vestido, pero de sus calzas desabrochadas surge la enhiesta verga, y la posición es tal que el pintor tiene la cara justo debajo del sexo de la bella, lo cual parece complacerla. Un «voyeur» asoma la cabeza por entre una cortina, atento a lo que está sucediendo. Caricias, toqueteos, cada uno parece evaluar los recursos del otro antes del combate.

El 2 de septiembre el pintor se decide y la dama parece colmada de placer. Su cuerpo se sacude al ritmo de los ardores del caballero, de tal suerte que no se sabe si la está penetrando por delante o por detrás. El tamaño del miembro viril es tal que se justifica el éxtasis del momento supremo.

No podían por menos, en tales condiciones, de aficionarse el uno al otro, y en las planchas sucesivas continúan las apasionadas copulaciones, con tal presura ansiosa que el pintor no ha tenido siquiera tiempo de dejar sus pinceles y su paleta ni de quitarse la ancha gorra. Los cuerpos se entremezclan y se funden con el arrebato de los animales en celo. La dama desnuda, acariciada, echada boca arriba y boca abajo en el desorden de las sábanas, goza totalmente, abandonada a los asaltos del pintor que, con sus enormes atributos, la colma una y otra vez. El «voyeur» sigue detrás de la cortina y no se pierde un detalle del espectáculo que le produce evidente satisfacción.

La partida de amor continúa en el lecho devastado. ¡Un hombre que se había escondido debajo, por poco perece aplastado!

El pintor ha acabado por desnudarse y prosiguen los abrazos sin que disminuya el ardor ni la victoriosa firmeza del miembro en acción.

Picasso parece estar diciendo: aquí tenéis como yo conquisto a las mujeres y les doy plena satisfacción. A su diario autobiográfico añade esas actas de triunfadora virilidad (si bien las planchas más eróticas no fueron expuestas en la galería Louise Leiris). Bien dotado anatómicamente, contando siempre con más de una presa a su disposición de Sultán, su potencia era conocida y nunca se abstuvo de describir sus alardes, con detalles incluso. Al parecer no era demasiado exigente respecto a los medios que empleaba para llegar a buen fin, ni sobre las circunstancias o las veces que tomó a una mujer deprisa y corriendo de cualquier manera. Evitaremos las múltiples anécdotas que se cuentan acerca de las proezas amatorias de Pablo, muchas de las cuales pocedían de él mismo, y que sólo prueban su apetencia inmediata y violenta por las mujeres, por todas las mujeres, así como su extraordinaria y duradera potencia para poner en práctica ese deseo. Designadas implícitamente por los regalos, a veces fastuosos, con que Picasso las obsequiaba, ellas se mostraron, salvo raras excepciones, más discretas que él.

Terminados los Abrazos en cobre, don Pablo vuelve a tratar las variaciones del Observador, principalmente mosquetero, y del Observado. Y sigue las conversaciones, acercamientos, caricias, que terminan siempre de la misma manera: en el lecho del amor. Luego el pintor se pone de nuevo a trabajar, con su gran sombrero y su jubón, tanto más ridículo su atavío anacrónico cuanto que la bella le opone el esplendor de su carne desnuda, algunas veces desarticulada, pero también ofrecida en la plenitud de su belleza clásica.

«Casi cada semana, durante aquel verano y el otoño, hubo una nueva carpeta llena de grabados cuando llegábamos –ha contado Hélène Parmelin (4)–. Nunca pudimos verlas en su totalidad, al cabo de una carpeta estábamos tan rendidos que ya no veíamos nada. Pues a los aficionados a la estampa son atentos contempladores. Y cada vez van siendo más singulares los grabados. Se ven primero de una ojeada, pero hay que entrar y perderse en el mundo infinito de cada imagen, es necesario mirarlas largo rato como merecen, incluso los formatos pequeños con un sólo personaje.

»... Picasso se asombraba de que al cabo de una o dos carpetas ya no tuviéramos ojos y viéramos sin ver, exhaustos incapaces de decir ni hacer nada, y nos juzgaba debiluchos, él que había hecho todo aquello.»

La comedia humana de don Pablo parte de un trazo fino como un cabello o de un manchón de tinta negra y grasa, y prosigue con otros trazos no menos ligeros y continuos, cuando no manchas un poco menos grasas, esparcidas, en gradación de intensidad, con sombras y toques de luz, grises, contrastes, negros de terciopelo y de hollín.

De vez en cuando hace un alto, no por mucho tiempo, para contestar al teléfono o para recibir a un amigo: a Clavé que llega de Cap Saint-Pierre, a Guttuso procedente de Milán, a Miró que viene de París o de Mallorca. Josette Gris va a almorzar los miércoles, abraza a Picasso y sin duda ha per-

---

(4) Hélène Parmelin: «Picasso déchaîné», en *Nouvelles Littéraires,* 12 de diciembre de 1968.

dido la memoria cuando afirma: «Hace ya más de cuarenta años que nos queremos...».

Una mañana llegó Peinado, el pintor malagueño. No era un buen día, pues Miguel, el secretario, le dice discretamente: «Sea usted breve». Los dos artistas se abrazan con emoción, Peinado se da cuenta de que a Picasso le conmueve mucho su visita, pero que tiene prisa por acabar, como si el tiempo le estuviera contado.

«Tengo que ser severo con mis visitantes –explica al día siguiente a otro amigo–. Ayer recibí una visita y tuve que abreviar porque también conmigo he de ser severo. Para mí también suena la campana... Y tengo que trabajar...» Y añade en voz sorda: «Es necesario que continúe...».

Pero también sabe bromear sobre esta premura:

«Es cuando descanso cuando yo me fatigo. Hay quien bebe Pernod todo el día, para mí los vasos de Pernod son mi trabajo.»

Ese tiempo que es la obsesión de don Pablo, Jacqueline es la encargada de ordenarlo. Enseguida comprendió ella que para Picasso lo esencial era tener tranquilidad, así que aparta con decisión a los viejos amigos, a los pedigüeños y machacones del recuerdo que, con su presencia, le traen la confirmación de la edad que tiene y le dejan luego furioso y melancólico. Todo el pasado lo filtra Jacqueline cuidadosamente; los hijos se han alejado por sí mismos y, sabiéndose ajenos ya, han cesado sus peticiones. La ruta del Minotauro bien trazada por su esposa atenta y solícita, está libre de toda preocupación doméstica y de las obligaciones de la amistad.

Claude y Paloma no tienen más que un defecto: le recuerdan a Pablo «aquella mujer que le ha hecho tanto daño», como dice Jacqueline. En cambio, la vida de ésta se confunde, en una permanente abnegación, con la de su esposo. En suma, ella ha relevado a Sabartés, pero es mucho más agradable y tiene mucho más tacto para tratar a los visitantes y contestar al teléfono sin aquel desabrimiento que a todos les dejaba entristecidos o furiosos. Picasso consiente algunas veces en responder al teléfono y agradecer la solicitud de quien llama y le ruega que vuelva a hacerlo, pues siempre le es grato tener noticias ya que no es posible verse personalmente porque tiene mucho que hacer y no puede perder ni un minuto... La mayoría de los amigos fueron renunciando a ese juego y así Pablo pudo vivir y trabajar en paz, es decir cada vez más solo.

Un día que Brassai pasó con su mujer por Mougins, le pidió a Jacqueline que le enseñara las últimas fotos que hubiera sacado de Picasso, recordando que tiempo atrás había hecho algunas muy notables, y la abnegada guardadora del genio responde: «Pero Brassai ¡si no he hecho absolutamente nada! No tengo tiempo para ello. Estoy enteramente al servicio de mi dueño y señor...».

Digamos de paso que el célebre fotógrafo, que por amistad y fervor se hizo memorialista de Picasso, había empezado a hacer escultura. Habiendo grabado a cuchillo guijarros de la playa, se los fue a enseñar a su amigo. «Todo el mundo ahora es escultor» comentó Pablo con sorna. Una a una, Brassai iba sacando de un bolso las mujeres y cabezas talladas, mientras Picasso repetía: «Todo el mundo hace escultura ahora...». Al cabo de un momento, cogió una figurita femenina, minúsculo ídolo marino con unos pequeños pechos y el sexo en triángulo, la tuvo un rato en sus manos y dijo por todo comentario:

«¿Sabes Brassai? A mí me gustan mucho las mujeres...»

Esa será la única apreciación que el fotógrafo escultor reciba del maestro.

Nôtre-Dame-de-Vie se ha convertido en una verdardera jungla de cuadros y esculturas. Los lienzos se acumulan, amontonados, apilados por todas partes, Picasso se desliza entre ellos como un gato, sea por el lado de la pintura o por el del bastidor. Cuando Malraux estuvo en Mougins, después de la muerte de Picasso, se fijó que había encima de una butaca de mimbre un pequeño cartón en el que había dejado escrito: «Si crees que no has fallado tu cuadro, vuelve al estudio y verás como está malogrado». Y Jacqueline explicaba: «Un día que tenía que salir, dejó eso para un amigo, y desde entonces lo conservó para él, decía que era un buen consejo».

Mosqueteros, guerreros, caballeros mostachudos con gola y espada montan guardia en una orgía chorreante de color. De vez en cuando, algún torero más rojo que el más puro bermellón, más negro que la capa de los mosqueteros, o amarillo y gris, aparece cuando Picasso regresa de las corridas. Y, por supuesto, efigies de Jacqueline por doquier. Tal frenética creación resulta obsesiva y agobiante. «Cuando la cosa iba bien –explicaba Miguel– salía del estudio y gritaba: "¡Jacqueline, llegan más, siguen llegando!".» Eran los actores de la gigantesca mascarada que iba a irrumpir en los muros del Palacio de los Papas de Avignon.

Sumergido por todo aquel mundo de criaturas vivas que se agolpaban entre sus dedos, Picasso se preguntaba: «¿Qué hará la pintura cuando yo no esté ya aquí? Tendrá que pasar por encima de mi cuerpo ¡no va a pasar al lado!, ¿no?».

¿Y si de la obra gigantesca y multiforme no quedara más que esa especie de cuaresma de la pintura, ese rechazo feroz de la vejez y de la muerte? Don Pablo se encoge de hombros ante cualquier hipótesis. «Ahora ya no elijo...» Dice eso con calma, pero acaso con una imperceptible angustia en el «ya no». Porque, no decidir ya puede ser confiarse a la fatalidad, al destino.

Malraux ha escrito que, refiriéndose a las terracotas sumerias colocadas junto a sus propias esculturas, Picasso le había confesado: «Hay un momento en la vida, cuando se ha trabajado mucho, en que las formas vienen solas, los cuadros vienen solos, no hay necesidad de ocuparse de ellos», y luego, tras una pausa: «Todo viene por sí mismo, la muerte también».

De vez en cuando, coge dos o tres libros de arte, los hojea, tuerce el gesto ante la mala calidad de las reproducciones. En verdad, ha visto poquísimos museos en su vida, luego escasas obras «al natural». Pasa revista a Tiziano, a Rembrandt, a Rubens, Goya, Delacroix y, vuelve más atrás, a

Egipto, a Grecia, a las Cícladas..., y murmura: «Finalmente, he imitado a todo el mundo, menos a mí mismo».

Un pintor joven volvió desesperado de Mougins porque Picasso le había dicho: «Hay que intentar todo el tiempo hacer lo de cualquier otro... Es lo más difícil y por lo general no se consigue... Siempre sale mal... Y también se falla lo que uno es en sí mismo».

Enterado de que el marchante Alex Maguy había comprado varias de las principales obras de la colección Cuttoli, Picasso se mostró satisfecho. Aquel hombrecillo vivaz, voluble, apasionado y astuto, le divertía. Se conocían desde antes de la guerra, cuando Maguy era todavía modista, pero ya coleccionaba pintura, y volvió a verle con gusto. Pues don Pablo necesitaba de vez en cuando distraerse, divertirse, lo que no siempre aprobaba Jacqueline. «Cuando la gente le aburría –explicaba– se ponía a hacer el torero...» Y Braque había comentado en alguna ocasión: «¿Vosotros me veis haciendo el payaso como ese pobre Pablo? Sí que es verdad que la pintura es también algo de circo...». Pero no para él, que volvía seriamente a sus caballetes mientras que Picasso se divertía.

Para una exposición que Maguy organizó en 1962, con siete lienzos contemporáneos de mayor importancia, Pablo dibujó un cartel. Cuando el marchante se lo pidió, se limitó a decir: «Jacqueline, podéis ir los dos al jardín a pasear» y cuando volvieron un rato después, tenía hecha una gran cabeza en bistre y negro que le ofreció a Maguy: «Es tu retrato, toma, regalo para tí...», y a renglón seguido explicó: «Lo mismo que nunca he ido a casa de Kahnweiler y sé todo lo que tiene, tampoco he ido a tu casa, pero sé todo lo que hay en ella». En varias ocasiones, los dos hombres hicieron intercambio de obras, y es así como entró en posesión de Picasso uno de los cuadros de juventud más conmovedores de Van Gogh. En otro momento hubo proyecto de trocar un Toulouse Lautrec, pero la operación no llegó a realizarse.

Aunque María Cuttoli había vendido algunas piezas de su colección, lo principal fue destinado al Museo Nacional de

Arte Moderno. A la muerte de su marido, ella había unido su vida a Henri Laugier, profesor de la Sorbona y Secretario General Adjunto de la ONU, por eso la donación, reflejo de su doble pasión –la amistad y el arte– se hizo con el doble patronímico de Cuttoli-Laugier. Ese legado comprendía principalmente obras cubistas, incluso algunos papeles pegados, como *Botella y periódico en una mesa,* de 1912; *El Violín,* de 1914; los dos *Bodegón con botella de Bass,* de 1913 y 1914, así como *El Pastel,* de 1930; *Mujer con palomas, Confidencia,* de 1934 y *Dos mujeres en la playa,* del 16 de febrero de 1956.

Después de tanto grabados, don Pablo ha vuelto a coger los pinceles. Pinta a toda prisa un cúmulo de personajes de todas formas y colores, vigorosos, trazados con energía, sin el menor cuidado por dar una visión glogal, sino de expresar lo efímero, consagrando el instante que pasa, la imagen que se ve como en un caleidoscopio que rápidamente cambiara. Hombres, mujeres, desnudos, mosqueteros, fumadores, pintores con o sin modelo, hombres con flores o con medallones, un hombre-guitarra, una mujer-pájaro... Cada uno de esos cuadros, a los que dedicó todo el año 1969, es un momento de la imaginación desbordante de don Pablo, algo desordenado, pintarrajeado, alocado, mal compuesto, a grandes trazos, como si el personaje no pudiera tenerse en pie sin esos puntales. El color, es en general violento, ya restregado, ya densamente aplicado.

Cabe preguntarse si Picasso sigue pintando para vivir o simplemente para sobrevivir, para durar frente al transcurrir del tiempo. Pero aún suspira a menudo: «No he dicho todo lo que tenía que decir...». ¿Y qué es lo que aún tiene que decir? El mundo exterior con el que apenas si mantiene contacto nada le aporta, todo está en él mismo; ese ardor, esa impaciencia, esa ineluctable fatalidad de «hacer» sin control ni criterios, no sabemos lo que todavía puede contener de deseos conscientes del «asesino admirable» como le llamaba René Char.

¿Estaría ligado el comportamiento de Picasso, por encima

de los años, al anarquismo catalán? A aquel terrorismo salvaje que se manifestó, durante la época en que vivía en Barcelona, con actos criminales particularmente violentos que engendraron una intolerable atmósfera de angustia y de miedo. Todo lo que el anarquismo tenía de fervor devastador, de vehemencia en el desorden, sin otra razón que la irresistible necesidad de trastocarlo todo, de exterminar, de destruir, de derramar sangre o de mutilar, se expresa en la pintura de Picasso con el mismo encarnizamiento. Pero lo que antes parecía dictado por una imperiosa necesidad orgánica, se ha transformado hoy en una repetición de imágenes regresivas de una humanidad sistemáticamente vejada.

¿Por qué todo eso? ¿Por el solo deseo de destruir? ¿Por qué no se puede hacer otra cosa cuando se tiene un arma en la mano? El anarquismo de Picasso no se apoyaba en teorías como el de los intelectuales teóricos de Barcelona, sino que se resolvía en actos, era instintivo, con una parte de primitivismo y de romanticismo que subyace en lo más profundo de la España rebelde, la España que rechazará el destino del mundo, como Pablo rechazó el de la pintura. Además del suyo propio.

Vuelve a hablarse de vez en cuando del proyecto de un museo Picasso en París. Un empresario de jazz americano, coleccionista de pintura contemporánea, un tal Míster Granz, encontró un procedimiento original para llamar la atención de los «oficiales» franceses: hizo insertar a sus expensas, en las páginas publicitarias de L'Express, el 27 de octubre de 1970, una carta abierta al Presidente Pompidou pidiéndole la creación de ese museo que, según él, se imponía en Francia. Ese llamamiento no le valió al Sr. Granz más que veintisiete cartas de lectores, dos de ellas de protesta. El norteamericano esperaba centenares de respuestas, así es que en vista del escaso eco, no volvió a insistir.

Aseguraba el Sr. Granz en su carta que el pintor se mostraba favorable al proyecto, si bien no haría ninguna donación inmediata, en espera de ver el cariz que tomaban las cosas, claro que «cuando una universidad confiere a alguien el título de doctor honoris causa, no le pide enseguida que haga un donativo», concluía el peticionario.

El Gabinete del Presidente de la República hizo saber que había un proyecto en estudio, pero sin precisar dónde ni cómo ni por quién. Se hablaba vagamente de si el museo Picasso quedaría alojado en el futuro Centro Pompidou destinado al arte moderno.

En enero de 1970, los tres sobrinos y la sobrina de Picasso fueron convocados a Mougins, después de ser avisados por el notario barcelonés, Noguera de Guzmán, que su tío tenía intención de donar al museo de la calle Montcada la totalidad de las obras conservadas por la señora Vilató en el piso familiar. Decisión definitiva que, a decir verdad, no les produjo ningún placer a los sobrinos Vilató, ilusionados tal vez por la idea de heredar algún día aquel valioso legado. Cada uno de ellos recibió, sin embargo, un cuadro de manos de Picasso.

Pablín, Jaime y Lolita Vilató Ruiz vivían en Barcelona, el hermano pintor, Javier, residía desde la guerra civil en París, como había también residido hasta su muerte el otro hermano, también pintor, llamado Fin. Los dos primeros quedaron encargados de que se ejecutaran las modalidades de la donación, firmada en Mougins el 23 de febrero, una de las más fabulosas que jamás haya recibido un museo.

Juzguemos: ochenta pinturas al óleo sobre lienzo; otras ventiuna en diversos soportes; seiscientos ochenta y un dibujos, pasteles y acuarelas; diecisiete cuadernos o álbumes; cuatro libros ilustrados con dibujos en los márgenes, y cinco objetos varios. Entre los cuadros, catorce de ellos estaban pintados también por el reverso e igual sucedía con quinientos cuatro de los dibujos. Los álbumes totalizaban quinientas ochenta hojas, con dibujos por cada lado. En la donación se incluían, además, cuadros de los amigos de juventud de Picasso: Pallarés, Julio González, Carlos Casagemas, Junyer, etcétera.

Para contener todas las obras donadas, la ciudad de Barcelona adquirió un palacio contiguo al de Berenguer de Aguilar, el que perteneció al barón de Castellet, bella mansión del siglo XVIII con restos más antiguos, que formaba parte del conjunto gótico de la calle Montcada, con sus típicos patios y sus galerías de arcadas ojivales.

Todas las piezas acumuladas en el piso del Paseo de Gracia fueron transportadas al Museo Picasso, inventariadas por Juan Ainaud de Lasarte y la conservadora, Rosa María Subirana, luego de hechas las restauraciones necesarias y fotografiado todo en detalle. Al mismo tiempo, se emprendieron importantes obras en el palacio Castellet para instalar debidamente la colección. Una vez más el exiliado de Mougins desafiaba al régimen de su país: su presencia había de pesar en el corazón de la que fue la ciudad de su juventud y que era también capital de la resistencia al franquismo, como fue siempre foco de rebeldía.

Pero Madrid no podía ser menos, y el nuevo Museo de Arte Contemporáneo que se estaba construyendo en la Ciudad Universitaria, se preparaba asimismo a rendir homenaje singular a Picasso. El director, Luis González Robles, no ocultaba sus esperanzas y una de las aparentemente más disparatadas consistía en hacer volver a España el cuadro *Guernica.*

Juan Ainaud de Lasarte había ido, una vez más, a Mougins para llevarle a don Pablo las fotografías de todas las obras donadas. Aquel día el sol iluminaba las atestadas habitaciones de *Nôtre-Dame-de-Vie.* El pintor esperaba a su compatriota en el umbral de la entrada. Se sentía feliz. Ahora las cosas estaban en orden, o casi... No del todo porque Claude había presentado contra su padre demanda de reconocimiento de paternidad natural ante el tribunal de Grasse.

Una vez más, la vida de Picasso aparecía a la vista de todos, los periódicos empezaron a hablar de ello, acusando a Jacqueline de haber apartado a los hijos de Françoise y haber impedido a su padre que los viera. Algunos llegaron a afirmar que la esposa de Picasso ejercía su poder exigente y tenaz sobre la voluntad disminuida ya del viejo pintor. Un cronista judicial llegó a decir que Jacqueline tenía a su marido en una «dependencia moral exorbitante».

Picasso sufría amargamente por todo eso, la conducta de su hijo le había herido en lo más hondo. «No soy yo quien me he alejado de Claude –le explicaba al abogado Roland Dumas– fue él quien se separó de mí. ¿Cómo ha podido Claude olvidar la ternura que siempre le prodigué y también la de mi mujer?» La visita de Ainaud de Lasarte disipa por un momento sus ideas sombrías, y le recibe con efusivos abrazos. Jacqueline está esos días muy deprimida, profundamente afectada por el proceso iniciado por el hijo de Françoise, y sufre todavía más que Pablo por las comidillas y chismes sobre su vida privada.

Cuando el Director de los Museos de Barcelona extiende encima de la mesa los cientos de fotografías que ha traído, Picasso muda el semblante. Bruscamente se le aparece el pasado... Las preocupaciones y las cóleras de los últimos días quedan olvidadas ante los cuadros académicos de adolescencia que le proporcionaron sus primeros éxitos, y los retratos de don José y doña María, de la tía Pepa, el suyo propio, el de Lola en la radiante belleza de su juventud; y las pinturas de La Coruña y de Madrid, las vistas del puerto, los cielos impresionistas, los rincones de la vieja Barcelona; y las escenas de toros, las bailarinas de cabaret, los amigos de *Els Quatre Gats,* la bohemia y las esperanzas, las pinturas azules, los rústicos motivos de Horta...

Fluyen vivos los recuerdos. El anciano, radiante y emocionado, evoca ante cada imagen una escena, una anécdota, la personalidad de un amigo. «Tú no habías nacido aún», dice galantemente a Jacqueline, y volviéndose hacia Ainaud de Lasarte: «Ni usted tampoco».

Picasso pregunta a su visitante si tal o cual barrio ha cambiado, si éste o aquel amigo todavía vive, y al descubrir un motivo determinado recuerda: «Esto, es el día en que mi madre quiso a toda costa que yo la acompañara a la iglesia...», ante otra fotografía rememora: «Mi padre pasaba por esta calle todos los días para ir desde nuestra casa a La Lonja. Iba por aquí y no por otro sitio, nunca echaba por otra calle».

Ainaud de Lasarte aprovecha la ocasión para pedir a Pablo que vaya a Barcelona. «Con barba y peluca...» contesta bromeando el pintor. Luego, de nuevo grave, dice: «A un español no se le invita a ir España». Picasso ha tomado su partido definitivamente: no volverá mientras dure el régimen actual. ¿Y si Franco muere? arriesga su amigo. Pablo se encoge de hombros: «Será reemplazado por otro general que a lo mejor será todavía más burro».

Todo el acervo de juventud va a entrar, pues, en los dos palacios góticos de la calle Montcada. Pero ¿y los innumerables cuadros almacenados en Mougins, en *La Californie*, en Vauvenargues y tal vez en algún otro sitio? Se habla de unas cuatro a cinco mil obras, sin contar los dibujos, los álbumes y cuadernos de apuntes... Un día, al entrar en una de las habitaciones donde se amontonan los cuadros contra las paredes, Jacqueline deja escapar un suspiro: ¡Dios mío, parece el Valle de los Muertos!

¿Es cierto, como algunos murmuran, que declinan el hombre y la obra? Esos reproches, que luego serían más severos con ocasión de las dos exposiciones en el Palacio de los Papas de Avignon, no son todavía más que discretos comentarios. La altura humana y artística del pintor, y tal vez el respeto a su edad, imponen silencio. Uno de los críticos norteamericanos menos conformistas y menos sometido a las modas, Leo Steinberg, se opone con su admiración sincera por las últimas creaciones de Picasso, a sus colegas Clement Greenber y Lawrence Alloway que expresarán opiniones denigrantes, corroboradas luego por Douglas Cooper.

Para Steinberg –que ya había publicado en el número especial de *Life* consagrado a Picasso en 1968 un notable ensayo, en el que estudiaba el interés del artista por los «vigías del sueño»– la supresión de la estructura en tres dimensiones «había sido el acto decisivo de la vida creadora» del pintor. Y analizaba ese fenómeno a partir de la serie inspirada por Delacroix, en un escrito titulado «Las mujeres argelinas, o

Picasso en libertad». Decía, entre otras cosas, Steinberg: «La mayor parte de las invenciones posteriores, se basan no en los cimientos que Picasso dejó entonces sentados, sino en la libertad personal conquistada en esta ocasión». La preocupación por la simultaneidad, la «reunión de los aspectos» era también, según el crítico, una de las inquietudes primordiales del pintor.

Es posible que esos ensayos que consagró Steinberg a su admirado artista respondiesen a la opinión de *Time* (5) a raíz de la gran retrospectiva doble en París: «Ciertos críticos tienen la impresión de que Picasso, en estas últimas décadas, no pinta sino para divertirse a sí mismo». (Estos escritos fueron luego reunidos en su libro titulado *Other Criteria: Confrontation with Twentieth Century art,* publicado en Nueva York en 1974.

Claude perdió su proceso. El tribunal civil de Grasse desestimó su demanda, puesto que en el momento de su nacimiento, Picasso no estaba divorciado, sino solamente separado de Olga. Nunca más vería Picasso a sus hijos Claude y Paloma, que ni siquiera fueron avisados en el momento de su muerte.

CAPITULO XXVI

UN PERSONAJE ALGO FABULOSO...
(1971-1973)

«Picasso invade el Palacio de los Papas de Aviñón a la cabeza de una columna de más de cien mil hombres seguidos de unas treinta mujeres, dos enanos, dos arlequines y un pierrot, cierto número de niños, buen número de ramos de flores y algunas frutas...»

Este parte de guerra, fechado el 1.º de mayo de 1970, enviado con urgencia, iba firmado por Rafael Alberti, que conoció a Pablo algunos años antes de la última Guerra Mundial. El primer encuentro había tenido lugar en el Teatro del Atelier, en Montmartre, donde Charles Dullin montaba una adaptación de la obra de Shakespeare *Como gustéis*.

–¿Picasso?– inquirió cortésmente Alberti, al distinguir a éste en el patio de butacas, y según ha contado el poeta, Picasso «se levantó con cierto aire desafiante, de forma maquinal, y en tanto que me tendía la mano me miró con ojos grises y redondos como dos puntos de fulgor insostenible...» Volvió a ver a Pablo al día siguiente, en su piso de la calle La Boétie, y desde entonces una sólida amistad existió entre los dos hombres, ambos igualmente sensibles a la triste situación de su país asfixiado por la dictadura franquista.

Aquel día, a los treinta y cinco años de haberse conocido, Rafael Alberti, el «español errante», como él mismo se define, saludó al anciano pintor que entraba triunfalmente con su abigarrada escolta en el palacio de los Papas de Aviñón, la fortaleza que se yergue sobre el Ródano, adusta y majestuosa, con sus piedras color de pan tostado y sus estancias de inmensas bóvedas. La fabulosa cohorte picassiana quedó instalada en la vasta capilla de Clemente VI, en la sala del Camarero y en la de los Notarios.

Un segundo parte siguió en la misma fecha, especificando:

«En el momento en que la primera columna invadía el Palacio de los Papas, una segunda, no menos audaz y resuelta, al mando del propio Picasso, se apoderó de la sacristía del palacio y en ella acampó. Se componía de las gentes más variadas y menos disciplinadas. En total, eran ochenta y seis.»

El mes de octubre de 1969, en la terraza contigua al estudio de Mougins, Picasso había hecho desfilar ante los ojos de sus amigos los cuadros que acababa de terminar. Estaban allí, entre otros, Yvonne y Christian Zervos. Todos los presentes se quedaron estupefactos ante la fuerza expresiva de las figuras que se iban sucediendo ante sus ojos con la rapidez de una película en cámara acelerada. El tiempo quedaba bruscamente abolido por aquella superabundancia que emanaba, directa y salvajemente, de una inventiva desbordada e incontenible. Yvonne pensó inmediatamente en Aviñón, en donde ella había organizado, en 1947, una exposición de arte contemporáneo con la ilusión, que era en aquel entonces verdadera innovación, de descentralizar la cultura. Ya imaginaba a los Mosqueteros, los Fumadores, los Desnudos colgados en los muros de la capilla de Clemente VI.

Yvonne Zervos explicó el proyecto a Jean Vilar, director del Festival de Arte Dramático, que lo acogió inmediatamente con entusiasmo. Quedaba la tarea de persuadir al Estado y a la Dirección de Monumentos Históricos, que no podían rechazar la idea, al Municipio, ya convencido, y, lo que era más peliagudo, al propio Picasso.

Cuando todo estuvo a punto, Yvonne y su marido volvieron a Mougins con el pretexto –que, en realidad, no era tal– de tomar fotografías de cuadros para el tomo siguiente del enorme catálogo picassiano. Los sacaron uno por uno del «Valle de la Muerte» y, una vez que el fotógrafo hubo realizado su cometido, los volvieron a guardar.

Pablo vigiló la operación sentado, en una postura que le

era habitual, con el dedo apoyado en la sien izquierda, atento, alerta. Rafael Alberti, que se encontraba allí con su mujer y su hija, ha descrito: «Estábamos fascinados; sólo interrumpían el total silencio las ocurrencias de Picasso y las entradas y salidas de Jacqueline, que nos traía whisky, té, Coca-Cola o una tisana para él» (infusión de hierba Luisa, de la que Picasso tomaba varias tazas al día por prescripción facultativa).

Yvonne Zervos eligió un momento oportuno y, con la ayuda de Jacqueline, logró que el maestro diera su consentimiento acerca del proyecto de Aviñón. Como de costumbre, empezó por negarse, pero luego, sopesadas las intenciones de su amiga, a la que profesaba gran cariño, acabó por decir «que no diría que no». Finalmente, tras hacer gran cantidad de preguntas acerca de la selección de cuadros, de su colocación y de la disposición del conjunto, prometió cuanto desearon que prometiera. Yvonne, colmada de alegría, se levantó para besarle y abrazarle.

–Podría llenar todo el palacio... ¡Los Papas van a tener que prepararse!– dijo riendo.

Unos días después, Jean Vilar fue a Mougins con el alcalde de Aviñón para darle a Picasso las gracias. El amistoso ambiente en que se desenvolvía la proyectada exposición era muy diferente del que reinó en París, donde se trataba de una retrospectiva y oficial; además, los encargados del Festival y de la municipalidad de Aviñón tenían el mismo tinte político que Picasso, a lo que éste no dejaba de ser sensible.

Entretanto, las obras del palacio del Barón de Castellet, en Barcelona, se llevaban con rapidez. No faltaron quienes declararon su extrañeza de que un «rojo» como Picasso se impusiera con tal fuerza en el mismo corazón de la ciudad, como lanzando un reto al régimen que sin cesar atacaba, o quienes lamentaban que el Gobierno manifestara tantos miramientos con el pintor. Lo mismo ocurrió en Aviñón, en donde las gentes piadosas llegaron a juzgar improcedente su intrusión bajo las bóvedas pontificias. A Picasso le hacían

gracia tales actitudes: escandalizar a los noventa años era
buena prueba de juventud. Alegremente se preparaba a per-
petrar en los muros del palacio las más desenfrenadas zarabandas, a poner en la capilla gesticulantes faunos, músicos y
mosqueteros, a multiplicar en las salas papales los desnudos
y los abrazos.

Pero nunca acabaría Picasso con los «burócratas» y estaría de Dios que la Administración le acosaría hasta el final
con sus torpes requisitos y sus irritantes exigencias. Como
deseara levantar más la parte del muro que separaba su
propiedad de la capilla de *Nôtre-Dame-de-Vie,* la Prefectura
regional de los Alpes Marítimos se opuso a ello cortés pero
firmemente.

–¡Y decir que es según informe del arquitecto departa-
mental de Bellas Artes! –exclamó Picasso– ¡Las Bellas Artes!
¡Siempre me han hecho la Pascua las Bellas Artes!

Para la exposición de Aviñón, Picasso seleccionó sesenta y
cinco cuadros, y cuarenta y cinco dibujos que iban de enero
de 1969 a febrero de 1970. Yvonne, desgraciadamente, no
vería montado el conjunto: murió de cáncer el 20 de enero
de 1970; su marido continuó la tarea, pero no pudo tampoco asistir a la inauguración por encontrarse muy enfermo.
Sus amigos y las personalidades de la ciudad fueron a salu-
darle al *Hôtel de l'Europe,* y asociaron al homenaje el recuerdo de la esposa desaparecida. Christian Zervos no le so-
brevivió más que ocho meses: el 12 de septiembre murió en
París de un ataque al corazón.

Un prodigioso turbión de formas y colores, una increíble
serie de cabezas, brazos, piernas, vientres y órganos sexuales,
se había apoderado del palacio pontificio de Aviñón. Un de-
rroche de pintura a grandes pinceladas, como latigazos y bo-
fetones, mostraba la inventiva más insolente, y también la
más romanesca, pues muchas historias de las que jamás ve-
remos el final aparecían bosquejadas en aquellas improvisaciones brutales o alegremente desenfadadas.

Los rostros clavan la mirada sobre el aturdido visitante; a
la par de frente y de perfil, no les basta con dos ojos super-

puestos, con un par de orejas o de pechos encima los unos de los otros, con rictus o muecas, ni con cinco dedos, un falo o una vulva en cierto desorden, para hace extraviar la mirada de los mil rostros que les interrogan bajo las bóvedas de la gran capilla gótica.

¿Cómo no recordar lo que Cocteau decía del pintor?: «Picasso es un hombre que no se preocupa de sí mismo: corre, corre y corre más deprisa que la belleza, porque la belleza le atemoriza, porque tiene miedo de que la belleza le fuerce a cierto conformismo; y por ello corre velozmente para perderla en el camino. ¿No es eso?».

Es el gran festival picassiano. Aquello no tiene nada que ver con los certámenes medio didácticos, medio sintéticos, anteriormente organizados; aquí el torrente no está embalsado por la historia, sino que fluye impetuoso arrastrando desperdicios, escombros y escorias, bate con fuerza contra los muros, ataca a la muchedumbre y se desparrama en el palacio. Un año de labor ininterrumpida, un año de la vida de don Pablo; hizo bien Jean Vilar al señalar, en el discurso de inauguración, la coincidencia entre tal obra y la fecha del 1.º de mayo: la exposición fue un homenaje al trabajo. De día, de noche, domingos y fiestas de guardar, la increíble vitalidad de Picasso fue un permanente desafío al tiempo.

La simultaneidad, que es todo lo que queda del Cubismo en la obra de su creador, se manifiesta aquí plenamente. Cada personaje está multiplicado por lo que es, por lo que significa y por los ecos que despierta. Y no es tan sólo en su aspecto físico, que le permite presentarse de muy variadas maneras a la vez, sino porque la arbitrariedad anatómica autoriza todos los puntos de vista, sucesivos o yuxtapuestos. Esa arbitrariedad se sitúa, además, en un extraordinario contexto lúdico; esos personajes desnudos o vestidos, solos, emparejados o en grupo, están animados por una vida intensa, cálida, sabrosa, delectable...

La serie de los Besos constituye una luminosa ilustración. Quince rostros de hombre y de mujer, boca con boca, deformes, alargados o hinchados; ojos desorbitados, rojos labios golosos, finos o carnosos, babosos o tímidos; mostachos insolentes; manos que acarician las nalgas o los pechos de la pareja... Todo un catálogo de tiernas succiones, de bocas sanguijuelas, de narices y ojos entremezclados, ella y él sudorosos, salivando de placer, y lo que no muestra el resto del cuadro, se deja adivinar. La culminación del abrazo, el paroxismo del deseo, la pasión demente que convierte a la pareja en un magna, en carnosa masa donde se entrevén los amantes devorándose y sorbiéndose, cada uno de ellos engullendo al otro con su morro ávido que también es sexo. Pues de eso se trata y bien se advierte ante esas imágenes feroces: las bestias del placer rematan con la parte inferior del cuerpo lo que comenzaron por arriba.

Pintar y dibujar el amor: Picasso jamás hizo otra cosa, y he aquí el final de la serie de los Abrazos que comenzó sesenta y cinco años antes...

*«Cada día comienza para ti como una
erección potente, una ardiente punta de lanza»*

canta Rafael Alberti.

Pero no hay únicamente besos en Aviñón. Hay también allí Fumadores en pipa, los Fumadores y el Amor, los Fumadores y el Niño; hay Mujeres en cuclillas, Hombres y Mujeres desnudos, Mujeres con pájaros, Parejas, Torsos y Cabezas de hombre, Hombres sentados, el Hombre de la barba, el de la corona de laurel, el Pintor y el Niño, el Pintor y la Modelo, el Arlequín, el Arlequín con Pierrot, el Hombre del casco, el Hombre de la espada, el Hombre de la espada y la flor... Sin hablar de los dibujos a lápiz o a pluma, en negro o en color, las aguadas, los carboncillos, expuestos en la sacristía de los Papas, donde se ven colgadas unas escenas que el más demoníaco de los diáconos no hubiera osado soñar en sus noches de insomnio.

El conjunto presentado en Aviñón no muestra nada realmente nuevo en la obra de Picasso; no hay nada allí que no fuera antes conocido. Es un repertorio general del picassismo lo que muestra esa fiesta barroca, en la que se aprecian, incluso, ciertas reminiscencias cubistas en las dislocaciones anatómicas; mas lo que allí sorprende es que Picasso pudiera seguir haciendo «el Picasso», al cabo de tantos años de asombrar, de escandalizar, de apasionar. Cuando se compara la increíble vitalidad de los cuadros que pintó ya casi nonagenario, con los paisajes laboriosamente pintados por Braque al final de su vida, con los de Léger, intercambiables, con los de Rouault, aburridamente sistemáticos, con los de Derain, de un mediocre academicismo, con los insistidos betunes de Vlaminck, uno se queda perplejo ante la mordaz ironía de don Pablo, ante su insolente humorismo, su dinamismo y su prodigioso apetito vital.

Picasso no engaña a nadie. Se gana la adhesión no solamente por lo que muestra, sino asimismo por lo que provoca, lo que perdura en él de la formidable revolución pictórica de la que fue adalid adelantado, y por lo que conserva de las novedades que aprovecharon los demás. Los cuales no siempre resultaron beneficiados, sobre todo los pintores de su círculo que fueron los primeros a quienes devoró.

En tanto que el público se apretujaba en el Palacio de los Papas, continuaban las obras del Museo Picasso de Barcelona, y en Málaga organizaron un pequeño «homenaje a su glorioso hijo». La ciudad natal del pintor esperaba, en pago de sus desvelos, que Picasso le legara su biblioteca.

La exposición de Aviñón no fue tanto una lección de pintura como una lección de libertad. Pero ¿acaso la libertad y la improvisación de la mano, como los malabarismos del verbo no son criterios lícitos para evaluar los valores estéticos? Lo único que debemos preguntarnos es si soportarán la prueba del tiempo tan bien como el paciente análisis y la profundización. Ya hacía algunos años que Picasso se interrogaba: «¿Perdurará esto? ¿Podrá tenerse?»

Y en el período de *La Guerra y la Paz* le decía a Claude Roy: «Siento que he ganado cuando lo que hago habla por sí mismo, sin mí».

Aquel verano Pierre Daix fue a hacerle una visita a Mougins. Encontró a Picasso trabajando. El pintor mostró a su amigo y biógrafo un retrato de 1901 en colores violentos, con verde en la cara y una magnífica corbata rojo anaranjado.

–¡Verde en una cara! –exclamó Picasso– ¿Tú te das cuenta? ¡Si supieras la que se armó cuando Matisse hizo eso por primera vez!

La conversación se desvió hacia el maestro de Cimiez, como si Pablo hubiera topado con él unos días antes y hubieran hablado los dos de la época en que consideraban que cada una de sus audacias constituía una victoria. Para Picasso la pintura estaba siempre en presente, y Matisse seguía vivo. En arte, la batalla no se acaba nunca. «Es precisamente por eso por lo que es interesante», decía Picasso.

Unas semanas después estuvo en Mougins Gustavo Gili, para llevarle un ejemplar de *El Entierro del Conde de Orgaz,* que acababa de publicar con grabados de hacía cuatro años. Don Pablo hojeó atentamente el libro y se puso a dibujar en los márgenes y en las páginas en blanco; durante largo rato dibujó todo lo que se le fue ocurriendo. Y así, cuando hubo terminado, había nacido un segundo libro.

Después de seleccionar los cuadros para Aviñón y mientras duró la exposición, Picasso continuó dibujando y pintando; lo que hizo no era muy diferente de lo que ya había hecho, y eso era lo de menos. Los domingos reemprendía el camino de las corridas. Con el rostro avellanado y como tallado a punta de navaja, la cabeza calva y los ojillos vivos, parecía un bonzo zumbón. Siempre vestido a su manera peculiar, en la plaza de Fréjus luce por ejemplo, un jersey ligero de manga corta adornado con una gran estrella roja, y multiplica las payasadas para los fotógrafos, o saluda a los toreros con simpáticos sombrerazos del panamá de paja, junto a una Jacqueline impasible cuyas gafas negras ocultan su mirada a los curiosos.

Ochenta y ocho años. Ochenta y nueve. Y a diario, cuadros, dibujos, hornadas de grabados. La última de éstas, empezada a finales de 1971, la acaba en marzo del año siguien-

te y es la más conmovedora de todas: el observado, trocado
en mirón, revela su más recóndita intimidad al identificarse
con el ilustre predecesor Degas.

Don Pablo va a cumplir los noventa años. Desfilan los
mosqueteros policromos con espada o mosquete; se acuestan
las bellas mujeres rosadas, rubias e incitantes en sus contorsiones; hacen el amor las parejas o acaban de hacerlo y cobran la forma de un enorme falo; se empujan los Arlequines,
los Pintores, los hombres sobre cuyas rodillas caracolean
muchachas de grandes pechos, velludas allí donde es menester; y monos y rameras... Por todas partes vuelve el sexo que
siempre se impone y se muestra abierto, bordeado de rizoso
plumón, sello identificador de este ballet.

Llega un día a Mougins Albert Skira, el editor suizo, y le
recuerda que cuarenta años antes, cuando él era un muchacho desconocido que aún no había publicado nada, le propuso al pintor que ilustrara *Las Metamorfosis* de Ovidio.
«Pues bien –anuncia– para tus noventa años voy a publicar
un álbum con el título de *Las Metamorfosis de Picasso*.»

El propio Picasso elige el autor para el texto: será Jean
Leymarie. Ha pasado la época de las crónicas indiscretas y
de las anécdotas, es hora de hablar de resultados, de hacer
balances, y nadie mejor que Leymarie para resumir su obra
y su vida. Mejor dicho, dejar que la narre la propia obra y
que sea ella la que, mediante sus muchas manifestaciones,
relate la vida del hombre cuya fecundidad sin precedentes
dura ya treinta mil días. El director del Museo de Arte Moderno se contenta, efectivamente, con escribir una sucinta
introducción. El libro, publicado en 1971, lleva el título de
Picasso. Metamorfosis y Unidad.

Vuelven los recuerdos. Cada visita de un amigo suscita
una oleada de remembranzas; cada objeto encontrado en su
estudio, cada cuadro, cada dibujo, le inspiran una reflexión
o la evocación de una anécdota. Hojeando con Brassaï el álbum de Douglas Cooper *Picasso y el Teatro,* una fotografía
de Erik Satie le arranca esta exclamación:

–¡Mira, Satie!

Y Picasso describe, en unas cuantas frases, al músico flaco y con perilla, con su sempiterno paraguas, siempre sin un céntimo, obligado a ir andando hasta casa de Pablo desde Arcueil, donde vivía en un piso exiguo al que nadie entró nunca, y diciéndole ceremoniosamente a la Princesa de Polignac, que le había enviado mil francos: «Mi buena señora, sus mil francos no han caído en oídos de sordo...»

Picasso ríe evocando aquellos tiempos. Luego despide al visitante, porque tiene que trabajar. Acaban de telefonear y Miguel, una vez más ha contestado: «El señor no está, el señor está descansando... el señor está trabajando...»

–Si recibiera a todos los que quieren verme, las visitas durarían hasta medianoche. Y lo mismo me ocurre con el correo. No lo puedo leer todo... no me quedaría ni un minuto.

Jacqueline y Miguel se reparten la «secretaría» del gran hombre, que se muestra particularmente interesado cuando alguien comenta cómo funciona la organización del pintor Dubuffet, y dice:

–¡Dubuffet! A mí no me quiere. Es Paulhan, por cierto, quien le ha hecho a Dubuffet.

En Madrid, el director del Museo de Arte Moderno, Luis González Robles, señalaba en los planos del nuevo edificio que se estaba construyendo un punto determinado: una gran sala aparecía como corazón del museo, lugar de honor donde el audaz director esperaba ver un día cercano la obra cuyo nombre todo el mundo conoce.

–En el corazón de España, en el corazón de Madrid, *Guernica* será como un faro al que todos volverán los ojos –decía González Robles.

Unos meses antes, el notario de Picasso en Barcelona, Noguera de Guzmán, se reunió con los representantes del Museo de Arte Moderno de Nueva York, y creyó estar autorizado para dejar entender que el pintor, propietario del cuadro depositado a la custodia del gran museo norteamericano, no se opondría a que se enviara a España. Las autoridades españolas aprovecharon inmediatamente la ocasión para demostrar su liberalismo. ¿Acaso no pertenecía ya al pasado cuanto aludiera a la guerra civil, por encima de los antagonismos y los odios que había creado?

Antes de autorizar a González Robles para que se publicaran sus esperanzas, Florentino Pérez Embid, Director General de Bellas Artes, solicitó respetuosamente la opinión de Franco. El caudillo se sintió obligado a decir que el sitio de la obra era Madrid. Por regla general, el Gobierno español alardeaba de sentir gran interés por los personajes ilustres residentes en el extranjero –evitaba el término de «exiliados»– y en este caso, las donaciones con las que Picasso había llenado el museo de la calle Montcada justificaban sobradamente ese interés.

El 3 de diciembre de 1970, el consejo de guerra sumarísimo celebrado en Burgos para juzgar a diecisiete militantes de la E.T.A., pronunció seis penas de muerte y condenó a los demás ¡a más de 700 años de cárcel! La emoción fue inmensa en el mundo entero. Todos recordaban las muchas ejecuciones que había sufrido España desde que terminó la guerra civil, como la de Julián Grimau siete años antes.

A consecuencia de ese proceso tuvieron lugar diversas manifestaciones: en Barcelona, 3.000 personas criticaron abiertamente al régimen; en la Universidad de Madrid a los gritos de ¡Libertad! se respondió con otros de ¡Franco asesino! En París, en Lyon, en Bruselas, Roma, Londres, en toda Europa... Para responder a esa agitación, que les parecía indecente, los militares presionaron a Franco para que ordenara las ejecuciones sin más tardanza.

Ni un solo español residente fuera de su país dejó de participar, junto a los hombres libres, en la consternación de sus compatriotas. Trescientos intelectuales y artistas catalanes se encerraron en el monasterio de Montserrat, lugar importante de la resistencia espiritual al régimen franquista. Los pintores Miró y Tapies, los escritores Ana María Matute y Terenci Noix, el decano del Colegio de Arquitectos José María Farges, el arquitecto Oriol Bohigas, universitarios, literatos, cantantes, pintores, músicos, poetas, a los que se unen los religiosos, manifiestan su indignación. Al cabo de tres días se retiran, cuando la policía amenaza con derribar las puertas del monasterio, para que éste no quede saqueado. Notable procesión de dignidad y sereno valor que camina entre dos filas de guardias con la metralleta apercibida, mientras las campanas tocan a vuelo...

Los reclusos voluntarios de Montserrat publican un manifiesto protestando contra la pena de muerte y exigiendo la amnistía de los presos políticos.

Entre tanto, los condenados de Burgos aguardan en la cárcel.

El viernes 18 de diciembre debiera haber sido fiesta feliz en Barcelona: ese día se inauguraba el magnífico donativo de Picasso en el nuevo local del museo. Ante los acontecimientos, el pintor pidió, por mediación de su notario Noguera de Guzmán, en carta dirigida a los que se encerraron en Montserrat, y comunicada luego al Concejo y al Director de los Museos de Barcelona, Juan Ainaud de Lasarte, que no hubiera ningún ceremonial y que ninguno de sus amigos acudieran a la calle Montcada.

Se cumplieron sus deseos: no hubo ceremonia de inauguración y los carteles de la «donación de Pablo Picasso 1970» quedaron sin pegar en los muros de la ciudad.

Los condenados a muerte seguían esperando.

Con un rasgo de pluma, Picasso acabó con las esperanzas de España acerca de *Guernica:* firmó con el Museo de Arte Moderno de Nueva York un protocolo de acuerdo en el cual estipulaba que el MOMA se comprometía a enviar el cuadro a España el día en que «quedaran restablecidas las libertades públicas», y que solamente el pintor sería juez, llegado el caso, para apreciar si esa condición se había cumplido. Y nombró albacea al abogado Roland Dumas en caso de morir antes.

El 2 de enero, cediendo a las unánimes protestas, pero sobre todo, según se dijo, a la intervención del Papa, Franco indultó a los seis condenados de Burgos.

Picasso siempre había mostrado gran amistad y generosidad hacia el fotógrafo Lucien Clergue, que le había presentado Cocteau. Era Clergue originario de Arlés, y hacía unas magníficas fotografías de mujeres desnudas entre las olas, con el pubis y los pechos chorreando, de pájaros muertos medio devorados o casi enterrados en las arenas de La Camarga, de corridas de toros del mismo Picasso. Inteligente y avispado, el fotógrafo era, además, empresario del guitarrista gitano «Manitas de Plata», hombrecillo seco de semblante atezado surcado de arrugas, de ojos vivarachos y tiernos que brillaban soñadores o coléricos. Era analfabeto y jamás había estudiado una nota de música, pero descubrió por instinto los seculares ritmos del flamenco, impregnados de nostalgia, de los fandangos y las malagueñas. «Manitas de Plata» estuvo muchas veces en Mougins y tocaba para Picasso, que le escuchaba emocionado.

Clergue había aprovechado sus buenas relaciones con el pintor para hablarle de un proyecto que venía acariciando y había ya elaborado con el conservador del Museo Reattu de Arlés: consagrar a las obras recientes de Picasso la exposición del verano de 1971. Después de todo, Arlés tenía vívidos recuerdos del pintor: en su plaza había asistido a gran número de corridas; la ciudad en fiesta le había aclamado como a un soberano; en 1957 el museo había acogido una exposición importante de dibujos a la que don Pablo había contribuido generosamente prestando treinta y ocho obras, todas ellas de primer orden.

Picasso escuchó las explicaciones de Clergue acerca de su proyecto, y acabó por decirle: «Tráeme a Rouquette». Jean-Maurice Rouquette era un arqueólogo que dirigía el citado Museo Reattu; gigante bonachón que hablaba con rico acento provenzal, su vida se regía por las copiosas comidas cuya calidad y abundancia determinaban su humor. Unos días después, Clergue y Rouquette se presentaron en Mougins. Picasso los oía atento, los dos visitantes se pasaban la pelota el uno al otro, persuasivos, ambiciosos, fervientes. Regresaron sin que nada hubiera sido prometido, pero los ojos de Picasso dejaron adivinar su interés.

Dos meses después, el 24 de mayo por la tarde, sonó el teléfono en casa de Rouquette, en Arlés. Era Picasso que llamaba para pedirle que fuera a Mougins cuanto antes, y anunciarle que allí le aguardaba una buena noticia. El conservador se puso en camino al día siguiente. Hacía más calor que en marzo y le chorreaba el sudor, pero era sobre todo de emoción, pues se preguntaba cuál sería la «buena noticia»; en su fuero interno se decía que no podía tratarse más que de la proyectada exposición.

—No te he hecho venir para nada –le dijo Picasso– tengo una buena idea para tu exposición.

Y ante los ojos atónitos de Rouquette, que cada vez sudaba más y tenía que secarse la frente cada tres minutos con inmensos pañuelos, Pablo hizo desfilar cantidad de dibujos: cabezas, desnudos de mujer, parejas, mosqueteros, pintores, pianistas, arlequines, pierrots, payasos, guitarristas, etc. realizados en los meses anteriores.

—Ya ves que tengo cosas para tu exposición...

Lo difícil era elegir entre aquellos centenares de dibujos. Fue el propio Picasso quien se encargó de hacerlo, ayudado por Jacqueline. Después de mucho reflexionar, eligió cincuenta y siete obras que iban desde el 31 de diciembre de 1970 al 4 de febrero de 1971. La mayor parte de ellos, en cartón blanco o coloreado, tenían revés y derecho: la tinta, el lápiz, el carboncillo, el lavado se mezclaban a veces con las tizas de color. En el reverso de uno de ellos, fechado el 3 de febrero, representando un pintor trabajando en su caballete, Pablo había escrito: «Un poco Matisse», pues era cierto que se parecía a su amigo desaparecido.

En tanto que iba pasando de un dibujo a otro, Picasso hizo saber que tenía el propósito de donarlos al Museo Reattu «si es que todo esto te gusta...» añadió dirigiéndose a Rouquette. Cuando el conservador se fue de Mougins con su botín, después de expresar con calor su agradecimiento, Picasso se limitó a decir al tiempo que le daba una cariñosa palmada en el hombro:

—¡Ha sido un buen día!

Así fue como el museo de Arlés –instalado en el antiguo priorato de la Orden de Malta, en un alto que domina el Ródano– acogió en aquel verano de 1971, a la pura luz del estero y del cielo, una selección de dibujos que los mejores museos del mundo hubieran adquirido a precio de oro.

Una nueva temporada de grabados había comenzado en enero de 1970 y terminó en mayo; la siguiente vio la luz a principios de febrero de 1971. Las mujeres desnudas constituían la principal inspiración: bellas criaturas de formas opulentas que quizá se ofrecían como espectáculo en el escenario de un teatro o en un cuadro que contemplaban los «amateurs». Microcosmos vibrante de contorsiones que realzan el valor de los muchos atractivos, complicados retozos en los que se combinan los números de circo con curiosas reminiscencias de los lupanares de antaño: medias negras, corsés, cintas al cuello, peinados de moño alto. ¿Son recuerdos de juventud que Pablo hace desfilar de un grabado a otro? Esas caras «con parecido», esos pechos erguidos, esas largas cabelleras que caen hasta las redondas caderas...

Trabaja tanto Picasso, la «ruta del cobre» alcanza tal actividad, que él mismo se asombra.

–La otra noche –le dice a un amigo– leí que la cotización del cobre está bajando en Londres o no sé dónde. Así es que desperté a Crommelynck, pues con la cantidad que consumo...

Pablo sigue dibujando mujeres. La mujer siempre, carnosa, incitante, provocativa, junto al pintor que la pinta y el «voyeur» que la contempla.

La mujer baila, con los brazos doblados por encima de la cabeza, o se tumba en la cama con los pechos ofrecidos, la boca húmeda y los muslos abiertos. Invita al hombre, pero él curiosamente no responde a la incitación. Hace mucho tiempo que no hay parejas ni copulaciones en los dibujos y grabados de Picasso. Hay mujeres que desfallecen de deseo porque el amor se hace esperar y enloquecen de ansia insatisfecha.

Ni el mosquetero, ni el pintor, ni éste o aquel visitante parecen sentir prisa por llegar a la consumación, pese a la provocación de las mujeres. En vista de lo cual se satisfacen entre ellas, lo que parece irritar prodigiosamente al pintor, que las deforma, las quiebra, las disloca y estira los miembros, las aplasta, las enrosca sobre sí mismas y las desenrosca con violentos y complicados movimientos del cuerpo. Buen ejemplo es el aguafuerte del 5 de marzo de 1971.

El ardor sensual del *Baño turco* lo reemplaza por la turbia clandestinidad de los amores equívocos. ¿Hasta qué punto esos abrazos femeninos reflejan las obsesiones de don Pablo en el extraño ambiente confinado de *Nôtre-Dame-de-Vie,* donde el hombre, incapaz ya de satisfacer a la mujer, tendría que tolerar, sin dejarse engañar, que sus guardianas paliasen la carencia viril con sus propios juegos? Todo lo que salga del lápiz, el pincel, el buril de Picasso reflejará, de aquí en adelante, lo más íntimo, lo más secreto de una vida que declina. Entra en escena Monsieur Degas.

Don Pablo no trata de detener el tiempo, sino que se entrega a su fluir. Lo que le quede de tiempo, es decir de vida, tendrá por epicentro el sexo de la mujer, blasón insolente y conmovedor de su quehacer de nonagenario. Ese símbolo musgoso le tiene hechizado, y porque la potencia de la propia virilidad ya no tiene la fuerza de antes, el ojo, ese supremo sustituto, se hace servidor de su curiosidad y la trasciende. El tema del mirón se va a convertir en uno de los más obsesionantes de la serie de grabados que inicia Picasso a principios de febrero de 1971.

En pintura no tiene ya nada que decir, si no es repetir lo pintado; pero en el dibujo y el grabado, el estilo narrativo sigue siendo incomparable. Muestra ahí una seguridad de mano, una facundia mordaz, una rapidez de ejecución y un don de *suspense* que son todavía sorprendentes. En ese terreno Picasso no tiene nada que temer de la vejez, de sus vacilaciones y sus decaimientos; ni el ojo ni la mano indican fatiga alguna, ningún sistematismo, ningún abandono. En el canto de amor, el himno al sexo en el que se desarrollan los episodios de un mismo relato de erotismo exasperado, don

Pablo ya no salda sus cuentas, sino que se hunde en el misterio; un misterio del que no sabemos gran cosa en cuanto a las motivaciones ni respecto al contenido, pero del que cabe pensar que la conversión en actos sobre la plancha de metal está relacionada con la soledad desesperanzada de la vejez, que siente la pesadumbre de la muerte cercana.

Los últimos diálogos de Picasso consigo mismo son tremendamente patéticos. Esas postreras páginas de su diario íntimo no tienen, sin embargo, un tono de despedida; el adiós, es cierto, empezó hace mucho tiempo y, de un cobre a otro, no es sino el relato de las peripecias. Una especie de esquela en episodios...

Belleza sombría o radiante, pero siempre enigmática, la de Jacqueline. La Esfinge, asociada legítimamente a la gloria de la ancianidad y a la ya cercana existencia póstuma, observa vigilante las expresiones obsesivas del deseo sobre las que versa la serie erótica de la primavera de 1971. Allí está ella cuando hace falta, y como debe estar, pero ausente de la obra en la que durante algún tiempo tuvo el papel de protagonista. Y no deja de ser sorprendente ese alejamiento, como si Jacqueline hubiera cesado bruscamente de pertenecer al universo picassiano, como si el señor la hubiera repudiado.

O que ella misma se hubiera apartado de la soledad final. Extraño fenómeno del que se han dado muchas interpretaciones y cuyo enigma perdura.

–Ven, te voy a enseñar una cosa –le dice Picasso a Brassai, que ha ido a verle el 17 de mayo.

El fotógrafo ha contado: «Pablo desaparece en su guarida y vuelve con un monotipo de Degas en un lujoso marco: es una escena en un prostíbulo, *La Fête de Madame.*

–Una obra maestra ¿no crees? Pues vas a ver, me he inspirado en ella para una serie de aguafuertes en los que estoy trabajando...

Picasso poseía once de los monotipos de Degas consagrados a los lupanares, los admiraba sinceramente y no dejaba de mostrárselos a sus visitantes insistiendo en que «Degas jamás hizo nada mejor».

Aparte de que le gustaba el tema –recordemos el origen de *Las Señoritas de Aviñón*– Picasso apreciaba el aspecto artesano de la obra de Degas, de quien se puede decir que inventó verdaderamente el monotipo, pues desconocía por completo esa técnica antes de probarla en el taller de talla dulce donde tiraba sus grabados.

Lo que le preocupaba a Degas era la veracidad de la expresión y de las posturas; sus ojos eran un penetrante aparato que registraba con gran precisión y no hay quien pueda discernir la parte que tomó él mismo en las escenas representadas, en las que, por otra parte, nada había de burdo o de procaz, y nada en absoluto tampoco de erotismo. No tenían la menor huella alusiva al placer, pues las mujeres eran monstruosas matronas sin ningún atractivo que exhibían con triste impudor sus repelentes desnudeces.

Solamente *La Fête de la Patronne* es una ceremonia que llega a lo sagrado.

¿Testimonio de «voyeur» o de vidente? ¡Quién sabe! La lamentación del impotente brota a lo largo de esas escenas carentes de vicio o de gozo, en las que la liturgia tristemente mecánica no depertaba en Degas ni deseo ni compasión. Con Picasso la cosa es muy distinta: trece años después de la adquisición de seis de esos monotipos, los aguafuertes que le inspira esa serie, realizados de marzo a junio de 1971, muestran al pintor enchaquetado contemplando tranquilamente, con las manos a la espalda, las extraordinarias metamorfosis que la poderosa inventiva de Picasso incorpora a las escenas de mancebía. Degas está allí y observa, pero no muestra emoción alguna ante esa orgía de mujeres desnudas que, al hacerse picassianas, se transforman en hembras verdaderamente monstruosas, dislocadas y deformes. Exageradamente maquilladas, con los pechos colgantes, las nalgas insolentes, adoptando posturas procaces, esas mujeres hacen algo más que aguardar al cliente: lo están provocando. El sexo se les entreabre de impaciencia en su estuche.

Degas mira y se queda pasmado. Las mujeres no pueden esperar gran cosa de él. Recostado contra la pared, sus ojos acumulan imágenes; los de Picasso desvelan descarados el óbsceno carnaval, la fiesta chabacana, en la que todo es exorbitado, desde la anatomía de las mujeres hasta el vulgar exhibicionismo de sus posturas.

Se ve a Degas dibujando, por una sola vez. Inmediatamente después se sienta (*Degas sentado,* 15 de marzo de 1971), se levanta (*Degas de pie,* misma fecha). Luego rehúsa sentarse o dibujar. Pero está allí. Marcadas de estrías o laceradas con arabescos, esas mujeres no tienen clientes y eso es sin duda lo que las preocupa y las pone nerviosas. Sus rostros, confundidos o superpuestos el perfil y el plano de frente, son repugnantes; en el extremo de los brazos cortos y blandos tienen unos dedos deformes que se deslizan frecuentemente hasta los bordes del sexo, y lo acarician, entreabren los labios, enredan en el vello, mientras abren los muslos todo lo posible para mostrar el siniestro orificio obsesionante de vacío por el que fluye el placer, que está muy lejos del encantador «joyel rosado y negro» cantado por Baudelaire.

Degas, púdico, mira para otro lado.

¿Acaso sus ojos, tan abiertos, denotan el asombro de ver aquellas mujeres transformadas en seres repulsivos? ¿O al advertir el trato que les inflige Picasso? Tal despliegue como de pesadilla sirve para excitar la sádica crueldad de don Pablo y, lo que es más, despierta su ira. El amor ya no es ahora más que eso: criaturas con abiertas rajas que hacen de las saturnales tarifadas la mascarada filial para la fiesta de Madame. Encorsetadas, maquilladas, ostentosas, perfumadas, emperifolladas, esas rameras halagan de cerca a la patrona, que se torna magma informe. Tras lo cual, buscan el mutuo placer, su último recurso, falto de práctica.

Como en *El Romancero del picador,* la triste confesión de impotencia masculina tiene la contrapartida de la exasperación erótica femenina; cuanto más reconoce el hombre su incapacidad para dar a la mujer lo que la mujer espera de él, más parece desenfrenarse ella y ser presa de la excitación desordenada de los sentidos. El contraste es sorprendente con la placidez o resignación del que ya no osa calificarse de varón. Lo asombroso es que nadie ocupe su lugar. ¿Es que esas mujeres no tienen ningún otro cliente? Como quiera que para Picasso el hombre viril es irremplazable, se comprende el desconsuelo de las mujeres.

La presencia de Degas en esa serie es un símbolo. Como es sabido, Degas era fetichista e impotente. Picasso insistió tan repetidamente acerca del carácter autobiográfico de su obra que es lícito hacerse la pregunta: esta confrontación del hombre inerte con mujeres de excesiva actividad ¿constituye acaso un nuevo capítulo del diario de Picasso?

Un aguafuerte fechado el domingo 4 de abril de 1971, muestra a esas mujeres bonitamente ataviadas y compuestas, bajo la vigilante mirada de la horrible Celestina, bien peinadas, adornadas con sus joyas y entremezclando alegremente sus desnudeces, en compañía de un loro. En la pared se ve un retrato enmarcado de Monsieur Degas.

Otro aguafuerte, del 9 de abril, es todavía más curioso. Tres mujeres desnudas, en deliquio, se revuelcan juntas en una cama; una de ellas volcada de espaldas bajo los efectos del placer, acaricia con ardor el pubis de su compañera y le separa los labios de la vulva, cuyo interior Picasso se complace en detallar minuciosamente, dejando ver con insistencia las más recónditas intimidades de la anatomía femenina, sin omitir el menor detalle. A la derecha hay un busto de Degas con unos ojos que lanzan chispas hasta el fogoso trío de mujeres que hacen el amor sin hombres.

Degas contemplará largo rato, con impasibilidad que nada perturba, los espectáculos que Picasso hace desfilar ante sus ojos y que no son los del amor, sino los de su provocación, de su impaciencia, de sus saciedades marginales. La ausencia o la carencia de varones son explícitas. A veces, reemplaza a Degas por un personaje recio, desnudo, que contempla con los brazos cruzados los retozos de las mujeres; la verga del hombre es un triste colgajo y está claro que ellas no pueden esperar nada de él.

En las planchas no expuestas, vuelve el mismo leitmotiv: obsesión por las partes íntimas de la mujer e impotencia del

hombre. Esta doble preocupación adquiere calidad de desesperación o de fiereza traducida por la violencia de la punta
seca y la sombría profundidad de los negros. Sismógrafo del
hombre, de sus angustias, de sus enojos, de sus pesares, el
trazo tiene una fuerza incomparable; las obsesiones lacerant-
tes del anciano surgen bruscamente del fondo de las sombras
y en medio de la oscuridad se revela lo que le acongoja y le
asalta, desnuda sus fantasías en la soledad en que ya le aíslan
las debilidades de la edad junto a una mujer joven y bonita que no está tampoco libre de tentaciones.

El apetito sexual de Picasso ha cambiado: ahora se manifiesta en la vista y en la mano. Por ello lo denuncia furiosa-
mente, lo escarnece y lo quebranta; él que escribe su «diario» de lo que hace, se ocupa ahora de levantar acta de lo
que ya no es. Sus pinturas siguen ensalzando la vida: los grabados revelan el envés de la alegría, de la libertad, de la
exaltación creadora.

Picasso enseña a sus amigos las escenas eróticas que acaba
de grabar. Sin acrimonía, con una especie de fatiga que advierten los visitantes y que él esconde detrás de frases inge-
niosas, de anécdotas que los cortesanos jalean con aveni-
miento conmovedor. Picasso hace desfilar los juegos de las
mujeres y los comenta. Ante un grabado especialmente atrevido dice:

—Cuando veo a un amigo, lo primero que hago es buscar
en el bolsillo la cajetilla de «Gauloises» para ofrecerle un cigarrillo, como hacía antes. Y eso aunque sé de sobra que ya
no fumamos. Por más que la edad nos obligue a renunciar a
ciertas cosas, el deseo persiste. Algo así pasa con el amor.
Ya no lo hacemos, pero sigue perdurando el deseo. Y nos
metemos la mano en el bolsillo...

Buen número de grabados deliberadamente obscenos nunca salieron de Mougins y Jacqueline le pidió incluso a Picasso que no se les enseñara a los amigos.

Todos los días se anunciaba alguna exposición de sus
obras en el mundo, los periódicos y las revistas hablaban de
él y dedicaban largos artículos a comentar su vida, su estado

de salud, su mujer, sus lazos con España. Seguían asimismo
publicándose libros acerca de su obra. Y cada día él mostraba más despego. Recibía raras visitas. Le telefoneaban y eso
le alegraba. Con buen humor aludía a su centenario el próximo 25 de octubre, día en que cumplía los noventa años.
Pero era para anunciar que no aceptaría nada, que no parti-
ciparía en nada y que no vería a nadie. Por otra parte, cada
día sentía mayor amargura ante la falta de consideración de
«los oficiales»: la pérdida de su taller de la calle Grands Augustins le había afectado profundamente, como si se tratara
de la muerte de un ser querido. No era siempre fácil comprender la mentalidad picassiana, que podía desconcertar o
irritar.

Un día, estaba a punto de escribir a un amigo que acababa
de perder a su mujer y de pronto soltó bruscamente la pluma y dijo: «Pues no, no lo haré. Tendrá que comprender
que yo vivo como pinto».

Esto es, totalmente libre, indiferente respecto a los demás
y con un feroz egocentrismo rayano en la crueldad. Una
crueldad que le hacía rehusar todo lo que no fuera su trabajo. Y puesto que había tenido que renunciar al amor, para
qué quería ahora la amistad... No le hacía ninguna falta.
No tenía deseo alguno. Con frecuencia citaba la frase de su
padre: «Quiero a mis amigos cuando se van». A Brassaï le
dijo por entonces: «Lo único que me interesa es la creación».

Viene una nueva etapa de dificultades con la Administración. Igual que le negaron unos meses antes el permiso para
elevar parte del muro que rodeaba su propiedad, la Dirección de Bellas Artes le prohíbe ahora subir un piso en el estudio que había mandado construir en *Nôtre-Dame-de-Vie,*
lo que le hubiese permitido disponer de buen espacio para
trabajar con vistas al grandioso panorama de la bahía de
Cannes y del Esterel.

La petición del permiso de edificación, presentado en la
Alcaldía de Mougins, recibió la aprobación de los concejales
de la localidad, deseosos de complacer a su ilustre adminis-

trado que se había quejado muchas veces de las molestas obras emprendidas en torno a su finca. El alcalde y los concejales, lamentando que Picasso reservara sus dádivas artísticas a Vallauris, en donde, sin embargo, no residía desde hacía años, hicieron tentativas para mejorar las relaciones con él, pero sin ningún éxito. La negativa del arquitecto del Departamento sobre el proyecto de subir un piso en el estudio –que, según el dictamen de los organismos competentes, hubiera estropeado el entorno de la capilla de *Nôtre-Dame-de-Vie*–, puso fin a la tentativa de operación de seducción en Mougins. Picasso se enojó vivamente, y tanto más cuanto que en París nadie movió un dedo para tratar de arreglar las cosas.

En febrero de 1971, don Pablo decidió donar al Museo de Arte Moderno de Nueva York una escultura de hojalata realizada en 1912, titulada *Guitarra,* que había sido expuesta en el Petit Palais cuando la retrospectiva de 1966. Un año más tarde, hizo una nueva donación importante: la *Construcción en alambre* de 1930, destinada en aquel entonces al monumento a Apollinaire (también esta obra había sido expuesta en el Petit Palais).

Reemplazando a los poderes públicos que seguían sin darse por enterados de la existencia de Picasso, la Asociación Francesa de Arte y Ensayo, Construcción y Humanismo, organizó en uno de los célebres pabellones de Baltard que habían quedado en el solar del Mercado Central («Les Halles»), un magnífico montaje audiovisual con el título significativo de: «Picasso, vous connaissez?» («Picasso, ¿lo conocen ustedes?»). Espectáculo sorprendente que presentaba en diez pantallas colocadas en semicírculo la mayor selección de obras de Picasso hasta entonces reunidas en un documental. Los espectadores más diversos, incluso los niños, quedaron subyugados por aquel caleidoscopio fabuloso. Tal vez era ésa la mejor manera de mostrar al anciano de Mougins, eternamente joven en su formidable e ininterrumpida labor creadora. Este Picasso popularizado ofrecido en el amplio espacio ocupado y trascendido por su genio, era el verdadero

Picasso. La técnica empleada en «Les Halles» permitía mostrar de una vez todos los aspectos antagónicos y complementarios de un objeto, en cierto modo era el procedimiento del Cubismo animado por el movimiento.

Lo que el cineasta Alain Resnais había tratado de conseguir con el cine al montar el documental *Guernica,* aparecía en «Picasso, vous connaissez?» captado a lo vivo. Sartre había hecho observar en otra ocasión que el movimiento que desintegraba aquella inmensa página trágica de la guerra de España, era la brusca sacudida del bombardeo: en las imágenes, volaban por doquier las casas, blanco de las bombas, en tanto que los vecinos del pueblo caían en su huida destrozados por las balas. Ahora el estilo dinámico de Picasso cobraba en las pantallas del pabellón Baltard de «Les Halles» una dimensión épica.

La película de Resnais se proyectó posteriormente en ese mismo lugar, con ocasión de un festival cinematográfico que actualizó algunas de las películas producidas sobre el pintor, que son otros tantos fracasos, como era ya fatal. Pues si Picasso cambió nuestra manera de ver el mundo, no provocó una forma nueva de ver la pintura con la cámara; los diversos cineastas que trataron de penetrar profundamente en el interior de la obra y realizar una especie de investigación a fondo de la pintura picassiana, tropezaron con un obstáculo: cada cuadro es una totalidad, no se fragmenta ni se detalla, así es que el impacto visual queda reducido a un paseo académico.

Ni siquiera se libraron de esos tópicos las películas más recientes, la de Edward Quinn, *Picasso, un portrait,* rodada con devoción y que es a la vez anecdótica y sensible, y la de Lucien Clergue, dada en televisión al celebrarse el nonagésimo cumpleaños del pintor.

El 23 de abril de 1971 se inauguró en la Galería Louise Leiris una fantástica y desconcertante exposición de ciento noventa y cuatro dibujos en lápiz negro, tinta y lavado, o lápiz y tizas de color sobre cartón, realizados del 15 de diciembre de 1969 al 12 de enero de 1971, entre centenares de otros.

Más vivaz que nunca, con chaquetón de piel y pantalón a cuadros, Picasso hizo su aparición un día en el aeropuerto de Niza, acompañado por Jacqueline y por su abogado Roland Dumas, que iba a tomar el avión de París. Pronto se esparció el rumor entre la gente, que no tardó en rodearle; misteriosamente avisados, periodistas y fotógrafos llegaron en tromba unos minutos más tarde. Tan poco corriente era ver al maestro y poder hablar con él.

Picasso sonriendo bromeó:

–Si hubiera podido suponer tal recepción hubiera cuidado de vestirme más decentemente.

Un periodista le preguntó si pensaba ir el 10 de junio a Las Palmas para una corrida de toros, como había anunciado un periódico español. Picasso lo negó categóricamente:

–Por allí dicen con regularidad que voy a llegar pronto. Eso es falso. Trátese de corridas o de inauguraciones de exposición, jamás iré a España mientras dure el franquismo. Además –añadió– estoy sobrecargado de trabajo, no tengo ni un momento que perder; no quiero y no puedo pensar en otra cosa. Todas las noches tengo que quedarme en el estudio hasta muy tarde.

Era verdad. Picasso trabajaba a menudo hasta bien entrada la noche, y no estaba ocioso tampoco durante el día, pues aquella primavera de 1971 vio nacer gran cantidad de grabados. En marzo se mostró singularmente activo, en abril la «ruta del cobre» amainó algo; en mayo y junio recobró el impulso con mayor ardor. Al contrario de lo ocurrido en años anteriores, siguió pintando entre los períodos de grabado e hizo muchos dibujos.

Cabezas de personajes de todas las formas y todos los colores, desnudos, parejas, mosqueteros, más mujeres, con quién sabe qué otros hombres, clarinetistas...

Y nuevas tandas de cabezas. De perfil y de frente. Con ojos superpuestos y con la pipa en la boca. Anatomías caóticas y bellos cuerpos color carne plenos y turgentes.

Anchas caras mofletudas, hocicos. Una mujer y una paloma que se besuquean. Un niño con otro en brazos...

A principios de abril, cuando estaba grabando sus erotismos, pintó una serie de cabezas violentamente construidas a grandes pinceladas, borrosas improvisaciones que no evitaban ni las manchas churretosas ni los emborronamientos y que dejaban a veces trozos de lienzo en blanco. Bárbaros e inarmónicos contrastes de color que desconcertaban o repelían, de tal manera que el total daba una impresión de descuido, de cosa dejada al azar y al accidente. El ceremonial de la muñeca ágil se transformaba en desorden, mientras que en el grabado el ojo y la mano de don Pablo seguían mostrando incomparable firmeza. Ante la plancha no se apresuraba inseguro como ante el cuadro con el que se diría que, fascinado por su virtuosismo y por la plenitud de vida que llevaba dentro, tenía prisa por terminar. El grabado lo trabajaba a fondo, multiplicando las pruebas y las contrapruebas, y daba al motivo una imagen global sin el menor descuido. Nada de improvisación, sino un paciente estudio del tema, prosecución de una idea directriz expresada a todo lo largo de una misma serie, en tanto que en la pintura cada lienzo, incluso incluido en una serie, posee su propia autonomía.

Lo notable en esos cuadros, pues Picasso nunca fue un colorista, es el colorido. Brilla el color en los mosqueteros y los toreros, en los que estallan rojos, amarillos y verdes estridentes en violentos manchones. Los desnudos son de un bello color rosado y las mujeres de las palomas están bañadas en tonos azulados y ocres ligeramente marfileños. Los grises armonizan sutilmente con los amoratados, con los frescos verdes, con los matices rosas y los azules pastel. Don Pablo combina las explosiones desordenadas del Fauvismo con las normas de composición del Cubismo y desemboca en un expresionismo barroco de arrebatos desenfrenados.

Le bastan unas pinceladas para improvisar un personaje. Acaso el fondo no sea sino un simple tinte fluido, o quede en su blanco virgen. La pincelada es alargada o entrecortada, para subrayar, sugerir, o se reduce a un signo, a un ideograma. La expresión de los rostros no indica estudio alguno de carácter, la fuerza del trazo o de la mancha le bastan a Picasso para situar esas figuras, en las que, de vez en cuando, le place reemplazar la cabeza por un solo garabato del pincel.

Es así, pero también pudiera ser de otra manera, pues la pintura es el movimiento perpetuo y la creación va más allá de la misma personalidad del artista y a todos pertenece. Cuando la Fundación Engelhorn, de Münich, le propuso a Picasso poner a disposición del público tres de sus litografías para que cada cual las volviera a dibujar a su manera, Picasso asintió: «¿Por qué no?»

El resultado causó estupor, pero desgraciadamente Picasso no llegó a conocerlo, pues murió entre tanto.

Su potencia expansiva, pura y violentamente orgánica, revelaba un humor impulsivo no restringido por fórmula alguna, ni por ningún procedimiento. Se expresa el deseo demente. Se despliega la riqueza de la imaginación. Se expansiona una animalidad en bruto, la del comienzo, que da de lo aún no formulado las imágenes esenciales, libera de lo real la parte tenebrosa del instinto salvaje, ataca la visión por lo exasperado del único motor que conoce Picasso: el de su *furia* (1) humana, o el amor impetuoso y tierno a la vida.

El terrorismo picassiano alcanza su culminación desmedida. Ya hacía mucho tiempo que el señor de Mougins se atrevió a todo, y bien sabemos que el secreto de su juventud residía en la actividad, en convertir en cuadros esa alborotada audacia. La pintura de Picasso siempre fue sedición, rebeldía, tempestad; ahora estalla estridente y ostentosa y nos fascina sobre todo con los acordes desentonados, con las disonancias. Es una música que nos hace trizas los ojos.

Pero ¿acaso va a volver al orden, a integrarse en la historia? Para celebrar el nonagésimo cumpleaños del pintor, el Gobierno francés decide presentar en la Gran Galería del

---

(1) En español en el original.

Louvre ocho cuadros de Picasso pertenecientes a museos nacionales. Han encargado de ello a Jean Leymarie, que realiza una selección «simbólica» del pintor rehuyendo curiosamente todo lo que la obra de Picasso tiene de subversivo, de audaz y de retador, es decir, omitiendo el período creador del Cubismo y los «collages». La mayor revolución pictórica del siglo xx estará ausente de las paredes del Louvre donde se festejaba a su autor. No sería ésta la menor de las paradojas del homenaje oficial.

Para hacer sitio a Picasso muchos de los cuadros del siglo xviii francés que ocupaban la «tribuna de honor» en la Gran Galería, fueron trasladados durante diez días y se decidió, además, que la entrada sería gratuita en el Louvre y en los museos de Francia que fueran poseedores de obras de Picasso. El Presidente Pompidou, que inauguró solemnemente esa exposición, dijo que Picasso era «un volcán... pinte una cara de mujer o un arlequín, siempre estalla la juventud en su obra...».

El Louvre no dio cuenta de las erupciones del volcán Picasso, puesto que prefirió sus períodos de calma.

Mientras se celebraba la inauguración en el Louvre, Picasso descansaba acostado, leyendo los periódicos y el correo. Descansando del trabajo nocturno realizado, pues él había seguido con su tarea, sin dar importancia a los homenajes, oficiales o no, de su «centenario». Habían pasado los tiempos de las manifestaciones populares, y las festividades de sus ochenta años no le habían dejado buenos recuerdos.

El ministro de Asuntos Culturales, a la sazón Jacques Duhamel, le había escrito para ponerle al corriente de las intenciones del Gobierno; él sabía que otros homenajes no menos prestigiosos celebrarían al mismo tiempo, en todo el mundo, su cumpleaños y la extraordinaria vitalidad de una obra que dominaba el siglo. Si los artistas jóvenes interrogados por diversos periódicos reconocieron su importancia, no por ello dejaron de precisar que no representaba nada para ellos. Julio Le Parc le juzgó así: «Uno de los mitos de utilidad para la ideología predominante»; Benrath dijo que «era una suntuosa decadencia», mientras que Télémaque aseguraba: «El legado heleno ha tocado a su fin con Picasso, que es el resumen de una matanza. Duchamp tiene mayor utilidad en el momento actual». En cuanto a Martial Raysse, declaró: «Picasso ha confundido la creación con el placer de pintar. Son Duchamp y Mondrian los que han seguido por el camino de la invención». Sin embargo, Arman precisó que «su influencia en el público ha sido inmensa. Ha educado la vista de millones de personas y ha impuesto toda una escala de posibilidades artísticas. Gracias a él nuestra generación ha sido aceptada y lo serán también las venideras».

Picasso, en efecto, abrió las puertas a la libertad, a todas las libertades. Su desafío permitió y justificó todos los desafíos presentes y futuros.

«Cambiar la pintura es cambiar al hombre...»

cantó Aragon

. . . .

«Rien ne peut Picasso l'étouffer sous les fleurs
on entendra longtemps on entendra toujours
la haute voix de son silence et le grand vent qu'il
fait régner dans les toits décoiffés du mensonge.

. . . .

A toi salut Pablo par qui nous sommes
les marches d'hier vers toujours à toi
Pablo qu'ici je nomme à jamais jeune homme.»

Ante las obras expuestas en la Gran Galería del Louvre, el Presidente de la República saludó a Kahnweiler, que le dijo:

–Desde un principio, desde *Las Señoritas de Avignon* he sabido que cuadros como ése colgarían algún día en las paredes del Louvre.

Era la estricta verdad: el ex marchante de la calle Vignon fue el único que tuvo la revelación del genio de Picasso de manera indiscutible el día en que vio sus cuadros por primera vez. Hacía de eso sesenta y cuatro años.

Cuando el Presidente Pompidou salía del Louvre, un periodista le preguntó si creía posible que llegara a haber un Museo Picasso.

–Estoy dispuesto a favorecer la creación de tal museo –respondió el Jefe del Estado–. Y añadió acto seguido:

–Pero ¿con qué lo llenaríamos?

El ministro de Asuntos Culturales, el director de los Museos de Francia, el del Louvre, el conservador-jefe del Museo Nacional de Arte Moderno y otros, bajaron la cabeza apesadumbrados.

–Estoy esperando los ofrecimientos de los donantes generosos –dijo aún el Presidente.

Esta frase desafortunada, que ilustra bien la política de pedigüeño de los museos franceses, demostró asimismo un total desconocimiento del comportamiento picassiano. Pues Picasso le había dicho a Jean Leymarie: «Que me den un museo y lo llenaré».

¿Se había olvidado que después de la exposición de Aviñón la Dirección de Museos Históricos se opuso a la creación de un Museo Picasso en el Palacio de los Papas?

En Mougins los curiosos rondaban día y noche, en torno a *Nôtre-Dame-de-Vie* había una permanente escuadra de fotógrafos con el teleobjetivo de la máquina enfocado hacia los muros de la finca, reforzados por cañizo y alambradas.

Los promotores inmobiliarios se habían apoderado de la loma que ya tenía trazados los nuevos caminos para los edificios en construcción. Picasso había decidido, tras conseguir levantar acta judicial, apelar al apoyo de la ley, pues las obras interrumpían la circulación por la vía principal de acceso a su propiedad y no se podía salir de allí ni recibir a nadie. Logró un acuerdo amistoso, pero las amenazas seguían siendo graves.

En Vallauris, para los 90 años del pintor se construyó un

tablado delante del *Hombre del cordero*. Picasso había prometido asistir con Jacqueline a los festejos de canciones, danzas y otros homenajes en su honor, pero al final no fue. Se le estuvo esperando en vano todo el día. *Nôtre-Dame-de-Vie* permaneció cerrada y se cortó el teléfono. No se recibió a Roland Leroy, venido expresamente de París con una delegación del Partido Comunista.

En la mañana del 25 de octubre de 1971, obreros y estudiantes españoles del Partido Comunista clandestino repartieron octavillas por las calles de Madrid, en las que se decía que «Picasso, nombrado por la República director del Museo del Prado... que no podrá venir a España sino con la democracia, había sabido representar admirablemente el terror colectivo del fascismo». A las ocho de la tarde de ese mismo día, se debía rendir homenaje a Picasso en la Facultad de Biología, y estaba prevista una conferencia del crítico Carlos Areán. Por primera vez desde la guerra civil, el Gobierno había pedido a los profesores y estudiantes de toda la península que honraran a Picasso, incluso se invitó a los colegiales a que mandaran postales «para incitarle a venir a su país».

Unos minutos antes de empezar la conferencia, el Ministerio del Interior la prohibió.

Delante de la Facultad se habían congregado un millar de estudiantes. Los gritos que se habían oído en otra ocasión, cuando Paul Eluard fue a Barcelona para hablar de su amigo, volvieron a resonar: «¡Picasso, libertad!». Subido a una mesa, Moreno Galván justificó la voluntaria expatriación del pintor y su afiliación al Partido Comunista. La policía exigió que los estudiantes se disgregaran.

«Dispersémonos pacíficamente –dijo Moreno Galván– por la Avenida Complutense, que de ahora en adelante debemos denominar Avenida de Pablo Picasso.»

Mas la dispersión no se efectuó tan rápidamente como deseaba la policía y ésta entró a la carga, aporreó a los estudiantes y detuvo a cinco de ellos al mismo tiempo que a Moreno Galván, al que trasladaron a la cárcel de Carabanchel en espera de ser juzgado por alterar el orden público.

Los artistas de un conocido «tablao» flamenco de Madrid decidieron aquel 25 de octubre consagrar la noche a honrar a Picasso y enviarle las canciones grabadas en magnetófono, pero la policía confiscó el aparato. Entró en el local el pintor Eusebio Sempere que contó lo ocurrido en la ciudad universitaria, donde las fuerzas de orden público habían aporreado a los estudiantes. Y también le detuvieron a él.

La municipalidad de Málaga había organizado una ceremonia en honor de quien, noventa años antes, nació en la casona de la Plaza de la Merced, y se tomó la decisión de erigirle un monumento, obra del escultor malagueño Berrocal, y que un cuadro de su padre don José, le sería entregado solemnemente al pintor por una comisión de la ciudad. En La Coruña se celebró un certamen literario para señalar la fecha. En Barcelona, en una cena de gala ofrecida por el semanario *Mundo* y presidida por el alcalde, se le cursó un telegrama de felicitación que le nombraba «Español meritísimo del año 1971».

Moreno Galván y Sempere seguían en la cárcel (2). En enero de 1973, el Tribunal de Orden Público de Madrid condenó al crítico a dos años de cárcel por «reunión no pacífica», sin tener en cuenta como testimonio de moralidad una carta firmada en su favor por centenares de intelectuales españoles.

Jacqueline regaló a su marido un ascensor, desde entonces Pablo pudo subir y bajar sin cansarse a los talleres y las distintas habitaciones de *Nôtre-Dame-de-Vie*.

La mayor parte de los museos organizaron exposiciones

---

(2) El autor francés no da una versión exacta de los hechos: lo cierto es que Eusebio Sempere, según nos confirma su propio testimonio, no pasó más que veinticuatro horas en la Dirección General de Seguridad y no volvió a ser inquietado. En cuanto a Moreno Galván, estuvo un mes detenido hasta que salió el proceso, en el que recayó condena de dos años de cárcel, pero su cumplimiento fue aplazado por enfermedad (sufrió un infarto) y no llegó a entrar en la cárcel porque entretanto sobrevino la amnistía por la muerte de Franco. *N. del T.*

en honor a Picasso, y también lo hicieron gran número de galerías de todo el mundo, pero en Madrid se prohibió una exposición de obras de pintores jóvenes que iba a celebrarse en la Librería Antonio Machado.

El 28 de octubre se inauguró en el Museo Nacional de Arte Moderno de París una exposición de veinticinco importantes cuadros de los primeros tiempos de Picasso y de su época cubista, prestados por los museos del Ermitage de Leningrado y Puchkin de Moscú, con un conjunto que dejaba en ridículo la presentación de los ocho cuadros en el Louvre, afortunadamente clausurada tres días antes. Esta exposición estaba compuesta por obras de primera importancia del genial creador de formas que fue Picasso, cuando inventó el Cubismo y abrió caminos para la revolución pictórica esencial siglo xx, ésa de la que salió casi todo el arte moderno.

Si la época azul y rosa estuvieron representadas por cuadros tan famosos como *Dos Saltimbanquis,* de 1901, *El viejo judío,* de 1903, *La Niña con una bola,* de 1905, el no menos famoso *Desnudo con paño plegado,* contemporáneo de *Las Señoritas de Aviñón* y obra principal de la época «negra», *El Frutero con peras,* la escultural *Granjeros* de impresionantes volúmenes recios y toscos como labrados a hachazos; *La Reina Isabeau* y *La Danza del Abanico,* dos cuadros de 1909, afirmaban las grandes constantes formales del Cubismo, completados por buen número de bodegones de 1912´ y 1913.

Estos son los cuadros que deberían haber encontrado sitio en el Louvre.

Cuenta el pintor Arman que un día le dijo a Picasso: «Es fantástico lo que usted ha aportado». Y él repuso: «¡Y lo que ustedes se apresuraron a llevarse!».

Nada ilustra mejor que esta respuesta lo que esos veinticinco cuadros soviéticos representan: Picasso ha dado a los artistas contemporáneos, y a través de ellos al gran público, los medios de librarse de los ilusionismos del Renacimiento y de ver el mundo de una manera nueva con ojos depurados de convencionalismos y artificios.

«Yo veo con un ojo que siente y siento con una mano que ve, decía Goethe. Eso es lo que hizo Picasso.»

Una noche de octubre, la televisión transmitió la película de Lucien Clergue; Picasso la vio en su casa, rodeado de amigos. Cuando acabó, preguntó cuánto tiempo había durado. Y al decirle que cincuenta minutos, dijo: «Sería menester hacer una película de cada minuto mientras yo trabajo».

Las ceremonias del «centenario», los artículos de los diarios, las revistas que hablaban más de su personaje, de su vida particular, de sus excentricidades y de sus costumbres, de sus dichos, sus crueldades y sus enfados que de su pintura, exasperaron a don Pablo. Desde la publicación del libro de Françoise Gilot y el pleito que le quiso poner Claude, se le había agriado el carácter, incluso acusó a algunos amigos de haberle traicionado, de haberse puesto de parte de la que fue su compañera, cuyo nombre ya no se atrevían a mencionar delante de él.

Los necios reveses infligidos por la Administración, las obras ruidosas emprendidas en la loma de Mougins y la edificación de los solares, los nuevos caminos y canalizaciones iniciadas y el camino de *Nôtre-Dame-de-Vie* levantado, no hubiera hecho falta tanto en otro tiempo para soliviantar a Picasso y decidirle a dejar el lugar. Hablaba de ello continuamente, aunque más con tristeza que con enojo. Durante muchas semanas las obras le impidieron salir de casa y el soberbio coche Lincoln blanco en el que solía ir de paseo conducido por Jacqueline, o acudir al aeropuerto a recoger a algún amigo, tenía que quedarse en el garaje.

En cambio, jamás hablaba de enfermedades o de la muerte. Le molestaba, sin embargo, la sordera y como se resistía a llevar audífono, el diálogo resultaba difícil a veces. Ocurría frecuentemente que se quedaba traspuesto en medio de una conversación. Pero su vitalidad seguía siendo notable. Tenía Picasso una salud de hierro, es cierto que comía frugalmente y apenas bebía otra cosa que agua. Ya hacía tiempo que había dejado de fumar.

Como buen español que era, Picasso no hizo testamento.

A Dominguín, que le preguntó si no debía retirarse de los toros, le respondió brutalmente:

–Luis Miguel, corres el peligro de que te mate el toro. Pero ¿qué puedes esperar mejor que eso? ¿Puedo yo desear algo mejor que quedarme tieso pintando? Cuando un hombre sabe hacer algo, deja de ser hombre si no lo hace. Por eso, Luis Miguel, debes volver al ruedo y morir de la mejor manera posible.

El jamás abandonó el ruedo.

Advertían quienes iban a verle que parecía triste, abatido o preocupado; otros aseguraban que seguía «en forma», que su vigor no había disminuido en absoluto. Recibía pocas visitas, solamente las de los íntimos o aquellas que no podía evitar. No se trataba de ostracismo, pero Madame Picasso tenía a su cargo la tranquilidad de su marido. Aislado del mundo exterior, se encerraba más y más en su trabajo. Siempre supersticioso, creía que la pintura le protegía: sus cuadros eran los amuletos que conjuraban lo inevitable.

El 5 de noviembre de 1971, un grupo de extrema derecha de los «Guerrilleros de Cristo Rey» destruyó en una galería de Madrid veinticinco grabados de la «suite» Vollard. Unos días más tarde, un grupo antimarxista incendió una pequeña galería de Barcelona que tenía el nombre de Estudio Picasso –sin que ninguna obra del pintor figurase expuesta– y otro tanto le ocurrió a la Librería Cinco de Oros en cuyos escaparates había libros acerca de Picasso y de Pablo Neruda.

El Sindicato de Libreros protestó, pero la finalidad de esos atentados fascistas se había conseguido: se retiraron de los escaparates los libros dedicados al pintor y los varios homenajes proyectados aquí y allá para honrarle se suspendieron o prohibieron para no perturbar el «orden público». Tal fue el caso de las conferencias que proyectaba dar José Palau.

Había preparado el ilustre biógrafo de Picasso un espectáculo basado en ilustraciones teatrales de la vida y la obra de Picasso, que pudo darse durante tres meses, de octubre a enero de 1972, en la pequeña sala del cabaret La Cova del Drac, situado en las afueras de Barcelona. Interpretado por tres actores solamente, y admirablemente dirigida, el espectáculo tenía una extraordinaria fuerza de evocación y alcanzó un inmenso éxito. La censura sólo había cortado una frase alusiva al bombardeo de Guernica, uno de los momentos más fuertes y sin concesiones de la obra.

Mientras este homenaje a Picasso se representó en *La Cova del Drac* –cuya sala era de reducido tamaño y los precios altos– a hora avanzada de la noche y en un barrio nuevo lejos del centro de Barcelona, todo fue bien. Pero cuando la juvenil compañía quiso dar la función en un teatro grande, el *Poliorama* de las Ramblas, cambiaron las tornas. Tres horas antes de levantarse el telón, se prohibió la representación por orden emanada directamente de Madrid. Sin explicación y sin apelación posible. Hubo que renunciar a la gira prevista por Cataluña y otras muchas ciudades de España. Por otra parte, el texto de Palau quedó mutilado en vísperas de publicarse y eliminadas dos partes esenciales: todo lo referente a Guernica, la ciudad mártir, y lo alusivo a *La Guerra y la Paz* de Vallauris. Los editores protestaron ante la censura, pero todo fue inútil.

Así pues, el liberalismo en cuanto a Picasso que pretendía manifestar el régimen y los proyectos de la devolución del *Guernica* quedaron en lamentable pamema.

Estamos en 1972. Ciento setenta y dos dibujos, a la vez mordaces, humorísticos, paródicos y violentos fueron presentados en la galería Louise Leiris el 1.º de diciembre. Una segunda exposición, inaugurada el 24 de enero de 1973, presentó las series eróticas del grabado, especialmente las inspiradas en los monotipos de Degas. El último aguafuerte databa del 25 de marzo de 1972, y el dibujo más reciente del 18 de agosto, aunque Picasso siguió trabajando hasta mucho después.

En todo ello, o casi, aparecía el mismo emblema: el sexo femenino. Es la obsesión constante de estas series que jalonan los últimos años del pintor: la marca o sello de la ancianidad.

Entretanto, en las subastas, los grabados y dibujos alcanzaban precios cada vez más altos. Un retrato a pluma de Dora Maar, de 1941, se adjudicó en 25.000 francos, el 10 de junio en París; el día 28, un Desnudo a lápiz de 1903-1904, uno de los períodos más buscados y del que hay pocas obras, alcanzó 138.000 francos. Uno de los doscientos cincuenta ejemplares del célebre aguafuerte *Comida Frugal,* de 1904, se vendió en Versalles el 1.º de abril de 1973 en 88.000 francos (este grabado excepcional había pasado en unos meses de los 33.000 francos que alcanzó en Londres, en 1971, a 63.000 en que se remató en la subasta David Weil, menos de un año antes de alcanzar la cotización máxima en la última venta realizada en vida de Picasso). El mismo día un retrato realista al aguafuerte de Ambroise Vollard, de 1937, se adjudicó en cinco veces más que en Nueva York tres años antes. Otro ejemplo: *Jacqueline en la corrida,* un cartel editado en ciento cuarenta y cinco ejemplares, se vendió por 7.700 francos en la subasta de abril de 1973, cuando un año antes exactamente se adjudicó en 2.800 francos.

El aumento de los precios de los grabados de Picasso fue del orden del 50 por ciento en tres años; y siguió todavía el alza después de su muerte, lo mismo que sus esculturas. El 12 de junio de 1970, se vendió en Ginebra la *Cabeza del Loco* de 1905 en cerca de 450.000 francos suizos. La subida de los cuadros fue asimismo notable: el 25 de octubre de 1972, *La Lección de dibujo* alcanzó en Nueva York así como 1.400 francos, y el 13 de noviembre se pagaron en París 360.000 francos por un cuadro de 1962, *La Mujer con perro afgano.* El 11 de marzo de 1973, un mes antes de morir el pintor, el lienzo pintado en Málaga en 1897, *Jovencita en verde,* se vendió en 155.000 francos.

Una monumental cabeza de hombre llena la totalidad de una hoja de papel el 30 de junio de 1972; cabeza inquietante por la expresión de miedo pánico que refleja el rostro verde a lápices de color, los ojos desorbitados, los rasgos demudados, la boca en rictus amargo, las mejillas sumidas, casi fláccidas y mal afeitadas. Hay quien ha querido ver en este dibujo un autorretrato de Picasso, y un cierto parecido justifica esta opinión. La mirada fija y llena de terror ve llegar la muerte.

En *Nôtre-Dame-de-Vie* Picasso deambula\de una habitación a otra; se acerca a las grandes ventanas, se asoma, contempla el paisaje; habla con Jacqueline y con algún íntimo, sentados en el gran sofá del zaguán que llamaba «el andén de la estación», uno de los pocos muebles que se salvaban de estar perpetuamente atestados de cosas; acaricia a los perros, y por la noche se dedica a ver la televisión.

Su cuerpo fornido parece haberse achaparrado y encogido. Sapone ha dicho que Picasso le pareció cada día más pequeño en los últimos meses de su vida. Mostraba a la vez indiferencia por el mundo, despego hacia los demás y notable entrega a su trabajo. Algunas veces se le veía aplanado, y luego, bruscamente, brillaba en él de nuevo el fuego de la creación y pasaba horas ante un lienzo o una plancha de cobre.

Picasso pensaba en la muerte y sabía que la muerte también pensaba en él. Había comunicado a Jacqueline y al notario Antebi las disposiciones que debían tomar cuando llegara el momento; pero ni la una ni el otro le preguntaron nada: lo que él callaba eran cosas de las que sabían positivamente que no quería hablar.

Se iba haciendo el vacío a su alrededor. Se levantaba como de costumbre a eso de las once y media o las doce. Embutido en la bata se acercaba al balcón, Miguel le preguntaba si había dormido bien y le decía, por ejemplo, que hacía buen tiempo. «Sí, sí, un día más, un día ganado...» le contestaba.

No se hablaba en *Nôtre-Dame-de-Vie* de los demás, sólo de Picasso. Todo giraba en torno suyo. Jacqueline era la vestal del presente, no la sacerdotisa del pasado. Y los hijos, no es que hubieran sido apartados, es que no tenían allí nada que hacer. Maya se había casado, Claude era fotógrafo en Nueva York, Paloma diseñaba joyas. Solamente Paulo iba algunas veces a Mougins; había conservado el castillo de Boisgeloup, aunque vivía en París con su amiga, mientras que su mujer legítima, de la que estaba separado, y sus dos hijos, Marina y Pablito, pasaban estrecheces en Golfe-Juan.

Picasso adoraba a sus nietos, sin embargo, hacía años que no los veía y nunca hizo nada por ayudarlos, decía que eso era asunto de Paulo y no suyo. Marina, que se dedica al cuidado de niños minusválidos, asegura que su padre le pasaba a su madre una pensión irrisoria. Nadie se ocupaba de ellos y además nadie se hubiera atrevido a declararse en contra de la indiferencia de Picasso o participar con alguna aportación. Lo único que contaba era no disgustarle, que nada, ni siquiera sus nietos, que vivían a dos pasos de su *masía* de multimillonario, pudieran perturbar su tranquilidad. De eso cuidaba con solicitud Jacqueline, y los que quedaban de su corte, en la casa silenciosa y casi desierta.

Los últimos años de Picasso en *Nôtre-Dame-de-Vie*, fueron semejantes a los de Charles de Gaulle en Colombey. Los dos habían nacido bajo el signo de Escorpión y en no pocas cosas eran semejantes, empezando por la ambivalencia destrucción-creación. Siempre la lucha entre las tinieblas y la luz, el bipolarismo en que se basa la originalidad de los Escorpiones y los hace a la vez seductores y desconcertantes, irritantes, inestables, desprendidos y mezquinos. Pero sobre todo huidizos para todos cuantos pretendieron atraparlos, estrategas de las escapatorias, del equívoco y del secreto. Hombres teatrales para un público incesantemente perplejo pero subyugado.

Picasso se había retirado del mundo por su voluntad, carente de lazos con los artistas de su tiempo, de los que se mofaba o de los que no hacía el menor caso; el «amigo de los trabajadores» se burlaba del pueblo y sentía absoluta indiferencia respecto a sus problemas. De Gaulle había quedado apartado de la vida política por el referéndum del 27 de abril de 1969; también él se alejó de los hombres, en general los despreciaba y los tenía por insignificantes. Había más amargura y vanidad herida que ironía en su alusión de exiliado de «la gran selva gala». Entre Picasso y el general ¿cuál de los dos sufrió más por haber perdido sus poderes?

Ambos quedaron marginados, ambos eran ambiguos, los dos fueron de imposible clasificación, ninguno de los dos supo reconcentrarse más que en actos de alcance inusitado, uno y otro sintieron la misma pasión tenaz y exigente por lo esencial, por lo que según ellos les hacía irremplazables ante el mundo y la historia. Lo secundario no existió nunca para aquellos dos hombres excepcionales.

Una casa austera, meseta batida por el viento situada en el camino de las invasiones, para De Gaulle; una *masía* de millonario entre árboles y flores dominando el mar bajo un cielo azul, para Picasso. Los dos, cada uno a su manera, con sus medios peculiares, escribían diariamente en soledad las páginas de sus Memorias. Los dos reavivaron sus epopeya. La pluma o el buril fueron los sismógrafos del corazón y del sexo. Mientras les quedara un hálito de vida, uno y otro tendrían cuentas que saldar con los hombres.

¿Acaso no era la pintura para Picasso lo que Francia para de Gaulle? Una «cierta idea», algo indefinible, insustituible y fuerte, intensamente presente en ellos, a lo que el uno y el otro habían consagrado una vida trocada en destino. ¿No hubiera podido aplicarse a Picasso la frase que dijo de sí mismo el general: «una persona algo fabulosa...»?

La historia que se hacía, la pintura que se creaba no les concernían. No se reconococían en ellas. Ancianos, solitarios, pero conservando una gloria sin parangón en el mundo, sobrevivían. Las frases de Picasso a sus íntimos de Mougins, las de Charles de Gaulle dirigidas a los que iban a verle a Colombey, son igualmente anacrónicas; los dos daban la misma nota soberbia e inusitada. Malraux se equivocó: Picasso se ajustaba al destino tan bien como De Gaulle; mas el escritor no imaginaba otro destino que el de gaullista. Para él, el general era un hombre histórico, y ¿qué era si no eso el pintor de *Guernica*?

Lo que también aproxima a los dos monstruos sagrados es el ambiente en que vivieron: una familia espiritual que complementaba la natural, un entorno, una corte de aduladores, de servidores, de bufones, de pedigüeños, de intrigantes, de conspiradores y de partidarios fanáticos. Interesante mientras ellos estuvieron en el poder, el espectáculo, drama y vodevil mezclados, perdió luego interés. Tras las giras por provincias al son de trompetas y bajo el resplandor de las luminarias, tras las aclamaciones de la muchedumbre, sucedieron el silencio y el retraimiento. Algunos personajes habían salido de escena, a otros ya no se les admitía en ella y aún otros habían de ser pronto pasados por la criba; la amenaza pesaba sobre la que fue corte bulliciosa, intrigante y hábil, cuyos delitos de lesa majestad, advertidos por la consorte, contabilizados por los favoritos, serían sancionados por el ser supremo.

En Colombey, como en Mougins, podían contarse con los dedos de una mano los fieles que quedaban –tanto Picasso como De Gaulle apreciaban la lealtad–. Pero hasta los amigos más antiguos quedaron descartados o se retiraron ellos mismos, como si nada restara ya del pasado, de la historia antes de su historia. Los fieles aguardan con ansiedad una señal, una llamada; el Exiliado no trata directamente con nadie, sino que se dirige a los que le rinden pleitesía por un intermediario. Picasso hizo decir a un amigo: «¿Por qué no me telefonea nunca?» Conmovido, el otro, llamó repetidamente, para escuchar siempre una de estas respuestas: «El señor está descansando, el señor está trabajando...»

A sus ex ministros que le escribían para preguntarle algo o para pedirle consejo, De Gaulle los dejaba sin contestación. Llamaba a muy pocos adictos para decirles que no tenía tiempo, que tenía que trabajar. «Tengo que darme prisa, tengo que darme prisa. Tengo que cumplir mi misión antes de morir.»

«Tengo que ser riguroso con los visitantes –decía Picasso–. También ha sonado el timbre para mí...Tengo que trabajar.»

«Los franceses no tienen ya ambición nacional. No quieren hacer nada por Francia –decía De Gaulle– los he entretenido con banderas, les he hecho tener paciencia para que esperen. Para que esperen... ¿el qué si no Francia?

«Lo que es terrible hoy –decía Picasso– es que nadie habla mal de nadie. En todas las exposiciones hay algo. En cualquier caso más o menos todo vale...Todo está al mismo nivel. ¿Por qué? Indudablemente no porque sea cierto. ¿Entonces? Pues porque ya no se piensa. O porque nadie se atreve a decirlo.»

Amargura gaullista; despego picassiano. Los dos términos pueden invertirse. ¿No vinieron el uno y otro «para poner un poco de absoluto en la charca de ranas»? le dijo Picasso a Jean Leymarie, ¿o para «librar a Francia de las quimeras que le impedían ser Francia»? le dijo De Gaulle a Malraux.

Ni al uno ni al otro había que pedirles confidencias, pero sí estar preparados para recibirlas. Después del fracaso del referéndum y la retirada a Colombey, en el caso de De Gaulle, y tras el homenaje oficial por sus 90 años, en el de Picasso, algunas frases en tono melancólico jalonaron los últimos años de los dos héroes. En Mougins, Hélène Parmelin, memorialista de *Secrets d'alcôve d'un atelier* («Secretos de alcoba de un estudio»), se guardó ya los cuadernitos de que se burlaba Picasso; en Colombey, André Malraux, basándose en una hora de conversación, el 12 de diciembre de 1969, elaboró un patético diálogo sobre el sentido trágico que De Gaulle y él tenían de los hombres, de la historia y de la vida.

El anciano de Colombey veía caer la nieve sobre los árboles del jardín: «En Francia no se puede edificar nada duradero sobre la mentira».

El nonagenario de Mougins tenía ante sí el cielo rutilante del Mediterráneo, las palmeras y los limoneros: «Si no existiera más que una sola verdad, no sería posible pintar cien cuadros sobre el mismo tema».

«La historia puede justificar la vida, pero no se parece a ella», dijo De Gaulle. «Como la pintura», completó Malraux. Y Picasso precisó: «En pintura se puede ensayarlo todo, incluso se tiene el derecho de hacerlo. A condición de no volver nunca a lo pasado.»

Don Pablo aceptó en enero de 1973 exhibir sus obras recientes en el palacio de los Papas de Aviñón, como se hiciera tres años antes (hoy se sabe que había ido en secreto acompañado por Jacqueline a ver aquella exposición y quedó encantado por la presentación, por la dimensión que adquirían sus cuadros en la gran capilla). Para la segunda de estas manifestaciones, que prometía ser tan sensacional como la primera, envió doscientos cuadros, pintados entre el 25 de septiembre de 1970 y el 1.º de marzo de 1972.

Posteriormente, además, siguió pintando los mismos temas: mosqueteros, parejas, desnudos, mujeres, cabezas, músicos, enmascarados... En este raudal vital en el que la naturaleza quedaba reducida frecuentemente a su sexualidad más animal, resonaba el loco deseo de quien no vaciló al decir: «Cada día que pasa lo hago peor» y se deleitaba al decirlo, como si *lo peor* fuera su droga cotidiana, su estimulante, su exorcismo.

La pintura absorbió todo el invierno de Picasso, a pesar de una gripe maligna que le forzó varias veces a guardar cama unos días, pero no inquietaba a los médicos, conocedores de su robusta constitución. También dibujó mucho como para probar la seguridad de la mano y realizó esbozos, sentado ante el televisor con el sonido cortado.

El aislamiento en que se mantenía Picasso parecía más propicio para descartar las indiscreciones de la vida cotidiana de *Nôtre-Dame-de-Vie,* que para protegerle contra las hipotéticas irrupciones de los importunos. Que él deseara este aislamiento o que lo padeciera, no cambia gran cosa, pues el personaje principal de este último episodio de su existencia ya no fue él, sino Jacqueline.

Jacqueline y la pintura. Picasso no se engañaba respecto a ninguna de las dos.

«Terrible vejez... –diría uno de los que, sin formar parte de la «familia», llegó por entonces hasta don Pablo–. Junto al soberano nonagerario, una enigmática Madame de Maintenon nunca daba respuesta a las preguntas que todo el mundo se hacía. Picasso trabajaba, o hacía decir que trabajaba; trabajaba cuando paseaba –cada vez con menos frecuencia– por el jardín. Trabajaba cuando leía los periódicos.

Trabajaba cuando recibía a un amigo. Y trabajaba mientras dormía, cuando se levantaba, cuando comía. Aseguraba que trabajaba sin cesar.

–¿Trabajas? –preguntó Picasso a Pierre Daix que le llamó por teléfono–. Yo también estoy trabajando. Trabajo todo el tiempo.

A principio de marzo fue Paulo a visitar al «Padre». Comenzaron a circular por entonces rumores de que Picasso estaba enfermo. Hubo un semanario que llegó a decir que Picasso estaba internado en el Hospital Americano de Neuilly y sometido a tratamiento. Inquietos, muchos de sus amigos telefonearon a Mougins. Jacqueline los tranquilizaba: Pablo había padecido una fuerte gripe en el invierno y se estaba restableciendo poco a poco, pero estaba mejor y seguía trabajando.

El domingo 8 de abril, a las tres de la tarde, la televisión francesa interrumpió el programa para dar una noticia urgente: Pablo Picasso había fallecido a las once y cuarenta minutos.

En Mougins un torrente de periodistas se agolpó ante la puerta cerrada. Un autobús de la gendarmería llegó y dispersó a los curiosos. El viejo jardinero piamontés de *Nôtre-Dame-de-Vie* lloraba al otro lado de la verja y farfullaba ante el micrófono que le alargaban: «Todos los días daba un paseo por el parque... ayer mismo le vi. Por la tarde le subí anémonas y pensamientos, que le gustaban mucho. Esta mañana llegó mi mujer llorando: "El señor Picasso ha muerto"...»

Nada hacía temer que sobreviniera el fin tan rápidamente. Dos o tres días antes Picasso había salido a dar un paseo por el campo, con Jacqueline, el sábado víspera de su muerte, invitó a cenar a su notario Antebi y su mujer. Picasso parecía cansado, pasó mala noche. Se sofocaba y jadeaba. Jacqueline llamó al médico de cabecera que le puso inyecciones calmantes y avisó seguidamente a un cardiólogo de París. Cuando llegó el especialista, el pintor estaba amodorrado; de cuando en cuando decía algunas frases más o menos inteligibles y parecía soñar en voz alta. Todos, empezando por Jacqueline, que veía abrirse a sus pies la sima de la soledad, comprendía que se acercaba el fin.

Con el semblante marcado por una noche en vela miraba fijamente al hombre acostado con el que se acababa uno de los más prestigiosos destinos humanos. Al cabo de unos momentos, completamente agotada, salió de la habitación. «Cinco minutos después –diría más tarde– oí a alguien a mi espalda en el pasillo. Me volví y comprendí. Ni siguiera oí decir al médico "ha muerto".»

El último cuadro en que había estado trabajando Picasso y al que volvió muchas veces en las últimas semanas fue *Un Hombre con espada*.

Miguel se acercó poco después a la verja de entrada para decir a los curiosos intrigados por las idas y venidas de los coches, y a los periodistas locales que habían acudido, que Picasso había muerto de una crisis cardíaca a consecuencia de un edema pulmonar.

La familia natural fue avisada antes que nadie. Paulo, el hijo, Javier Vilató y demás sobrinos y sobrinas de Barcelona, a los que se pidió que fueran a Mougins. Luego la familia espiritual: Kahnweiler y los Leiris, el alcalde de Vallauris, el notario Antebi, los Pignon y el Partido. Arias, el peluquero, llegó para acicalar el cadáver. Sobre Picasso muerto Jacqueline extendió una gran capa negra.

Paulo fue con el notario Antebi a la Alcaldía de Mougins para dar parte de la muerte. El alcalde ordenó, lo mismo que se hizo en Vallauris, poner la bandera a media asta. Ya todos los teletipos, radios y televisiones del mundo habían dado la noticia.

Estaba empezando a lloviznar. Madame Weisweiler bajó de su automóvil con su hija llevando un ramo de flores de su jardín de Saint-Jean-Cap-Ferrat. «Flores de Málaga», dijo. En la punta de España, la placa colocada en la fachada de la casa en la que nació Picasso, fue recubierta con un crespón negro. De todas partes llegaban mensajes de condolencia.

Parejas de jóvenes, mujeres, niños llevaron ramos de flores a la entrada de la finca o los dejaban al pie del muro.

«El honor de conocerle y quererle estuvo reservado al pueblo –dijo Rafael Alberti–. Del pueblo había salido como el Arcipreste de Hita, como Cervantes, como Lope, como Quevedo, como Goya, como Machado, como García Lorca, con los pulmones henchidos de hálito creador. Y volverá a nuestro pueblo.»

El Sultán irascible de las insistentes obsesiones eróticas, el Nabab cínico y cruel con sus huríes y lacayos, el Ogro sediento de vida en su aislada *masía* había llegado a ser una especie de santo laico, y el relato de su muerte edificante al fin de una vida de plenitud, se publicó en la primera página de todos los periódicos del mundo. Sería esto lo que haría derramar más lágrimas, lo que evocaría los recuerdos más desconcertantes, lo que alzaría el monumento más logrado en recuerdo de ese fenómeno de vitalidad y longevidad, de quien se había llegado a olvidar que también fue un gran pintor.

En verdad, las obras principales y los períodos de creación del pintor español desaparecían en la increíble abundancia de la obra en su totalidad. Si Picasso no hubiera dejado más que sus cuadros cubistas, sus «collages» y ensamblajes, se le recordaría como un innovador, y los jóvenes le reverenciarían como reverenciaron a Malevich, Schwiters o a Duchamp, cuya obra fue escasa y en gran parte destruida. Lo esencial en ellos no quedó devorado por la cantidad.

Para el gran público, Picasso-hombre ya había reemplazado a Picasso-artista hacía mucho tiempo: el español, el comunista, el mujeriego que conservó la juventud hasta la ancianidad, el marido de Jacqueline, el recluso de Mougins que hacía payasadas delante de los fotógrafos y llevaba pantalones a cuadros, el autor de tan fabulosa producción de obras incomprensibles y contradictorias que se cotizan en decenas de millones, se situaba por encima de los criterios estéticos y sociales. ¿No fue a la par, por la fantástica gloria alcanzada en el mundo y por los honores que se le rindieron, un pintor oficial, y por la incomprensión y los sarcasmos del público, un artista maldito? Para los jóvenes, hacía tantos años que había dejado de ser un innovador, que algunos ni siquiera lo recordaban... Picasso no era «operacional» como se dijo en tiempos de una famosa exposición celebrada en el Grand Palais con el enunciado de «72 en 1972».

Si *Pravda* no dedicó a la noticia de la muerte de Picasso «pintor español mundialmente conocido», más que unas líneas el 9 de abril, la televisión soviética tampoco se mostró más locuaz, e incluso olvidaron que había sido Premio Lenin de la Paz...

En Madrid, José M.ª Moreno Galván no consiguió autorización para pronunciar una conferencia acerca del ilustre difunto, si bien las Cortes dieron un comunicado en el que se declaraba que: «Con la muerte de Picasso ha desaparecido un español singular y un artista genial...»; y también figuró en acta de la Comisión de Industria: «Pablo Picasso no era amigo del Régimen, todos lo sabemos, pero fue un español que con sus maravillosos pinceles dio brillo al nombre de su patria en el mundo del arte. España pierde un genio...». El Ministerio de Educación Nacional, responsable de la prohibición del acto del 25 de octubre de 1971, puso la bandera a media asta y el ministro envió un telegrama a la familia expresando «en nombre de España su más sincero pésame».

La noticia de la muerte de Picasso originó en la mayor parte de los periódicos y revistas abundancia de reportajes ilustrados. Solamente Luis Apostúa, subdirector del *Ya* católico y conservador, se atrevió a hablar del *Guernica,* el cuadro simbólico del doloroso suceso que «ha pasado a la historia de España y no pertenece ni a uno ni a otro de los dos bandos, aunque el autor militara en las filas de uno de ellos».

Pero lo que preocupaba más que nada a los españoles es que Francia quisiera «recuperar» a Picasso. Unas lamentables declaraciones de Maurice Druon, ministro de Asuntos Culturales, afirmando que «Francia había sido el marco en el que se desarrollaron sus inspiraciones, indudablemente porque es donde respiró el aire de la libertad», justificaron ese temor. El período en que Picasso vivió en Francia, particularmente la primera mitad del siglo xx, fue precisamente el que vio desaparecer las limitaciones geográficas y políticas y en el que el artista se universalizó rebasando los límites de la ciudad y de la nación. Francia y París no desempeñaron más que un papel secundario en la expansión de la obra y la nombradía del creador, cuyo alcance se sitúa ya a escala planetaria.

Lejos de ser una emanación de la cultura francesa, el arte vivo fue una especie de «contrasociedad» y sus representantes se vieron expulsados o fueron motivo de mofa para la conservadora burguesía y para los poderes públicos. Los artistas creadores del siglo xx francés vivieron marginados o sufrieron la perpetua hostilidad del Estado. Los primeros partidarios de los grandes innovadores de la pintura fueron extranjeros y en el extranjero están hoy sus obras principales. Esto, que es verdad en cuanto a Picasso, lo es asimismo respecto a Matisse, Léger, Braque, Malevich, Mondrian, Kandisnky, Duchamp y Klee. La aceptación del arte vivo y su utilización por el Estado es un fenómeno reciente producido más por la costumbre, incluso por la facultad de desgaste de la percepción, que por la aceptación espiritual o del gusto. También es cierto que la religión del arte fue luego parte de la economía capitalista; lo que hasta hace poco ha sido placer casi clandestino de una minoría audaz, ha pasado a ser acervo de la mayoría.

En tal contexto evolutivo, la desaparición de Picasso no podía tener más que una consecuencia lógica: hacer subir el precio de sus obras, y eso es lo que ocurrió en las primeras subastas que siguieron a su muerte. Paralelamente con ese movimiento, no tardó en manifestarse otro fenómeno igualmente lógico, en concreto la anexión de Pablo Picasso por la sociedad de consumo cultural: en el otoño de 1973, Malraux, llamado a Mougins por Jacqueline, empezó un libro sobre el pintor.

Después de morir Picasso, los artistas que le habían visto con más frecuencia –pocos en la última parte de su vida– se negaron a expresar una opinión acerca de su arte. Algunos de sus más íntimos, tan prolijos por lo general, guardaron silencio. Sólo Beaudin, que le había conocido de cerca, hizo esta desconcertante declaración: «En adelante, durante siglos, ya no habrá más que grandes pintores». Pero *L'Humanité* que había solicitado su opinión no tuvo a bien publicar esta apreciación.

Dos días después del fallecimiento, el cadáver fue transportado a Vauvenargues y allí quedó depositado en la capilla del castillo en donde yacía San Severino. Eran las cinco de la mañana y estaba nevando. Mientras, la finca de *Nôtre-Dame-de-Vie,* guardada por gendarmes con perros que patrullaban alrededor, parecía aislada del mundo. Solamente se vio llegar a Luis Miguel Dominguín y entrar una camioneta que llevaba una corona de rosas «homenaje de la ciudad de Málaga».

La Señora Furtseva, titular del Ministerio de Cultura de la URSS, envió un telegrama de pésame a Roland Leroy, miembro «cultural» del Comité Central de Partido Comunista Francés, que se había trasladado a Mougins para celebrar la memoria del difunto, pero no fue recibido en *Nôtre-Dame-de-Vie.* El Círculo de las Juventudes Comunistas de La Celle-Saint-Cloud, cerca de París, lleva desde ese día el nombre de Pablo Picasso.

Salvador Dalí declaró: «Picasso, que no tuvo tiempo de pintar, realizó con rapidez vertiginosa experimentos de pintura, que de todas formas, se hubieran hecho; sólo que eso hubiera llevado quinientos o mil años. El catalizó todo lo que había de ocurrir en la historia del arte. Se comprende que a tal velocidad no tuviera tiempo más que de hacer bocetos de sus cuadros...

Su excusa es que fue muy poco hábil manualmente. Todos sus bocetos estaban llenos de manchas y de borrones. Lo cual no le impidió admirar lo bien acabado...

Picasso es un genio porque comprendió todo antes que nadie. Si el Gobierno español desea honrar su memoria, reproducirá su efigie en los billetes de mil pesetas».

Al pie de la escalera de piedra en la entrada principal del castillo de Vauvenargues se cavó una tumba, en aquella terraza donde Picasso permanecía largas horas contemplando la «vista Cézanne», con la montaña Sainte-Victoire destacando sobre el cielo. Allí descansará Picasso.

Había nevado toda la noche sobre la campiña provenzal. Jacqueline, cubierta por larga capa oscura, con su madre y su hija, Paulo y Miguel asistieron a la inhumación. Una delegación del Concejo de Vauvenargues estuvo presente en las exequias, por invitación de Jacqueline.

Picasso había rehusado donar la reproducción de una de sus obras firmadas para la escuela municipal, que el alcalde de la comuna le pidió; también se produjeron tiranteces cuando fueron a solicitarle autorización para sacar agua de un manantial existente en la finca, así es que cabía preguntarse por qué el pintor había sido enterrado en Vauvenargues, a donde no había vuelto desde hacía años, y quién tomó la decisión si es que no vino del propio Picasso. Parece ser que Jacqueline hubiera deseado que se le enterrara en la propiedad de Mougins, pero las ordenanzas municipales prohibían los enterramientos particulares a menos de treinta y cinco metros de los límites periféricos... Se eligió por fin Vauvenargues, por estar aislado el castillo.

Sobre la sepultura se colocó una gran estatua de 1934, recientemente fundida en bronce; una figura de mujer con una vasija en la mano. Un español enarboló una enorme bandera de la República en lo alto de la loma vecina al castillo para que los fotógrafos pudieran sacar esa imagen de la enseña española republicana, como símbolo de la vida y muerte de Picasso.

A Marie-Thérèse Walter no le permitieron entrar en el castillo: un gendarme y el jardinero salieron a decirle que «reinaba allí tanta tristeza que no la podían recibir». Maya, Claude y Paloma, a quienes también se mantuvo alejados, fueron a dejar en el cementerio las flores que habían llevado para la tumba de su padre. Jacqueline quiso para ella sola ese muerto que hacía tanto tiempo pertenecía al mundo entero.

«Erguida en la pradera, la *Figura de la urna,* genio guardián, despliega bajo las nubes de la mañana su gesto de ofrenda paralelo a la tierra», escribiría André Malraux. (3)

Poco antes de la desaparición de Picasso, la Fundación Ailsa Mellon Bruce había comprado, a través del representante de un marchante suizo, por un precio que no se dio a conocer (4), uno de los cuadros clave del Cubismo analítico, la famosa *Mujer desnuda* de 1910, que pasó a la National Gallery de Washington, en donde permaneció expuesta desde el 11 de abril.

Por el contrario, un ejemplar de la «suite Vollard» fue retirada de la subasta del 12 de abril, en Sotheby, después de alcanzar la puja una respetable cantidad (105.000 libras), que su propietario juzgó insuficiente. En noviembre de 1962 otra serie Vollard quedó adjudicada en Christie's por 94.500 libras.

Unos días después de las exequias de Picasso, Paulo se entrevistó en Golfe Juan con su mujer y sus hijos, Pablito y Marina, y tuvo con ellos una fuerte discusión en la que, con toda seguridad, se abordaron cuestiones de dinero. Al día siguiente encontraron a Pablito inanimado: se había bebido una fuerte cantidad de lejía concentrada y tuvo que ser transportado con urgencia a un hospital. Ingresado en la clínica La Fontonne de Antibes, falleció tres meses después. Su madre hizo saber repetidas veces que le era imposible hacer frente a los gastos de la hospitalización, a las numerosas operaciones e injertos necesarios para salvar la vida al muchacho. Poco antes de que muriera, un coleccionista anónimo de París le había escrito ofreciéndole medios de vivir en adelante de manera «digna del renombre de su abuelo».

Apenas un mes después de morir Picasso, sus hijos adulte-

---

(3) André Malraux, *La Tête d'obsidienne.*
(4) Alrededor de un millón de dólares.

rinos Maya, Sra. de Widmayer, Claude y Paloma Ruiz Picasso, solteros, pidieron que se nombrara un administrador judicial encargado de establecer, con la colaboración de peritos cualificados, un inventario completo de los bienes pertenecientes a la sucesión. Este fue el primer episodio de un largo y complicado pleito, pues Picasso murió sin testar y sin dejar disposición alguna, excepto en lo referente a la donación al Louvre de cierto número de cuadros de su colección personal; deseo que cumplieron sin tardanza Jacqueline y Paulo.

–Eso va a ser peor de lo que puedan imaginar...– había dicho una vez Picasso a un amigo refiriéndose a su herencia.

Reconocidos como «hijos naturales» del pintor por fallo del Tribunal de Grasse, el 12 de marzo de 1974, Claude y Paloma, lo mismo que Maya, se vieron incluidos con Paulo en el reparto.

Cuando Paul Puaux, director del Festival de Aviñón, fue a Mougins para poner a punto la exposición proyectada en el Palacio de los Papas, Picasso pidió a Jacqueline: «Tráele el chico del sombrero», y ella sacó un admirable cuadro en una gama de tonos bistre representando un muchacho pintando, cubierta la cabeza con un gran sombrero y una discreta sonrisa en los labios. La postura de la mano que sostenía el pincel parecía captada en el momento de dar una pincelada en el lienzo. Ese *Joven pintor* fue el cartel de la tan esperada exposición. Era una obra admirable de gran dulzura, que contrastaba con la mayor parte de los cuadros ejecutados apresuradamente, con ardor, en estilo atropellado y vacilante, que componía la mayor parte de la muestra. El *Joven pintor* lleva fecha de 14 de abril 1972, día en que Picasso pintó cuatro lienzos con el mismo tema.

En contra de su inveterada costumbre, ninguno de los cuadros expuestos estaba esta vez firmado o fechado. Picasso ya no desafiaba al tiempo, lo negaba.

«El siglo XX, en la persona de un hombre de 92 años, se termina 27 años antes de su término convenido. ¿Juzgó este siglo que su destino estaba cumplido el instante mismo en que su creador más enigmático produjo, de un salto plenamente ampliable, su postrera huida hacia adelante?» –preguntaba René Char en la introducción del catálogo, escrito antes de morir Picasso.

«El pintor que expresó mejor, y casi sin recurrir a la alegoría, este seccionamiento del Tiempo, el más candente que hubo desde que comenzaron los anales de la historia, que ha interpretado los quejidos y la inseguridad... ese pintor sabía que el largo viaje de la energía del universo del arte se hace a pie y sin camino gracias a la memoria visual...»

Aquella exposición se inauguró el 23 de mayo, al mes siguiente de morir Picasso, en presencia de Paulo, muy emocionado, de Kahnweiler y de multitud de amigos. El carácter caótico del conjunto era desconcertante. «Es música de circo», comentó el pintor André Masson. La obsesión sexual estaba presente en casi todos los temas, en las Parejas, en los Abrazos, en los Besos. Picasso habrá sido, hasta el final, el gran sacerdote del desenfrenado amor carnal en su cínica y cruel animalidad, convertido el sexo en un simple signo, en una peculiar taquigrafía por la que los frenéticos combates de la alcobas arrastran el desbordamiento de los sentidos en anárquicas vorágines. Esta orgía de pintura en celo procede de un nonagenario reducido a la inhumana soledad que impone la virilidad perdida. Es esta ocasión cuando Alberti recordaba:

«Hace tres años justamente él conquistó esta fortaleza tomándola al asalto con un extraño ejército de audaces mosqueteros, malencarados capitanes y caballeros españoles, feroces besos, cópulas desorbitadas, fumadores de pipa, arlequines coléricos, graciosos niños espantados... Sumaban 167 las obras invasoras, sin contar los 50 grandes dibujos de escenas y personajes parecidos a los cuadros. Ahora son 201, es decir, 34 cuadros más que en la anterior exposición, páginas siempre de su incesante diario pictórico.»

Muerto Picasso, la exposición de Aviñón no tuvo esta vez tan buena acogida como de costumbre. Los acostumbrados laudadores enmudecieron. «Nadie escapa al horror de envejecer y resulta en verdad conmovedor ver que este hombre ha tratado hasta sus últimos días correr tras la obra maestra ignorada, de recobrar la juventud, su España, las mujeres amadas y su rutilante traje de torero», escribió André Fermigier, y el crítico del *Sunday Telegraph* se preguntaba: «¿Hay aquí algo que verdaderamente le interese al público, aparte de la leyenda viviente? ¿Caída insufrible? ¿Desconcertante decadencia de la calidad?»

Douglas Cooper se mostró singularmente violento: «Compárense con los postreros Braques, los últimos Rembrandt...» exclamó, y añadió que, en su opinión, la obra de Picasso había terminado diez años antes, excepto el grabado. Su demostración adquiría ante los ojos de los visitantes el tono de la polémica irrefutable. A una revista que había escrito que los lienzos expuestos despertaban el entusiasmo de los admiradores del gran pintor, Cooper respondió: «¿Con qué admiradores han hablado? He contemplado detenidamente los cuadros; son garabatos incoherentes de un anciano frenético en la antecámara de la muerte. Eso es lo que hace falta decir».

Si hay algo peor que la muerte, es la desaparición de los medios que justifican la vida. El vicio del mirón rijoso, el «voyeur» es, en esta etapa, el eje de la desesperanza. Salvado por su fantástico impulso creador, Picasso empleó para durar procedimientos teatrales de gesticulaciones y disfraces. El fue sucesivamente el Mosquetero y el Torero, el Hombre del pájaro, el Flautista, el Hombre de la espada, el Músico... pero así como Rembrandt, anciano y descorazonado, todavía tiene fuerza bastante para reír ante el espejo, nada se percibe que no sea indiferencia en estos visajes de payaso, pues ya no hay remisión posible: la función ha terminado y todos estos Picassos que no son más que un solo y único personaje, se desvían insensiblemente hacia el trágico teatro de guiñol. A menos que fuese también, como ha observado Fermigier, hacia la España ruidosa y rebelde, la de las ferias abigarradas y estruendosas, la de las corridas de toros, los bailes, el cante, el colorido, la algazara, la vida reidora y alegre que Picasso había conocido en otros tiempos. Hacia la juventud, el amor y la felicidad perdidos. He aquí que el ciclo se cierra.

Nunca un espectáculo a la vez tan fascinante, irrisorio y patético se había representado en el escenario de Aviñón, y cuando Jacqueline fue discretamente a ver la exposición no pudo por mucho tiempo enfrentarse con aquellos rostros impresionantes.

El conjunto de treinta y ocho cuadros de maestros antiguos y pintores contemporáneos, donados por Picasso al fondo de los Museos Nacionales, era bastante desigual de calidad y planteó por ello no pocas dificultades de presentación, por ser cláusula obligada el mantener agrupada la donación. Las esculturas africanas, testigos de la primera revolución pictórica del siglo, parece ser que irán, posteriormente, al Museo del Hombre. Por otra parte, el castillo de Vauvenargues podría transformarse según deseo de Jacqueline, en Casa de Pablo Picasso, en la que se expondrían, no lejos de su tumba, las obras que dejó el 8 de abril de 1973. Pero también sigue adelante el proyecto del Museo Picasso en París.

El 28 de febrero de 1974, en el Museo de Arte Moderno de Nueva York, un hombre diagnosticado de «iluminado», trazó en mayúsculas con pintura roja las palabras *Kill All Lies* («Acabar con todas las mentiras»). Al día siguiente, en los fosos de Montjuich, un muchacho anarquista, Salvador Puig Antich, sufrió pena de garrote por orden de Franco. ¿Cómo no ver en esta escena goyesca la mirada encolerizada y angustiosa de quien pintó el *Guernica,* no solamente en nombre de la pintura sino en el de la verdad? Esos ojos nos siguen mirando con una intensidad apenas soportable. ¿Qué responder a la pregunta que en todas sus figuras trágicas y en la suya propia, quema los labios? Cuando vivía, Pablo Picasso se preguntó ante sus cuadros: «¿Perdurará esto?» Después de muerto, su obra sigue viviendo el perpetuo presente de la creación y no deja de perturbarla.

El precio de los cuadros de Picasso no cesó de aumentar

en las subastas después de su muerte. El autorretrato de 1901, *Yo Picasso,* vendido en Londres por 140.000 guineas en 1970, fue adjudicado en 270.000 guineas el 2 de diciembre de 1975. *El Muerto* de 1901 (colección Edward G. Robinson), se vendió en Sotheby por 270.000 dólares el 3 de julio. El 2 de abril de 1974, en la sala Christie's de Londres, la *Mujer con mandolina* alcanzó un precio sin precedentes: 260.000 guineas.

Sin embargo, la cotización del pintor más famoso del siglo xx no se libra de sorprendentes altibajos: el 19 de marzo de 1976, en la subasta Rosencraft de Nueva York, una *Maternidad* de 1921 fue retirada en 550.000 dólares, pues se esperaba que alcanzaría más de un millón y medio. Es cierto que se trataba de un óleo del período de las «Gigantas», uno de los menos apreciados, pues algunas épocas son más buscadas que otras; tal es el caso de los años de sus comienzos: un *Busto de Mujer* del período de Toulouse Lautrec, en 1901, se adjudicó en Nueva York, el 16 de mayo de 1977, en 330.000 dólares. Entre las estampas, la famosa *Paloma de la Paz* alcanzó en la subasta de Sotheby, en Londres, 6.500 libras.

La herencia originó, como podía esperarse, gran número de disputas entre la viuda y los hijos de Picasso. El conflicto se agravó por la muerte súbita de Paulo, el 5 de junio de 1975, lo cual incluía en la sucesión a sus dos hijos, Marina y Bernard, nacidos respectivamente en 1951 y 1959 de dos matrimonios sucesivos. El inventario de las obras de Picasso se componía nada menos que de 1.876 pinturas, 7.089 dibujos y otros 4.659 incluidos en 149 cuadernos, 18.000 grabados, 1.355 esculturas, 2.800 piezas de cerámica, a lo que hay que añadir los libros ilustrados, las planchas de cobre y de zinc, etc.

La evaluación global se estimó en más de 1.250 millones de francos. Cantidad de la que se añaden los bienes inmuebles, y las colecciones de cuadros antiguos y modernos, obras de arte primitivo africano y oceánico, grabados eróticos japoneses, etc.

La donación Picasso al Louvre causó no poca sorpresa, cuando quedó abierta al público en julio de 1978. Indudablemente que la *Cesta de naranjas* de Matisse es magnífica, los Cézanne, un Braque, un Derain, dos Miró y los cuatro cuadros del «aduanero» Rousseau entre ellos el admirable *Retrato de Mujer* por el que pagó Picasso cinco francos a un chamarilero en 1908, son soberbios; pero algunos otros cuadros de Chardin, de Corot, de Courbert, de Gauguin, suscitaron eso que se suele denominar «opiniones diversas». ¿Qué había sido de las obras maestras que Picasso mostrara años antes a un David Douglas Duncan estupefacto? Al conjunto de pinturas se suman once monotipos de Degas, escenas tristes y grandiosas de burdel, cuya relación con el Picasso obseso y torturado del final resulta sobrecogedor.

Una mujer solitaria vestida de negro, recorre las inmensas estancias vacías de *Nôtre-Dame-de-Vie,* de las que se han llevado los Picassos para depositarlos en las cajas fuertes de los Bancos. Jacqueline sólo ha podido conservar los cuadros dedicados a ella, que son en su mayoría retratos suyos. La viuda de Picasso no recibe a casi nadie, solamente a contados amigos, y el 8 de cada mes, día en que murió Pablo, va a Vauvenargues, deposita flores en la tumba y permanece sola varias horas en el inmenso castillo. Luego se va. No ve jamás a los hijos de Picasso, cuyas disputas acerca de la herencia envenenaron aún más las relaciones, que nunca habían sido buenas.

Apenas se ocupa Jacqueline del museo que está preparándose en el llamado Hotel Salé de París, situado en el barrio del Marais. Dio su conformidad y eso es todo. Para ella, el término «museo» no es adecuado para aplicarlo al ser «vivo» que fue su marido. Su casa es Vauvenargues ahora; paradójicamente, el lugar en donde descansa es para ella aquél en que existe y donde jamás morirá.

El 20 de octubre de 1977, Marie-Thérèse Walter se ahorcó en su villa de Cap d'Antibes; la que fue la más frágil y sin duda la más querida de las mujeres de Picasso no pudo soportar la intolerable ausencia. ¿Qué secreto guardan las cartas que Picasso escribió, especialmente a su hija Maya?

España, liberada del franquismo, deseaba recuperar el *Guernica* que tenía, desde hacía tiempo, su sitio reservado en el Museo de Arte Contemporáneo, pero se proyectaba también su instalación en el Museo del Prado y, por otra parte, la ciudad vasca reclamaba asimismo el cuadro, igualmente codiciado por el Museo Picasso de Barcelona y por la ciudad de Málaga. Hasta ese momento, todas las gestiones habían fracasado, pero la España democrática veía en esa restitución un símbolo.

El ministro de Cultura, Pío Cabanillas, se había puesto al habla con el embajador de Estados Unidos en Madrid, Mr. Wells Stabler, para tratar del asunto, tomada ya la decisión de instalar el cuadro en el Casón del Retiro, anejo del Prado, teniendo en cuenta la voluntad de Picasso.

William Rubin, director del Departamento de Pintura del Museo de Arte Moderno de Nueva York, hostil en principio a que se llevaran el *Guernica,* no sólo por su fragilidad material, sino también por ser una de las obras más importantes de su museo, acabó por aceptar el principio, previo acuerdo con Jacqueline Picasso y el abogado Roland Dumas, albacea del pintor en lo referente al célebre cuadro. El Sr. Dumas tuvo una entrevista, en agosto de 1979, con el Jefe del Gobierno español, Adolfo Suárez, para establecer las condiciones del retorno del *Guernica* a España en el año del centenario de Picasso, 1981. Lo cual no suprimió, sin embargo, las dificultades políticas que subsistían y que costarían muy largas negociaciones hasta allanar los espinosos escollos.

Un difícil momento fue cuando, en noviembre de 1979, se encargó a la Asesoría Jurídica del Ministerio de Cultura que inquiriese sobre si era legal o no, que Francia entrase en posesión del extraordinario legado del pintor que constituía el pago de los derechos de sucesión por parte de los herederos. Esta «dación» seleccionada del total de la herencia, antes del reparto entre los distintos beneficiarios, era objeto en ese momento de una gran exposición en el Grand Palais y pasaría a ser el fondo principal del Museo Picasso de París.

Una vez más, la sucesión de Picasso daba lugar a un litigio, pero una vez más, también, las cosas pudieron arreglarse. La consulta tenía por motivo que Pablo Picasso había sido ciudadano español y no había renunciado nunca a su nacionalidad de origen. Sin embargo, no fue esto considerado condición legal contraria al reparto de la herencia.

En junio de 1981, tras numerosos viajes a Nueva York y a París del diplomático Rafael Fernández Quintanilla, nombrado especialmente para la tramitación del *Guernica,* y luego de una última reunión entre los hijos de Picasso y dos responsables del Museo de Nueva York, se llegó a un acuerdo definitivo. Pero había sido necesario que el Gobierno español amenazara con llevar el asunto ante los tribunles competentes.

Por fin, el 10 de septiembre de 1981, el *Guernica* llegó a España, rodeado de cierto misterio y de extraordinarias medidas de seguridad, condiciones ambas exigidas por el Museo de Arte Moderno de Nueva York. El ministro de Cultura, Iñigo Cavero, firmó el acta de cesión en presencia de Javier Tusell, Director General de Bellas Artes, y de José Lladó, Embajador de España en Washington. Declaró el ministro que recobrar el más célebre cuadro del siglo xx, y también el más codiciado, tenía una significación simbólica inestimable para España y para su retorno a la democracia: era «el último exiliado que volvía a España».

El 7 de noviembre se inauguró en el Museo Español de Arte Contemporáneo, en la Ciudad Universitaria, la gran exposición antológica con obras procedentes de los principales museos del mundo y colecciones particulares (5) con la

---

(5) Muy importantes selecciones de pinturas, algunas piezas de escultura y dibujos de los Museos Picasso de París y de Barcelona; el *Retrato de Gertrude Stein,* del Metropolitan Museum of Art, de Nueva York; de la Galería Nacional de Praga, un *Busto de mujer* y el famoso *Autorretrato,* de 1907, anunciadores del cambio que culminaría en *Las Señoritas de Avignon,* así como algunos otros cua-

que España celebraba el centenario de Picasso, y que era, paradójicamente, la primera muestra de importancia que se hacía de la obra del pintor en su país. En Barcelona, Málaga, La Coruña y otras ciudades se celebraron diversas conmemoraciones y exposiciones itinerantes.

Ya antes, justo el día en que se cumplía el centenario del nacimiento del pintor, 25 de octubre de 1981, la instalación del *Guernica* y sus obras complementarias donadas por el artista, quedó abierta, en el Casón del Buen Retiro del Museo del Prado, al público madrileño que, desde temprana hora, formaba colas multitudinarias. La inauguración oficial celebrada el día anterior, había registrado momentos de gran emoción con el reencuentro de viejos amigos de Picasso y antiguos exiliados que habían acudido a Madrid para esta histórica ocasión.

Josep Lluis Sert, arquitecto del pabellón Español en la Exposición Internacional de París, en 1937 –para el que fue destinado el célebre cuadro– dijo al periódico *El País,* con tanto humor como certeza, que si en plena guerra nos hubieran dicho que el *Guernica* volvería a España con una monarquía, con un presidente del gobierno apellidado Calvo Sotelo, con un cura como Director del Museo del Prado, con la guardía civil custodiando el cuadro, con Dolores Ibárruri, «La Pasionaria», presente en los actos de inauguración, hubiéramos creído que se trataba de otra broma surrealista de Luis Buñuel...

Ese día los españoles se habrán reconciliado para siempre. Pero ¿cuál es la significación de la obra picassiana y qué resonancias habrá de tener en el futuro?

---

dros cubistas; del Museo del Ermitage de Leningrado, *Mujer con abanico,* de 1908, *Mujer con mandolina,* de 1909, *La botella de Pernod,* de 1912 y algunos otros; del Museo Pushkin de Moscú, principalmente el *Retrato de Ambroise Vollard,* obra destacada del Cubismo; del Museo de Arte Moderno de Nueva York muy notables piezas, entre ellas el *Jugador de cartas,* de 1913-14, *Tres mujeres en la fuente,* de 1921, *Bañista sentada,* de 1930, *Interior con muchacha dibujando,* de 1935, *Pesca nocturna en Antibes,* de 1939 y *El Osario,* de 1944, etc.

Cronología

1881.   El 25 de octubre, en Málaga, nace Pablo Ruiz Picasso, hijo primogénito de José Ruiz Blasco (1838-1913) y de María Picasso López (1855-1939). De este matrimonio nacerán también Dolores (Lola, 1884-1958) y Concepción (Conchita, 1887-1895). El padre de Picasso es pintor, profesor de la Escuela de Bellas Artes de Málaga y conservador del Museo Municipal. Pablo se inicia precozmente en el dibujo y la pintura.

1891.   En septiembre, José Ruiz Blasco y su familia pasan a residir en La Coruña, donde aquél ha sido nombrado profesor de la Escuela de Bellas Artes. En La Coruña, Pablo asiste a las clases de este centro –además de cursar el bachillerato en el Instituto da Guarda– y pinta cuadros que revelan una extraordinaria capacidad.

1895.   La familia Ruiz Picasso se instala en Barcelona, ya que don José ha pedido el traslado como profesor de la Escuela de Bellas Artes de dicha ciudad, conocida como Llotja (la Lonja), de la que Pablo será alumno oficial dos cursos.

1896.   En abril, participa con su tela «Primera comunión» en la Exposición de Bellas Artes de Barcelona.

1897.   Envía a la Exposición Nacional de Bellas Artes de Madrid su cuadro «Ciencia y Caridad», que obtiene una mención honorífica.
        «Primera Comunión» y «Ciencia y Caridad» respondían en tema y estilo al gusto imperante en los certámenes oficiales. Tras veranear, como en años ante-

riores, en Málaga, viaja a Madrid con el fin de proseguir sus estudios oficiales en la Escuela de Bellas Artes de San Fernando. Pronto se desinteresa de las clases y se dedica a pintar y dibujar a su aire.

1898.   En junio, Pablo, enfermo de escarlatina, regresa a Barcelona. Poco después va con su amigo Manuel Pallarés a Horta de Ebro (Tarragona), donde, como siempre, pinta y dibuja incesantemente.

1899.   En febrero, regresa a Barcelona. Frecuenta la cervecería «Els Quatre Gats» y participa del clima renovador que el Modernismo significa. Su estilo experimenta un cambio radical, con influencias, sobre todo, de Steinlen, de Toulouse-Lautrec y de Munch.

Anterior a estos cambios era seguramente el estilo del cuadro, hoy perdido, «Un patio de una casa en Aragón», con el que Picasso obtuvo otra mención honorífica en la Exposición Nacional de Bellas Artes de este año.

1900.   En febrero expone en «Els Quatre Gats» una serie de retratos de artistas y amigos en la línea de Ramón Casas.

En mayo se inaugura la Exposición Universal de París, en la que Pablo participa con un cuadro titulado «Los últimos momentos».

En octubre, en compañía de Carles Casagemas, con quien compartía el taller en Barcelona, realiza su primer viaje a París.

Allí conoce al marchante catalán Manach, que le ofrece una suma mensual a cambio de un cierto número de obras. Es su primer contrato, gracias al cual puede trabajar con relativa holgura. A través de Manach conoce a Berthe Weill que le compra algunos pasteles de tema taurino.

En París, Picasso se interesa particularmente por la obra de Toulouse-Lautrec. Los principales temas de sus trabajos parisinos son escenas populares, de teatro y el de una pareja abrazada.

En diciembre vuelve a Barcelona, pasa las Navidades con sus padres y se dirige poco después a Málaga.

1901.   A principios de año, Pablo se traslada a Madrid, donde pinta figuras femeninas de un cromatismo suntuoso y funda, con Francisco de A. Soler, la revista *Arte Joven.*

A finales de abril vuelve a Barcelona y en mayo viaja, por segunda vez, a París, donde en junio se inaugura una exposición conjunta de Picasso e Iturrino en la Galería Vollard. A instancias de Iturrino, Picasso expone después tres cuadros en la Exposición de Arte Moderno de Bilbao. En este mismo año, Picasso expuso también («Dama en Azul») en la Exposición Nacional de Bellas Artes de Madrid.

En la obra de Picasso de este momento se aprecia un «prefauvismo».

Pronto cambia de estilo: figuras de contornos simplificados, delimitados por un trazo oscuro, y colores planos.

El suicidio de Casagemas en París le inspira una serie de cuadros con los que inicia una nueva orientación temática: una meditación triste, a veces amarga, sobre el sentido de la vida.

En octubre, se celebra en la Sala Witcomb de Buenos Aires, organizada por el marchante José Artal, una exposición colectiva en la que figuran cinco pinturas de Picasso: es la primera presencia de obras suyas en América. En junio había expuesto, asimismo, junto a Ramón Casas, en la Sala Parés de Barcelona.

En invierno realiza retratos y maternidades: empieza el «período azul».

1902.   Tras romper con Manach, a finales de enero vuelve a Barcelona.

En su pintura domina el tema de la miseria y la soledad.

En octubre, Picasso realiza su tercer viaje a París. Esta estancia está marcada por las privaciones, compartidas con el poeta Max Jacob.

1903.   En enero, de nuevo en Barcelona, trabaja intensamente. Inicia los estudios para «La vida», tela fundamental de la época azul.

En las obras pintadas hacia el otoño, las figuras se alargan con cierto «manierismo», inspirado principalmente por El Greco.

1904.   En abril, realiza el viaje definitivo a París. Se instala en el Bateau-Lavoir y se relaciona especialmente con los artistas catalanes Canals, Pitxot, Manolo y los poetas Salmon y Apollinaire.

Frecuenta el Circo Medrano, próximo a su taller.

En el otoño, conoce a Fernande Olivier que será su compañera hasta 1912. Realiza su primer gran grabado: «La comida frugal», y poco después empieza la «época rosa».

1905.   A finales de febrero expone en la Galería Serrurier sus primeras telas rosas sobre temas circenses.

Pasa un mes del verano en Holanda, y en el otoño conoce a Gertrude y Leo Stein, con quienes entabla amistad y cuya casa frecuenta.

1906.   A principios de mayo, con Fernande, viaja a Barcelona y se traslada luego a Gósol (Lérida) donde permanece hasta mediados de agosto. El interés por el modelado y los volúmenes, junto a una tendencia a los tonos ocres, marcan la pintura de esta época. También aparece un tono arcaizante (simplificación, desproporciones).

1907.   Pinta «Les demoiselles d'Avignon», punto de partida del cubismo.

Conoce a **Kahnweiler**, que será su principal marchante, y a **Braque**, con quien llevará a cabo la «revolución cubista».

1908.   La influencia de Cézanne, de la escultura africana y del «aduanero» Rousseau dominan en la pintura de esta época.

En noviembre, en el taller de Picasso se celebra un banquete en honor de Rousseau.

Los comerciantes y coleccionistas interesados en la obra de Picasso empiezan a ser numerosos y notables: los Stein, Vollard, Uhde, Rupf, Dutilleul, Chukin.

1909.   En mayo, Picasso viaja a Barcelona con Fernande, y en julio se traslada a Horta de Ebro, donde pinta paisajes y retratos en los que se perfila el inicio del cubismo analítico.

En septiembre, de regreso en París, cambia de domicilio.

La época de penuria en el Bateau-Lavoir ha concluido.

En otoño modela una cabeza de Fernande que está considerada como la primera escultura cubista.

1910.   Concluye los retratos de Vollard y Uhde, en los que se manifiesta el cubismo analítico (descomposición en múltiples facetas, cromatismo reducido a grises y tierras).

En junio vuelve a Barcelona, con Fernande.

Pasan el verano en Cadaqués (Gerona), donde está también Ramón Pitxot y se les une Derain. El lenguaje cubista alcanza un alto grado de hermetismo.

1911.   Picasso participa en exposiciones colectivas de Berlín, Amsterdam y Nueva York. A partir de este tiempo su notoriedad como protagonista del arte de vanguardia se extiende por todas partes.

Sigue la política de no participar en exposiciones

colectivas en París, pero sí en las de otras ciudades de Occidente.

En julio, se instala en Céret, donde ya se hallaba Manolo.

Se le une Braque y trabajan juntos. Introducen la tipografía en las pinturas cubistas.

En otoño conoce a Eva Gouel, llamada Marcelle Humbert.

En varios cuadros Picasso se referirá a ella con la expresión «Ma jolie».

1912. Primer «collage»: «Naturaleza muerta con asiento de rejilla», y primer «assemblage»: «Guitarra de chapa».

Expone en Barcelona, en las Galerías Dalmau, obras de los períodos azul y rosa... Expone también en Alemania (Colonia, Berlín) y participa en la 2.ª exposición de «Der Blaue Reiter», en Munich.

Tras la separación de Fernande, Picasso inicia su vida en común con Eva.

En mayo, Picasso y Eva van a Céret, de allí a Avignon y poco después a Sorgues. Braque se reúne con ellos.

Realiza una primera serie de «papiers collés».

En diciembre se establece el contrato entre Picasso y Kahnweiler.

1913. Pasa algunos meses de la primavera y el verano en Céret, con Manolo, Max Jacob, Braque, Gris. Se suceden los «papiers collés» que en pintura desencadenan el cubismo sintético (el color se enriquece y planos más amplios suceden a las facetas del período analítico).

En mayo, con motivo del fallecimiento de su padre, hace un rápido viaje a Barcelona.

En otoño trabaja en «Mujer en camisa en un sillón», obra que posteriormente será muy valorada por los surrealistas.

1914.   Continúa trabajando con «papiers collés», realiza
        esculturas, construcciones en relieve y «assembla-
        ges», y las pinturas denominadas del «cubismo roco-
        có» (color brillante, puntillismo, variadas texturas).
        En junio, Eva y Picasso se instalan en Avignon, has-
        ta finales de octubre. Mientras, sus amigos, entre
        ellos Braque y Apollinaire, son movilizados al esta-
        llar la guerra.

1915.   Muere Eva.

1916.   Jean Cocteau le presenta a Diaghilev, director de los
        Ballets Rusos, quien le propone colaborar en «Para-
        de», ballet con argumento de Cocteau y música de
        Erik Satie.

1917.   A mediados de febrero, con Cocteau, viaja a Italia,
        donde se encuentran los Ballets Rusos de Diaghilev.
        Conoce a Stravinsky y a la bailarina Olga Koklova,
        que será su esposa. En mayo, en París, se estrena
        «Parade» con decorados, vestuario y «personajes
        cubistas» de Picasso.
        En junio, Picasso sigue a la compañía de Diaghilev,
        que se dirige a España. En Barcelona, Picasso es
        acogido con entusiasmo por sus amigos. Pinta cua-
        dros cubistas y algunos retratos en una línea de re-
        torno al «clasicismo» que ya había iniciado unos
        años antes.
        Olga deja los Ballets Rusos y con Picasso se instala
        en París.

1918.   En julio, Olga y Picasso contraen matrimonio y
        pasan a residir en dos pisos de la calle La Boétie. El
        pintor es ya una figura importante y, alejado del
        mundo de la bohemia, lleva una vida de relación
        con la alta sociedad.

1919.   Picasso viaja a Londres con Olga para trabajar en los
        decorados y el vestuario del ballet «El sombrero de
        tres picos», de Falla, que prepara Diaghilev.

Pasan el verano en Saint-Raphael, en la Costa Azul. Picasso pinta indistintamente en estilo cubista y en un estilo realista monumental y escultórico que será pronto dominante.

1920. En mayo Diaghilev estrena «Pulcinella», de Stravinsky, con decorados y vestuario de Picasso.
Olga y Picasso pasan el verano en Juan-les-Pins.

1921. En febrero nace su hijo Paulo.
En mayo, Diaghilev estrena en París «Cuadro flamenco», con decorados y vestuario de Picasso.
Picasso, Olga y Paulo pasan el verano en Fontainebleau, donde pinta en doble versión «Tres músicos» y «Tres mujeres en la fuente», la primera punto culminante del cubismo sintético, la segunda, pieza significativa de las composiciones clásicas y monumentales de figuras agigantadas.
Se publica la primera monografía dedicada al pintor, debida a Maurice Raynal.
En este año se subastan la colección de Uhde y parte de la de Kahnweiler que, por su condición de alemanes, habían sido requisadas durante la guerra. El cubismo adquirió con estas ventas una gran difusión y entró con fuerza en el mercado del arte moderno.

1922. En verano, la familia de Picasso se instala en Dinard, en Bretaña.
Continúa con las figuras clásicas y monumentales.

1923. Picasso pasa el verano en Cap d'Antibes, donde le visita su madre.
Pinta otra de las grandes composiciones clásicas: «La flauta de Pan».
Conoce a André Breton, de quien hace el retrato.

1924. Realiza de nuevo trabajos para el teatro. El ballet «Mercure» provoca reacciones hostiles a Picasso, pero también la publicación de un texto de «Homenaje a Picasso», firmado por los surrealistas.

Pasa el verano en Juan-les-Pins. Pinta grandes naturalezas muertas en las que, junto al cubismo, se aprecia la influencia de Matisse.

1925. En la revista *La Révolution Surréaliste* se publican obras de Picasso, entre ellas y por primera vez en Europa, «Les demoiselles d'Avignon».

Las relaciones de Picasso con Olga son cada vez más difíciles.

Pinta «La danza», que anticipa la violencia expresiva de trabajos posteriores.

1926. Pasa el verano, como el año anterior, en Juan-les-Pins.

Con materiales de desecho (telas, cuerdas, clavos) realiza una serie de «assemblages» de manifiesta agresividad.

1927. En enero conoce a una joven de 17 años, Marie-Thérèse Walter, con quien pronto mantendrá relaciones íntimas.

Pasa el verano en Cannes, con Olga y Paulo.

Realiza el álbum de dibujos «Las metamorfosis», bañistas distorsionadas y volumétricas como signos orgánicos de significado sexual.

Muere Juan Gris.

1928. Pasa el verano en Dinard con Olga y Paulo y, en secreto, ve a Marie-Thérèse. Sigue con el tema de las bañistas monstruosas.

Frecuenta el taller de Julio González que le inicia en la escultura de metal. Realiza unas construcciones filiformes como maqueta de un monumento a Apollinaire.

1930. Las figuras femeninas distorsionadas y fantásticas culminan en una gran tela surrealista: «Bañista sentada».

En febrero pinta, inspirándose en Grünewald, una «Crucifixión» en la que se anticipan aspectos del «Guernica».

Compra el castillo de Boisgeloup, en Normandía, donde instala su taller de escultura.

1931. Trabaja particularmente en la escultura: «assemblages» con alambre y objetos de metal, una serie de estatuillas filiformes en madera, e inicia unas cabezas femeninas modeladas, de formas redondeadas que sugieren la imagen de Marie-Thérèse.

Se realizan exposiciones importantes de la obra del pintor en París, Nueva York, Londres.

1932. En junio se celebra una gran exposición retrospectiva de su obra en la Galería Georges Petit (236 piezas).

Marie-Thérèse inspira una serie de cuadros de ritmos ondulantes: una figura femenina rubia, reposada, durmiente.

El tema de Marie-Thérèse también domina la escultura.

En octubre, Christian Zervos publica el primer tomo de su catálogo monumental de la obra de Picasso.

1933. Realiza la portada del primer número de *Minotaure,* publicación surrealista que incluye un artículo de Breton sobre la escultura de Picasso.

El minotauro será protagonista de una serie de grabados que formarán parte de la llamada «Suite Vollard» (conjunto de 100 grabados de temas diversos).

Este año se publica *Picasso et ses amis,* de Fernande Olivier.

1934. De finales de agosto a mediados de septiembre, con Olga y Paulo, Picasso realiza un viaje por España (San Sebastián, Burgos, Madrid, El Escorial, Toledo, Zaragoza y Barcelona).

Graba «Minotauro guiado por una niña».

1935. Ruptura de Picasso y Olga. Inician los trámites del divorcio, que no proseguirán.

En octubre nace Maya, hija de Marie-Thérèse y Picasso.

Picasso deja temporalmente de pintar. Escribe poemas. Llama a su lado a Jaime Sabartés, amigo de sus primeros años en Barcelona, que será a partir de ahora un compañero inseparable y hará las veces de secretario.

En la primavera realiza un magnífico aguafuerte: «Minotauromaquia».

En el otoño se inicia la amistad con Paul Eluard.

1936. En enero, ADLAN (Amics de l'Art Nou) organiza una exposición de Picasso en Barcelona que luego se presentará también en Madrid y en Bilbao.

A finales de marzo, con Marie-Thérèse y Maya, se instala secretamente en Juan-les-Pins. En mayo vuelven a París.

En agosto Picasso se traslada a Mougins, se le une Dora Maar, una fotógrafa y pintora vinculada a los surrealistas, con la que mantendrá relaciones íntimas durante varios años.

De ella realizará múltiples retratos.

Al estallar la guerra civil española toma partido por la República, que le nombra director del Museo del Prado, cargo que no llega a desempeñar.

1937. En invierno, instala su taller en la calle Grands Augustins de París.

Realiza los grabados y el texto de *Sueño y mentira de Franco.*

El 1.º de mayo empieza la gran tela que se le había encargado para el pabellón de la República española en la Exposición Universal de París: «Guernica», su obra más famosa. Dora Maar fotografía el proceso de trabajo.

En julio vuelve a Mougins con Dora Maar y los Eluard, y en octubre viaja a Suiza y visita a Paul Klee.

1938. En julio va de nuevo a Mougins con Dora. Visita a
       Matisse en Niza. Pinta retratos de Maya.

1939. En julio se instala con Dora en la casa de Man Ray
       en Antibes.
       Pinta «Pesca nocturna en Antibes».
       Muere su madre en Barcelona.
       Muere Ambroise Vollard.
       En agosto, vuelve a París y luego se instala en
       Royan, con Dora y Sabartés. Marie-Thérèse y Maya
       también están en Royan.

1940. Reside en Royan, con algunas breves estancias en
       París.

1941. Picasso escribe una pieza teatral: *Le désir attrapé
       par la queue* («El deseo atrapado por la cola»).

1942. Muere Julio González. Picasso pinta una serie de
       naturalezas muertas con un bucráneo, que el pintor
       describe como «la muerte de González».
       En julio realiza los primeros dibujos de una escultu-
       ra de sabor clásico: «El hombre del cordero», que
       termina en 1944.
       En estos años (desde 1938) Picasso representa con
       frecuencia en sus pinturas figuras femeninas, violen-
       tamente deformes y sentadas en un espacio cerrado.

1943. Realiza esculturas y «assemblages» («Cabeza de
       muerto», «Cabeza de toro»).
       En mayo conoce a Françoise Gilot, una joven
       pintora que será su compañera durante casi diez
       años.

1944. En febrero la Gestapo detiene a Robert Desnos y
       a Max Jacob; éste morirá en un campo de concentra-
       ción. Kahnweiler, también judío, ha de ocultarse, y
       su cuñada Louise Leiris pasa a ser titular de su gale-
       ría, que después de la guerra conservará el nombre
       de Galería Louise Leiris, y donde Picasso expondrá
       regularmente.

En casa de los Leiris se organiza una lectura de *Le désir attrapé par la queue.* Entre los participantes figuran Albert Camus, Simone de Beauvoir, Jean-Paul Sartre, Jacques Lacan, Dora Maar, etc.

Durante la insurrección de París, en agosto, Picasso se instala en casa de Marie-Thérèse.

En octubre, tras la liberación, Picasso se afilia al Partido Comunista Francés.

En el Salón de Otoño –el «Salón de la Liberación»– Picasso es el único pintor al cual se consagra una sala individual (79 obras), como homenaje a su personalidad artística y a su conducta durante la ocupación alemana.

1945.   En marzo, Picasso va a Golfe-Juan, con Françoise Gilot.

Visita a Matisse.

Se crea el Salón de Mayo, en el que Picasso participará regularmente desde 1951.

En julio, Picasso y Dora van a Cap d'Antibes. Françoise Gilot se reúne con Picasso en noviembre, y éste se distanciará de Dora y de Marie-Thérèse.

1946.   Picasso y Françoise Gilot pasan parte del año en Golfe-Juan.

Se inaugura en junio, en el Museo de Arte Moderno de Nueva York, la exposición «Picasso. Fifty Years of his Art», cuyo catálogo por Alfred H. Barr Jr. constituye una pieza fundamental de la bibliografía sobre el artista.

También en este año se publican: *Picasso. Portraits et souvenirs,* de Sabartés, y *Picasso antes de Picasso* de A. Cirici Pellicer.

Picasso trabaja en el que será Museo de Antibes, para el que realiza buen número de pinturas.

1947.   En mayo nace Claude, hijo de Françoise Gilot y Picasso.

En agosto, Picasso inicia en Vallauris un nuevo capítulo artístico: la cerámica.

En este año realiza más de 50 litografías.

1948. Participa, en agosto, en el Congreso de los intelectuales para la Paz, en Wroclaw (Polonia).

En el verano se instala con Françoise en «La Galloise», en Vallauris.

El Gobierno francés le concede la «Medalla del Reconocimiento francés» en su categoría de plata.

1949. Louis Aragon elige para el cartel del Congreso de la Paz, que se celebra en París, en abril, la litografía de «La paloma» de Picasso.

En abril precisamente, nace Paloma, segundo hijo de Françoise y el pintor.

1950. Se coloca en la plaza de Vallauris «El hombre del cordero».

Picasso recibe, en noviembre, el Premio Lenin de la Paz.

Realiza esculturas-«assemblages» («La cabra»).

1951. En enero, el cuadro «Matanza en Corea» se presenta en el Salón de Mayo: no es bien acogido, ni siquiera por el Partido Comunista que, no obstante, en febrero, le organiza un homenaje.

Picasso continúa trabajando en la escultura.

1952. En abril, realiza los dibujos preparatorios para la decoración de la capilla de Vallauris, en la que pintará dos grandes murales sobre la Guerra y la Paz.

Picasso escribe otra pieza teatral: *Les cuatre petites filles* (Las cuatro muchachas).

Muere su amigo Paul Eluard.

1953. Se celebran importantes exposiciones retrospectivas de la obra de Picasso en París, Lyon, Milán y Roma.

Durante el verano reside en Perpignan, con Maya.

Françoise Gilot y Picasso se separan.

El pintor empieza una larga serie de dibujos sobre el tema de «El pintor y la modelo», en los que se hace presente, además del problema de la creación, la preocupación por el sexo, la juventud y la vejez. Este tema pasará después a la pintura y al grabado.

1954. Jacqueline Roque, que pronto será su compañera, aparece en la pintura de Picasso.
Mueren Derain y Matisse.
Realiza varias litografías y, en diciembre, empieza a trabajar sobre «Las mujeres de Argel» de Delacroix.

1955. En febrero, muere Olga Picasso en Cannes.
Las exposiciones y las publicaciones dedicadas a Picasso se suceden en todo el mundo; de especial importancia es la retrospectiva del Museo de las Artes Decorativas de París.
En el verano se instala con Jacqueline en Cannes, en «La Californie», donde residirá hasta 1961. Pronto inicia una serie de pinturas sobre el taller de «La Californie», con un cierto aire de Matisse.

1956. En octubre se celebra la primera exposición Picasso en la Sala Gaspar de Barcelona, que organizará en años sucesivos otras exposiciones de su obra.
Con motivo de los 75 años del pintor, Ilya Ehrenbourg organiza una importante exposición Picasso en Moscú.

1957. Las exposiciones de la obra de Picasso se suceden en Nueva York, en Barcelona, en Arlés.
En agosto inicia la serie de pinturas sobre «Las meninas» de Velázquez.
Graba un conjunto de aguatintas destinadas a ilustrar la *Tauromaquia. Arte de torear* de José Delgado (Pepe Illo).

1958. En marzo se hace la presentación oficial de la decoración que Picasso ha realizado para la UNESCO: «La caída de Icaro».

Compra el castillo de Vauvenargues, cerca de Aix en Provence, donde trabajará algún tiempo.

Se interesa por la técnica del grabado en linóleo, que cultivará ampliamente.

1959.   En agosto realiza los primeros dibujos en torno a «La merienda campestre» de Manet.

Gustavo Gili publica en Barcelona la *Tauromaquia* con los grabados de Picasso.

1960.   En el verano se presenta una gran exposición retrospectiva en la Tate Gallery de Londres (270 obras), organizada por Roland Penrose.

En octubre empieza los trabajos para la decoración del Colegio de Arquitectos de Barcelona, que se realizará en una técnica de grabado sobre hormigón, desarrollada por el escultor noruego Carl Nesjar.

1961.   En marzo contrae matrimonio con Jacqueline, en Vallauris.

El matrimonio se instala en «Nôtre-Dame-de-Vie», su residencia en Mougins.

En octubre, se organiza en Vallauris una fiesta para celebrar el 80 aniversario del pintor.

1962.   Se le consagran importantes exposiciones en Nueva York.

En mayo le es concedido, por segunda vez, el Premio Lenin de la Paz.

Realiza grabados, sobre todo linóleos, y retratos de Jacqueline.

1963.   En marzo se inaugura el Museo Picasso de Barcelona, instalado en el Palacio Aguilar de la calle Montcada, que reunía la colección donada por Sabartés, impulsor del proyecto, y las obras ya existentes en el Museo de Arte Moderno de la ciudad y donaciones de coleccionistas catalanes.

1964.   Se organizan importantes exposiciones de la obra de Picasso en Toronto (Canadá) y Tokio.

1965. En el verano se presenta en Toulouse una exposición sobre Picasso y el teatro.

Los libros dedicados a Picasso se incrementan con el de Françoise Gilot y Carlton Lake: *Life with Picasso* y el de John Berger: *Success and Failure of Picasso.* El año anterior se habían publicado: *Picasso* de Pierre Daix y *Conversations avec Picasso* de Brassai.

1966. Con motivo de su 85 aniversario se celebran gran número de exposiciones de su obra. En París, en noviembre, se inaugura una gran retrospectiva, organizada por Jean Leymarie, que ocupa el Grand Palais (pinturas) y el Petit Palais (dibujos y esculturas). •

Los textos sobre Picasso continúan: Josep Palau i Fabre, *Picasso a Catalunya;* Pierre Daix y Georges Boudaille, *Picasso 1900-1906.*

1968. En febrero muere Jaime Sabartés. En memoria suya Picasso hace donación al Museo Picasso de Barcelona del conjunto de «Las meninas».

Picasso realiza una importante serie de grabados (347), que se expondrán en la Galería Louise Leiris, y más tarde en la Sala Gaspar de Barcelona.

1969. Gustavo Gili edita en Barcelona *El entierro del Conde de Orgaz,* con un texto y grabados de Picasso.

1970. En enero, Picasso hace donación al Museo Picasso de las obras conservadas por su familia en Barcelona, un impresionante conjunto de sus años de formación. La presentación pública, en diciembre, de esta donación se hará sin ninguna ceremonia, por deseo del pintor, ante los acontecimientos que se desarrollan en España (Consejo de guerra de Burgos).

De mayo a octubre se presenta en el Palacio de los Papas de Avignon una gran exposición dedicada a Picasso.

Este año mueren sus amigos Yvonne y Christian Zervos.

1971. El 90 aniversario del pintor se celebra mundialmente con gran número de exposiciones y homenajes.
       Continúa con sus extraordinarias series de grabados.
       Degas aparece en una serie de escenas de burdel.

1973. En enero, la Galería Louise Leiris expone la serie de 156 estampas realizadas entre finales de 1970 y marzo de 1972.
       El 8 de abril, muere Picasso en Mougins.
       Sus restos descansan frente a la entrada del castillo de Vauvenargues.

Historia

1882   – Koch descubre el bacilo de la tuberculosis.
      – Wagner dirige la primera audición de «Parsifal».

1883   – Gaudí es nombrado arquitecto del templo de la Sagrada Familia de Barcelona.

1885   – Muere Alfonso XII. Empieza la Regencia de María Cristina, durante la cual se turnarán en el poder los partidos conservador y liberal.
      – Por primera vez en una ciudad española se inaugura en Gerona el alumbrado público por electricidad.
      – Epidemia de cólera en España.

1886   – Octava y última exposición del grupo de los pintores impresionistas en París.
      – J. Moréas publica en París el *Manifiesto simbolista*.
      – Pérez Galdós publica «*Fortunata y Jacinta*».

1888   – Guillermo II, emperador de Alemania.
      – Exposición Universal de Barcelona, exponente de la pujanza económica, demográfica y urbanística de la ciudad.
      – Fundación del Partido Socialista Obrero Español y de la Unión General de Trabajadores.

1889   – Exposición Universal de París, con motivo de la cual se construye la torre Eiffel.
      – Fundación de la II Internacional.

1890   – Se promulga en España la ley del sufragio universal.
      – Primera conmemoración en España del Primero de

Mayo, con gran número de huelgas y manifestaciones.
- Ramón Casas va a París, donde reside con Rusiñol en el «Moulin de la Galette».
- Muere Van Gogh.

1891 - Encíclica *Rerum novarum* del papa León XIII.
- Muere Seurat.

1892 - Se aprueban las «Bases per la Constitució Regional Catalana» o «Bases de Manresa».
- Nietzsche publica *Así habló Zaratustra*.

1893 - Guerra de España en Melilla (1893-1894).
- Agitación anarquista en Barcelona: atentado contra el general Martínez Campos y bomba en el teatro del Liceo.

1894 - Estalla el «affaire» Dreyfus en Francia.
- Los hermanos Lumière inventan el cinematógrafo.

1895 - «Grito de Baire»: insurrección independentista en Cuba.
- Unamuno publica *En torno al casticismo*.

1896 - Marconi pone en funcionamiento la telegrafía sin hilos.
- Se celebran en Atenas los primeros Juegos Olímpicos de la época moderna.
- Puccini estrena «La Boheme».
- Kropotkin publica *La anarquía. Su filosofía y su ideal*.
- Bomba al paso de una procesión en la calle de Cambios Nuevos de Barcelona.
- Ejecución de anarquistas en el castillo de Montjuich.

1897 - Asesinato de Cánovas del Castillo, jefe del Gobierno español.
- Fructuoso Gelabert, uno de los pioneros del cine español, rueda en Barcelona varias películas en el estilo documental de Lumière.
- Se inaugura la cervecería «Els Quatre Gats», que

será el centro del arte de vanguardia en Barcelona.
– Primer viaje de Nonell y de Canals a París.

1898 – Guerra de España contra EE.UU.: paz de París,
         con pérdida de Cuba y Filipinas.
      – Descubrimiento del radio por el matrimonio Curie.
      – Maragall publica su *Oda a Espanya*.

1900 – Se crea en España el Ministerio de Instrucción
         Pública y Bellas Artes.
      – Freud publica *La interpretación de los sueños*.
      – Sorolla es galardonado con uno de los grandes
         premios de honor en la Exposición Universal de
         París.

1901 – Muere la reina Victoria de Inglaterra; le sucede su
         hijo Eduardo VII.
      – Fundación de la Liga Regionalista en Barcelona.
      – Francisco Ferrer Guardia funda en Barcelona la
         Escuela Moderna, de tendencia laica y racionalista.
      – Toulouse-Lautrec muere en París; al año siguiente
         el Salón de los Independientes y la Galería Durand-
         Ruel de París le consagran grandes exposiciones in-
         dividuales.
      – Grandes exposiciones de Daumier y de Van Gogh
         en París.

1902 – Alfonso XIII, rey de España.
      – Valle Inclán publica su *Sonata de otoño*.

1903 – Los hermanos Wright realizan el primer vuelo en
         un aeroplano sin motor.
      – En EE.UU, se fundan las fábricas de automóviles
         Ford, y en Alemania las fábricas de armas Krupp.
      – Cierra la cervecería «Els Quatre Gats» de Barcelo-
         na.
      – Muere Gauguin, al cual se consagra en el Salón de
         Otoño de París una exposición individual.

1904 – Pío Baroja publica su trilogía *La lucha por la vida*
         (1904-1905).
      – El Salón de Otoño de París dedica exposiciones

individuales a Cézanne y a Puvis de Chavannes.
– Brancusi llega a París.

1905 – «Domingo rojo» en San Petersburgo.
– Atentado contra Alfonso XIII en su visita a París.
– Einstein: Teoría de la relatividad.
– Se forma en Dresde el grupo «Die Brücke» (El puente) de pintores expresionistas alemanes.
– En el salón de Otoño de París expone el grupo de pintores, presididos por Matisse, que recibirá el nombre de «Fauves» (fieras).
– Exposiciones individuales de Van Gogh y de Seurat en el Salón de los Independientes de París.

1906 – Santiago Ramón y Cajal recibe el Premio Nobel de Medicina.
– En Barcelona, Gaudí termina la casa Batlló y está comenzando la casa Milá, sus últimas obras civiles.
– Eugenio d'Ors empieza a publicar su *Glosari,* punto de partida del «Noucentisme», corriente opuesta en Cataluña al Modernismo.
– En el museo del Louvre se exponen esculturas ibéricas procedentes de Osuna y del Cerro de los Santos, que influirán en Picasso.
– El Salón de los Independientes de París ofrece una gran exposición Gauguin.
– Juan Gris llega a París.

1907 – El Salón de Otoño de París presenta una gran exposición Cézanne, quien había fallecido el año anterior.

1908 – Se celebra en Salzburgo el Primer Congreso Internacional de Psicoanálisis.
– Lluís Domènech i Montaner termina el Palacio de la Música Catalana de Barcelona.
– Exposición Braque en la Galería Kahnweiler de París, a raíz de la cual se utilizará por primera vez el término «cubismo».

1909 – España entra en guerra con Marruecos.
   – La Semana Trágica de Barcelona.
   – Ejecución de Francisco Ferrer Guardia en el castillo de Montjuich.
   – Louis Blériot atraviesa el canal de La Mancha en aeroplano.
   – Marinetti publica en París el primer manifiesto del Futurismo.

1910 – Estalla la revolución en México.
   – Muere el «aduanero» Rousseau.

1911 – Kandinsky y Marc fundan en Munich el grupo «Der Blaue Reiter» (El jinete azul).
   – Giorgio De Chirico llega a París llevando consigo sus primeros cuadros «metafísicos».
   – Mondrian llega a París.
   – Mueren Joan Maragall e Isidro Nonell.

1912 – Asesinato de José Canalejas, jefe del Gobierno español.
   – Exposición del Futurismo italiano en la Galería Bernheim-Jeune de París.
   – Marcel Duchamp pinta su «Desnudo bajando por una escalera».

1913 – Bohr plantea la moderna teoría atómica.
   – Roland Garros atraviesa el Mediterráneo en aeroplano.
   – Husserl publica su *Fenomenología*.
   – Proust inicia la publicación de *En busca del tiempo perdido*.
   – Chaplin hace su primera película.
   – Estreno del ballet «La consagración de la primavera» de Igor Stravinsky.
   – Apollinaire publica *Los pintores cubistas*.
   – Se organiza en Nueva York la «Armory Show», primera gran exposición de arte contemporáneo que se celebra en EE.UU. y en la cual figuran ocho obras de Picasso.

– Kandinsky pinta sus primeros cuadros abstractos.
– Primer «ready-made» de Marcel Duchamp.

1914 – Empieza la Primera Guerra Mundial.
– Joyce publica *Gente de Dublín.*

1915 – «El nacimiento de una nación», película de Griffith.
– Kafka publica *La metamorfosis.*
– Manifiesto del Suprematismo en Rusia.

1916 – Batalla de Verdún.
– Primer ataque de un zeppelín a París.
– Primeras manifestaciones en Zurich del movimiento Dadá.

1917 – Revolución de Octubre en Rusia.
– EE.UU. declara la guerra a Alemania.
– Huelga revolucionaria en España.
– Jung publica *La psicología del inconsciente.*
– Se funda en Holanda el grupo «De Stijl», formulador del Neoplasticismo.

1918 – Termina la Primera Guerra Mundial.
– Se establece en España la jornada laboral de ocho horas.
– The Original Dixieland Jazz Band recorre Europa introduciendo el Jazz.
– Muere Apollinaire, cuyos *Caligramas* se publican este mismo año.

1919 – Tratado de Versalles.
– Mussolini organiza los «fascios de combate».
– Fundación de la Tercera Internacional en Moscú.
– Levantamiento espartaquista en Alemania.
– Bertrand Russell publica su *Introducción a la filosofía matemática.*
– Blasco Ibáñez publica *Los cuatro jinetes del Apocalipsis.*
– Walter Gropius funda la Bauhaus en Weimar.
– Monumento a la Tercera Internacional de V. Tatlin (1918-1920, proyecto).

- Miró hace su primer viaje a París, donde traba amistad con Picasso.

1920 – Se instituye la Sociedad de Naciones.
- Michelson determina el diámetro de Betelgeuse, primera medición precisa de una estrella.
- Primeras emisoras públicas de radio en EE.UU. e Inglaterra.

1921 – Asesinato de Eduardo Dato, jefe del Gobierno español.
- España entra de nuevo en guerra con Marruecos: desastre de Annual, matanza de Monte Arruit.
- Primera exposición de Miró en París.

1922 – Marcha fascista sobre Roma: Mussolini en el poder.
- Wittgenstein: *Tractatus logico philosophicus.*
- Joyce publica *Ulises.*

1923 – Golpe de Estado del general Primo de Rivera, que instaura en España una dictadura militar.
- Mustafá Kemal (Ataturk), presidente de la nueva república de Turquía.
- Cinco piezas para piano, op. 25, de Arnold Schönberg, que introducen el sistema dodecafónico.
- Exposición «De Stijl» en París.

1924 – Muerte de Lenin: Stalin nuevo secretario del Partido Comunista Soviético.
- Transmisión de fotografías a través del Atlántico por telegrafía sin hilos.
- Primer manifiesto surrealista de André Breton.
- Schwitters comienza la primera construcción Merz.

1925 – Hitler publica el primer volumen de *Mein Kampf* (Mi lucha).
- Milken descubre los rayos cósmicos.
- Eisenstein filma «El acorazado Potemkin».
- La Bauhaus se traslada a Dessau.
- La exposición Internacional de las Artes Decorativas en París: consagración del «art Déco».

- Se organiza en París, la primera exposición internacional surrealista, con participación de Picasso.
- Exposición de la Nueva Objetividad en Dresde.

1926 – Fin de la guerra de España en Marruecos.
- Primera exposición internacional de arte abstracto en Zurich.
- Muere Gaudí.

1927 – Ejecución de Sacco y Vanzetti en EE.UU.
- Lindberg realiza el vuelo Nueva York-París.
- Heidegger publica *Ser y tiempo*.
- «El cantor de jazz», primera película completamente hablada con el cantante negro Al Jhonson.
- Klee expone en París por primera vez.

1928 – Fleming descubre la penicilina.
- B. Brecht y K. Weill estrenan «La ópera de cuatro cuartos».
- García Lorca publica su *Romancero gitano*.
- Se rueda «Un perro andaluz», película de Luis Buñuel y Salvador Dalí.

1929 – «Viernes negro» (24 de octubre) de la Bolsa de Nueva York, síntoma de una crisis económica mundial.
- Exposición Universal de Barcelona.
- En Daventry (Inglaterra) se realiza la primera emisión de un programa de televisión.
- Se publican *Sin novedad en el frente* de E. M. Remarque y *Adiós a las armas* de E. Hemingway.
- Diego Rivera pinta los murales del palacio de Cortés en Cuernavaca (Méjico).
- Primera exposición en París de Kandinsky y de Dalí.

1930 – «Sinfonía de los salmos» de Stravinsky.
- Exposición en París del grupo «Cercle et Carré».

1931 – Proclamación de la República en España (14 de abril).

– Faulkner publica *Santuario*.
– Segunda exposición del Surrealismo en París.

1932 – Salazar, Jefe del Gobierno portugués.
– A. Huxley publica *Un mundo feliz*.
– La Bauhaus se traslada a Berlín, donde será cerrada al año siguiente.

1933 – Hitler, canciller de Alemania.
– *Residencia en la tierra,* de Pablo Neruda.
– Gertrude Stein publica *La autobiografía de Alice B. Toklas.*

1934 – Hitler, Füher de Alemania.
– Asesinato del canciller Dollfuss en Austria.
– Comienzan las «grandes purgas» en la URSS.
– «Larga marcha» (1934-1936) del ejército rojo dirigida por Mao Tse Tung en China.
– Levantamiento revolucionario en Asturias y en Cataluña.

1935 – Italia invade Etiopía.
– Canonización del cardenal Fischer y de Tomás Moro.
– «Una noche en la ópera», película de los hermanos Marx.

1936 – Guerra civil española (18 julio 1936-1 abril 1939).
– Gobierno del Frente Popular en Francia, presidido por Léon Blum.
– Abdicación de Eduardo VIII; Jorge VI nuevo rey de Inglaterra.
– Roosevelt reelegido presidente de EE.UU.
– Juegos Olímpicos de Berlín.
– Fusilamiento de García Lorca.
– «Tiempos modernos», película de Chaplin.
– Gran exposición consagrada al Cubismo y al arte abstracto en el Museo de Arte Moderno de Nueva York.

1937 – Toma de Málaga (8 de febrero) por las tropas de Franco.

- Bombardeo de Guernica (26 abril) por la aviación alemana al servicio de Franco.
- El Gobierno republicano español se traslada a Barcelona.
- Empieza la guerra chino-japonesa (1937-1945).
- *España en el corazón,* de Pablo Neruda.
- Gran exposición de «arte degenerado» en Munich, que presenta con intención condenatoria obras de todos los que hoy están considerados como principales pintores alemanes del siglo XX.

1938
- Batalla del Ebro.
- Austria es anexionada al Tercer Reich.
- Las tropas alemanas ocupan el territorio de los Sudetes en Checoslovaquia.
- Sartre publica *La náusea.*
- Ignacio Zuloaga, gran premio de la Bienal en Venecia.
- Exposición internacional del Surrealismo en París.

1939
- Fin de la guerra civil española: Franco, caudillo de España.
- Las tropas alemanas ocupan Checoslovaquia.
- Alemania ataca a Polonia (1.º septiembre): empieza la Segunda Guerra Mundial.

1940
- Churchill, jefe del Gobierno inglés.
- Los alemanes ocupan París (14 junio).
- El general De Gaulle proclama desde Londres la Resistencia francesa.
- Roosevelt elegido por tercera vez presidente de EE.UU.
- Asesinato de Trotsky en Méjico.
- Chaplin: «El gran dictador».
- Mondrian comienza en Nueva York la serie de los «Boogie-Woogie».
- Miró regresa a España.
- Muere Klee.

1941 – Los alemanes invaden Rusia (22 junio).
- En España se organiza la División Azul para combatir junto a los alemanes en Rusia.
- Bombardeo de Pearl Harbour (7 de diciembre); EE. UU. entran en guerra.
- Sinfonía N.º 7 (Leningrado) de Shostakóvich.
- «Ciudadano Kane», película de Orson Welles.
- Las autoridades alemanas de ocupación organizan en las Tullerías de París la quema de medio millar de cuadros de pintores modernos «degenerados» (entre ellos, de Picasso).
- Grandes exposiciones de Miró y de Dalí en el Museo de Arte Moderno de Nueva York.

1942 – Desembarco de los aliados en Africa del Norte.
- Dalí publica en EE. UU. su *Vida secreta.*
- Primera exposición individual de Mondrian en Nueva York.

1943 – Desembarco de los aliados en Italia.
- El general alemán Von Paulus se rinde en Stalingrado: cambia el signo de la guerra en Rusia.
- Sartre: *El ser y la nada.*
- Primera exposición de Jackson Pollock en Nueva York.

1944 – Roosevelt elegido presidente de EE.UU. por cuarta vez.
- Los aliados entran en Roma.
- Desembarco en Normandía (6 junio).
- Liberación de París (25 agosto).
- Francis Bacon: *Tres estudios para la base de una Crucifixión.*
- Mueren Kandinsky y Mondrian.

1945 – Ejecución de Mussolini, suicidio de Hitler.
- Termina la guerra en Europa (8 mayo).
- Conferencias de Yalta y de Postdam: organización de la Europa de posguerra.

- Bombas atómicas sobre 'Hiroshima (6 agosto) y Nagasaki (9 agosto).
- Capitulación de Japón (2 septiembre).
- Rafael Alberti: «A la pintura».
- Roberto Rosellini: «Roma, ciudad abierta», primera película del neorrealismo italiano.
- Exposiciones Fautrier y Dubuffet en París.

1946
- Primera asamblea general de la ONU.
- Juicios de Nuremberg.
- La ONU declara (9 febrero) que no admitirá como miembro a la España de Franco y recomienda (13 diciembre) la retirada inmediata de embajadores y ministros plenipotenciarios acreditados en España.
- Francia cierra su frontera con España.

1947
- Primer vuelo supersónico.
- Albert Camus: *La Peste*.
- Arnold Schönberg: *El superviviente de Varsovia*.
- Exposición internacional del Surrealismo en París, la última gran muestra colectiva de este movimiento.

1948
- Truman elegido presidente de EE.UU.
- Plan Marshall de ayuda norteamericana a Europa.
- Reapertura de la frontera francesa con España.
- «La tierra tiembla», de Visconti y «Ladrón de bicicletas», de De Sica.
- La colección de Peggy Guggenheim es expuesta en varias ciudades de Europa, dando a conocer las nuevas corrientes de la pintura norteamericana.
- Se constituye en Barcelona el grupo «Dau al Set».

1949
- Chang Kai Chek se retira a Formosa: se proclama la República Popular de China bajo la presidencia de Mao Tse Tung.
- Creación de la OTAN; se intensifica la «guerra fría».
- Se funda el Consejo de Europa.

- Se fundan la República Federal Alemana y la República Democrática Alemana.
- Primeros ensayos de la bomba atómica en Rusia.

1950 – Empieza la guerra de Corea.
- EE.UU. nombra embajador en Madrid.
- Psicosis anticomunista en EE.UU.: el senador McCarthy inicia la «lucha contra las actividades antinorteamericanas» o «caza de brujas».
- Pablo Neruda publica su *Canto general.*

1951 – Churchill, de nuevo Primer Ministro de Gran Bretaña.
- Perón reelegido Presidente de Argentina.
- Primera bomba atómica rusa.
- Condena a muerte de los Rosenberg en EE.UU.
- Producción de energía eléctrica a partir de la energía atómica.
- Se celebra en Madrid la I Bienal Hispanoamericana de Arte.

1952 – Isabel II reina de Inglaterra.
- Eisenhower Presidente de EE.UU.
- Primera bomba de hidrógeno norteamericana.
- Ingreso de España en la UNESCO.

1953 – Armisticio en Corea.
- Muerte de Stalin.
- Primera bomba de hidrógeno rusa.
- España firma pactos militares y económicos con EE.UU.
- Primera ascensión al Everest.
- Samuel Beckett estrena *Esperando a Godot.*

1954 – Los comunistas toman Dien Bien Phu y Hanoi en Vietnam.
- Ernst, Arp y Miró obtienen el gran premio de la Bienal de Venecia en pintura, escultura y arte gráfico respectivamente.

1955 – Alemania, miembro de la OTAN.
- Ingreso de España en la ONU.

1956 – Eisenhower reelegido presidente de EE.UU.
      – Kruschov denuncia a Stalin en el 20.º Congreso del partido Comunista de la URSS.
      – Intervención soviética para sofocar el levantamiento de Hungría.
      – Clouzot rueda la película «El misterio Picasso».
      – Richard Hamilton realiza el «collage» «¿Qué es lo que hace que los hogares de hoy sean tan diferentes, tan atractivos?», una de las obras iniciales del «pop-art», movimiento que se desarrollará durante la década siguiente.
      – Muere Jackson Pollock.

1957 – Tratado de Roma: se pone en marcha el Mercado Común Europeo.
      – Rusia lanza el «sputnik», primer satélite artificial no tripulado.
      – Se constituye en Madrid el grupo «El Paso».

1958 – Juan XXIII, papa.
      – De Gaulle Presidente de Francia.
      – Edgard Varése: «Poema electrónico», primer ejemplo de música escrita directamente en cinta magnetofónica.
      – Claude Chabrol: «Le beau Serge», principios de la «nueva ola» cinematográfica francesa.
      – La exposición «La nueva pintura americana» muestra en ocho países europeos el Expresionismo Abstracto norteamericano.

1959 – Triunfo de Castro en Cuba.
      – Visita de Eisenhower a Madrid.
      – El satélite soviético Lunik III fotografía el lado oculto de la Luna. Primeros «happenings» en Nueva York.

1961 – John F. Kennedy presidente de EE.UU.
      – Cuba rechaza la invasión de bahía de Cochinos.
      – Construcción del muro de Berlín.
      – El soviético Yuri Gagarin, primer hombre del espacio.

- «El arte del ensamblaje», exposición del Museo de Arte Moderno de Nueva York.

1962 – «Crisis de los misiles» entre EE.UU. y la URSS.
- Se inicia el Concilio Vaticano II.
- Primer satélite norteamericano con tripulación.

1963 – Muere Juan XXIII, le sucede Paulo VI.
- Asesinato del Presidente Kennedy.

1964 – Destitución de Kruschov en la URSS.
- Johnson elegido Presidente de EE.UU.
- Escalada de la intervención norteamericana en la guerra de Vietnam.
- China hace pruebas con la bomba atómica.
- Los Beatles alcanzan popularidad mundial.

1965 – Intervención del ejército norteamericano en la República Dominicana.
- «Paseo espacial» de astronautas soviéticos y norteamericanos.

1966 – Segundo mandato presidencial del general De Gaulle en Francia.
- Alunizaje de naves espaciales soviéticas y norteamericanas.
- Mueren Giacometti, Arp y Breton.
- Se celebra en Nueva York la exposición «Primary Structures», uno de los primeros grandes conjuntos de «Minimal Art».

1967 – Comienza la Revolución Cultural en China.
- Guerra de los Seis Días entre Israel y países árabes.
- Muerte de Che Guevara en Bolivia.
- China ensaya la bomba de hidrógeno.
- Primer trasplante de corazón.

1968 – Nixon elegido presidente de EE.UU.
- Asesinato de Martín Lutero King.
- Intervención en Checoslovaquia de tropas soviéticas y del pacto de Varsovia.
- «Mayo francés».
- Muere Marcel Duchamp.

1969 – Desembarco de astronautas norteamericanos en la Luna.
   – Dimisión de De Gaulle; Pompidou nuevo presidente de Francia.
   – Fertilización de un óvulo humano en tubo de ensayo.
   – Se celebran en Europa y América importantes exposiciones de arte conceptual y se difunde el «arte povera», movimiento surgido en Italia en 1967.

1970 – Salvador Allende, Presidente de Chile.
   – Juicio de Burgos contra militantes de ETA; movilización de las fuerzas democráticas europeas contra las penas de muerte.

1972 – Estalla el escándalo de Watergate en EE.UU.
   – Nixon reelegido presidente de EE.UU.
   – La Documenta de Kassel difunde en Europa el hiperrealismo norteamericano.

INDICE